...ти вам, товарищи,
дорогие товарищи,
и любви!

Сергей Литвинов

Учитесь
видеть
красоту!

Валерий Бочков

Желаю, чтобы прошлое Вас
не будоражило, настоящее
не бесило, а будущее
не беспокоило!

Б. Шапиро-Тулин

Верьте в удачу.
Счастливый случай —
не редкость!

Лариса Райт

Сквозь тернии — к звездам!

Роман Сенчин

Не жалейте сил — судьба счастлива

[подпись]

Изгнание из рая не наказание.
Наказание сам плод познания добра и зла.
Но он же и огромное счастье. Счастья Вам.
Александр Староверов.

Мечтайте, и пускай за спиной
всегда будут крылья и верные
друзья! Екатерина Двоеглина

Верьте в чудеса.
Будьте, как дети
Ирина Щеглова

реальные истории
из жизни современных
писателей

СЧАСТЛИВЫЙ СЛУЧАЙ

Галина **АРТЕМЬЕВА** · Валерий **БОЧКОВ**
Юрий **БУЙДА** · Татьяна **ВЕДЕНСКАЯ**
Елена **ВЕРНЕР** · Владимир **ВИШНЕВСКИЙ**
Георгий **ДАНЕЛИЯ** · Борис **ЕВСЕЕВ**
Дмитрий **ИВАНОВ** · Наталья **КАЛИНИНА**
Елена **КРЮКОВА** · Андрей **КУЗЕЧКИН**
Сергей **ЛИТВИНОВ** · Алексей **МАКУШИНСКИЙ**
Анна **МАТВЕЕВА** · Ирина **МУРАВЬЕВА**
Екатерина **НЕВОЛИНА** · Елена **НЕСТЕРИНА**
Улья **НОВА** · Лариса **РАЙТ**
Андрей **РОММ** · Роман **СЕНЧИН**
Владимир **СОТНИКОВ** · Александр **СНЕГИРЕВ**
Александр **СТАРОВЕРОВ** · Виктория **ТОКАРЕВА**
Антон **ЧИЖ** · Борис **ШАПИРО-ТУЛИН**
Ирина **ЩЕГЛОВА**

Москва
2016

УДК 821.161.1-3
ББК 84(2Рос=Рус)6-44
С93

Художественное оформление серии *П. Петрова*

Счастливый случай: реальные истории из жизни
С93   современных писателей. – Москва : Издательство «Э»,
2016. – 448 с. – (Перемены к лучшему).

ISBN 978-5-699-87139-1

Серия «Перемены к лучшему» — это сборники жизнеутверждающих историй из жизни современных писателей.

В первой книге серии «Как я изменил свою жизнь к лучшему» собраны реальные истории преодоления трудностей твердостью воли, силой характера. Во втором сборнике любимые писатели — Виктория Токарева, Александр Снегирев, Владимир Вишневский, Ирина Муравьева, Татьяна Веденская, Сергей Литвинов и другие — повествуют о своей удаче, о счастливом случае, изменившем их жизнь.

Все авторы и создатели этой книги желают вам чудес и нежданных подарков судьбы!

УДК 821.161.1-3
ББК 84(2Рос=Рус)6-44

ISBN 978-5-699-87139-1

ТАТЬЯНА ВЕДЕНСКАЯ

писатель, сценарист

Татьяна повествует о необычном опыте переполненной событиями жизни, о странствиях юности, о любви к семье, которая, как она уверяет, в конечном счет ее спасла. Искренность, умение посмеяться над собой, оригинальный взгляд на самые простые вещи — вот что отличает ее книги. Татьяна уверена, что выход есть даже из безвыходных ситуаций, и она показывает его через увлекательные истории своих героев.

СИЯЮЩИЕ АМЕТИСТЫ

• • •

Многие считают, что характер формируется с детства, закаляется он в юности, ну а все оставшееся время характер только подвергается коррозии. Что ж, я могу отлично вспомнить тот момент, когда мой характер окончательно сформировался в том виде, благодаря которому меня многие теперь знают как женщину некрасовских достоинств. В смысле «коня и горящей избы». Это для меня — не проблема. А началось все тогда...

Вот я стою посреди узкой горной реки Варзуги, вода достает мне почти до груди, ноги соскальзывают — все речное дно усыпано неровными, скользкими камнями. Речка ледяная, и от этого пронизывающего холода мне даже больно дышать. Вокруг такой грохот, что мне плохо слышно моего боевого товарища, стоящего в той же реке, только с другой стороны байдарки. Моя спина зажата между огромным валуном и байдаркой. Течение только еще больше впечатывает в меня ее резиновый корпус. Я всем телом чувствую, как гнутся под давлением воды стрингера. Не дай бог, скелет байдарки сломается. Оказаться в тайге без лодки — это ситуация, справляться с которой я даже не представляю как. Мало мне всего того, что уже случилось!

Во попала! Как это я так попала-то?

Да дура потому что!

Трудно поверить, но в юности я была девочкой решительной и своенравной и считала себя способной на любые подвиги.

Хорошо, согласна! Зная меня сегодня, в это очень даже легко поверить. Однако тогда, когда деревья были большими, и был июнь, и мне было всего шестнадцать лет, — я чувствовала у себя за спиной крылья, но еще ни разу по-настоящему не пробовала их в деле. Иными словами, считать-то себя супергероем я считала, но таковой и близко не являлась. Просто мечтательный подросток, завороженно наблюдающий за тем, как языки пламени поглощают сыроватые березовые ветки.

Так начинается эта история. Я сижу у костра, у подмосковного, еще раз отмечу, костра, а мой друг Женя Шлычков по кличке Шашлык рассказывает мне о некоем Стасе Всемогущем, двадцати одного года, то бишь ВЗРОСЛОМ, да еще и выпускнике геологоразливочного, ой, пардон, геологоразведывательного института.

— Он уже ходил с экспедицией, проходил практику. Он реально сделает это! Если хочешь, я могу поговорить с ним!

— Конечно, поговори, — легко соглашаюсь я, наслаждаясь теплым воздухом от костра.

— А ты правда поедешь, если я уговорю его? — недоверчиво переспрашивает он.

— А куда именно? — интересуюсь я, мало задумываясь о том, что все это — наш разговор, этот вечер, два стакана глинтвейна — реально. Мне кажется, что я немножко во сне. Я слышу шорохи листвы и смех других ребят на нашей воскресной лесной встрече. Я счастлива.

— На Кольский полуостров.

— Полуостров? Это где? В Крыму? — других полуостровов я не знаю. Шашлык качает головой и улыбается. Он — студент того же института, у него на носу сессия, под носом — огромный прыщ, а еще я знаю, что нравлюсь ему. А он мне — не очень. Поэтому мы с ним — только друзья.

В следующие выходные я приглашена в гости к тому самому Всемогущему — он живет невыносимо далеко, в Беляево, но я еду, мне любопытно. Вообще, любопытство было своеобразным двигателем внутри меня, и он мог передвинуть меня как угодно далеко. Даже до самого сердца ее величества Тайги.

— Ты хоть понимаешь, Таня, что там будет сложно и трудно? — спрашивал он, а я думала только о том, что он очень симпатичный и действительно взрослый. Куда взрослее, чем все, кого я знала.

— Конечно. Я умею выдерживать трудности, — я отвечаю серьезно и киваю ему в такт. Я понятия не имею, о чем он говорит. И уж точно не разбираюсь в тонкостях туризма, но это не имеет никакого значения.

— Аметисты там есть, я знаю. У меня есть карты. Но они далеко. Полтора месяца добираться, а потом еще недели две на разработку. Найденное поделим поровну, — он говорил и говорил, и его лицо было серьезным и вызывающим уважение. — Ты готовить умеешь? Нам не нужно ничего особенного, самые простые блюда.

— Конечно! — заверила его я. И ведь нельзя сказать, что я совсем соврала. Ведь могла же я пожарить картошку! Правда, ни разу я не жарила ее на открытом огне, но какая, к черту, разница!

Конечно, я согласилась поехать. Куда там, я ужасно боялась, что Стас Всемогущий передумает, узнает о моем нежном возрасте — ведь на вид я была несколько старше, так бывает с девочками, в чьих глазах светится искра разума — и даст мне от ворот поворот. Но Стас был рад, что команда собирается в принципе. Он тоже еще ни разу не водил экспедиций в тайгу, и для него самого было предостаточно поводов поволноваться.

Однако история не о нем. А обо мне. О том, как закалялась моя сталь, если позволите.

И вот я стою на платформе Ленинградского вокзала, массивный зеленый рюкзак, одолженный мне Шашлыком, перевешивает и тянет меня назад, так что я всерьез опасаюсь падения. Если я грохнусь — уже не встану.

За плечами у меня три недели сборов, бессчетное количество тихих ссор и открытых противостояний с моими родителями, в особенности с отцом. Только теперь, будучи уже взрослой женщиной, матерью троих детей, я понимаю, что ему пришлось пережить. А тогда... В один прекрасный день я пришла домой, прошла в кухню, налила себе чаю с лимоном и сахаром, забралась на стул с ногами и сказала отцу примерно следующее:

— Я с друзьями уезжаю в поход.

— В поход? С какими друзьями? Куда? — вопросы не праздные, потому что папа всегда знал, что от меня можно ожидать чего угодно. Но такого!

— С геологами, на Север.

Пауза тянулась довольно долго, папа буквально не мог найти слов. Не кричать же на девочку матом. А так хочется.

— Нет. Никуда ты не поедешь, — сказал он в конце концов.

— На Кольский полуостров! — возразила я. — И это — не Крым.

— С ума сошла! Я ни копейки не дам!

— И не надо, у меня есть деньги, — пожала плечами я. Тут я должна сделать небольшое отступление. Деньги у меня действительно были. Дело в том, что мой папа, заботясь о моем светлом, а также безопасном будущем, многократно в сердцах восклицал, что, цитирую, «пока я живу в его доме на его деньги, я буду делать то, что он мне скажет». Будучи девочкой своенравной (как я уже упоминала), я восприняла его слова как призыв к действию. И нашла себе работу. Даже несколько. Я продавала цветочки, газеты в электричках, сигареты около выходов из метро. Шли девяностые, а у меня были каникулы, мотивация и возможности. Короче, я ему отвечаю:

— Не надо, у меня есть деньги. Вот только не знаю, какую именно купить тушенку.

— Я тебя в комнате запру! Я тебя свяжу! — кричал он, а я потихонечку проносила домой пачки с рисом и сахаром и спички.

Так же тихо и незаметно я купила билет на поезд до Кандалакши.

Только после этого, по сути, отец действительно понял, что я уезжаю. Тогда он аккуратненько поинтересовался маршрутом, еще немножко побегал по квартире, а именно по потолку, стенам и балконной двери — чудеса антигравитация. А затем он мне поездку как бы разрешил. Как если бы я у него спрашивала. Своевольная же, говорю!

В поезде было весело. Собрались все участники событий: Я, Шашлык, Стас Всемогущий, а также мальчик по имени Андрей, которого мы почему-то звали Лешим. Хотя прическа у него была короткой и поводов вроде бы не давала. Итого — четыре идиота на две байдарки. Плюс одна гитара, на которой я как раз умела играть.

Лесом-полем, полем-лесом, автобусом до какого-то горнодобывающего поселка, от него, провожаемые неодобрительными взглядами местных, — дальше на вахтовом автобусе. Местные жители турЫстов считают психами. Не без оснований. Особенно таких, как мы.

Раньше, чем я успела опомниться, я уже стояла на берегу большого-пребольшого озера. Если честно, я вообще не сказала бы, что это озеро. Для меня Ловозеро — именно так оно называлось — представляло собой самое натуральное море. Мы вытряхнули все наши многотонные пожитки из трясущейся на последнем издыхании вахтовки, в которой, кроме нас, собственно, никого и не было — дураков нету переть в такую даль, — и стали собирать байдарки.

Наверное, это был первый момент, когда я вдруг с ужасом осознала, что ничего не знаю о Стасе Всемогущем как о лидере группы. Все, что мне известно, это цвет его глаз и то, как между его бровей залегает морщинка, когда он говорит нам, что следует сделать и как поступить. Стас очень любил командовать. И совершенно не умел.

— Берись за левый конец! Да не этот! Другой левый! — кричал он, а потом выяснялось, что браться за концы вообще было рано.

— Стас, а разве этот стрингер не вперед идет?

— Нет, ты что, не видишь, тут маркировки не совпадают! — возмущался он.

— Ну и что? — пожимал плечами Шашлык, а я только металась между ними и пыталась внести хоть какую-то нотку позитива. И указать на пару погнутых стрингеров.

— Не мешай, Татьяна! — фыркал Стас, но потом стрингеры приходилось разъединять, выгибать, менять местами. После двух часов нелепых метаний по берегу мы окончательно поняли, что Стас не очень хорошо представляет, как собирать байдарку. То есть представляет в целом, но никогда не делал этого сам и уж точно не руководил этим действием. Поэтому все два часа мы с Шашлыком и Лешим исполняли, причем неплохо, спектакль-постановку басни Крылова «Лебедь, Рак и Щука».

Могли бы и «Оскара» получить, увидь нас в тот момент кто-то из жюри.

В конечном итоге, общие сборы на берегу Ловозера заняли примерно шесть часов. В принципе, нужно было ставить палатки и ждать следующего утра, переносить отплытие в неизвестную бездну. Однако Стас решил, черт его знает почему, что мы успеем. Что мы переплывем на двух утлых суденышках девяностокилометровое озеро, больше похожее на море, раньше, чем солнце закатится за горизонт.

— В конце концов, — сказал он. — Это же Север, здесь сейчас полярный день!

И мы, все еще уважающие его как капитана нашей команды и как просто красивого парня (это обо мне), послушались его. Меня посадили к нему в байдарку, так как я была самым слабым звеном. Или, вернее, Стас считал меня слабым звеном по той простой причине, что я девчонка. В принципе, он был прав. Я к тому моменту еще не умела ни срубить небольшое дерево с одного удара топора, ни замотать узел на крепеже байдарки за пару секунд, ни разделать целого оленя одним кинжалом. Даже палатку в одиночку ставить не умела.

Так ведь и он не умел. Что поделать с фактом, что он был еще слабее? Я-то потом научилась. До сих пор меня все боятся, когда я с топором в руках.

В общем, приняли мы решение. Первое неправильное решение в целой череде неправильных решений. Поплыли. Примерно километров через пять ветер усилился. Вечерело. Байдарку начало бросать из стороны в сторону, и я вдруг очень так четко поняла, что могу окончить свои дни на дне этого милого озера. Еще через час штормило уже не по-детски.

Байдарка осела, она была вся в воде, и я никак не успевала отчерпывать, поскольку волнами в байдарку заливалось все больше и больше воды. Хвала небесам, что посреди этого озера имелась парочка маленьких островков. Совсем как в какой-то книжке, мы еле-еле, на последнем издыхании дотянули на уже тонущей байдарке до этого острова. Я материлась, а Стас молчал. Мальчишки, Шашлык и Леший, лежали плашмя на голых камнях и смотрели в темное грозовое небо. Все мы были серьезно удивлены тому факту, что мы живы.

На этом чудесном острове, что называется, шесть на восемь мы провели весь следующий день. Помню, лил дождь — весь этот чертов день. Я думала, хуже уже быть не может. Ха! Как же можно так ошибаться! Прошло всего несколько дней, как мне удалось убедиться, что наше курортное пребывание на островке посреди Ловозера было только началом.

Следующий ценный кусок информации нам удалось узнать, только когда мы вошли в бурные воды реки Паны. Выяснилось, что наш рулевой никогда не ходил по настоящим горным рекам. Нет, он путешествовал с кем-то и где-то. Так и я тоже с папой по Клязьме ходила. Но по таким рекам, которые имеют категории сложности прохождения: вторая, третья, четвертая — все это термины, которыми пользуются люди, знающие толк в водном туризме, — никто из нас не ходил.

Обычно для длительных переходов по сложным горным рекам третьей и четвертой категории сложности байдарки проклеивают толстыми резиновыми лентами, сделанными из шинных камер. Это позволяет байдарке не рваться каждый раз, когда она скользит днищем по острым камням на мелких участках реки.

Еще бы нам кто-то об этом сказал!

Опыт, как известно, сын ошибок трудных. Каждый раз, когда наша со Стасом байдарка садилась на легкую мель, она дралась по стрингерам. Когда тонкая резина байдарки, не защищенная камерой шины, придавленная изнутри стрингером, наезжает на камень, в этом месте и рвется. Потому что там тонко.

Физика.

Но мы оказались лириками, и поэтому были вынуждены клеиться. Вот тогда-то я и начала потихоньку осваивать искусство, или даже можно сказать «дао», спокойствия и непротивления бурному потоку жизни. Я заклеивала байдарку каждый день. Иногда два раза в день. Чаще не получалось, клей не успевал высыхать.

Конечно, в том, что ты два раза в день вытаскиваешь байдарку из воды, переворачиваешь, вытираешь, сушишь зажигалкой, обезжириваешь, мажешь клеем, а затем в течение тридцати минут руками придавливаешь заплатку, нет глобального риска для жизни. Но поверьте, людской характер в такие моменты тоже проверяется очень хорошо.

— Вашу мать! Вашу мать! Ты не могла вывернуть весло ровнее? Ты глухая?

Господи, как же мне хотелось его убить. Ребята держались тоже своеобразно. Стас сохранял лидирующие позиции, но каждая его команда, каждое его предложение подвергались тщательному критическому осмыслению.

Надеть куртки в обезьяне? Конечно, Стас! Конечно, не стоит, идиот. Лучше померзнуть в тельняшке, чем потерять единственную сухую вещь, в которой можно спать.

Ведь обезьяна — это практически дождь вокруг вас. Это когда вы гуляете сквозь дождевое облако, потому что достаточно высоко ушли в гору.

Ты думаешь веревку можно бросить тут на камнях? Гхм, согласна, но лучше я намотаю ее на ногу и завяжу. Так я быстрее сниму ее, когда она мне понадобится. А веревки, ножи и топор в тайге — это все.

Ну что сказать про Сахалин? О том, что я согласилась поехать, я пожалела еще на том маленьком острове. Со второй недели пребывания в тайге я уже полноценно, со слезами на глазах, раскаивалась.

Тайга сама диктует, что тебе делать, а чего делать нельзя. В тайге я поразительно быстро одичала, ставила палатку за пять минут, без слов понимала пацанов, когда нужно было протащить палатку через непроходимый порог на реке, готовила еду на костре. Иногда, конечно, очень хотелось двинуть Стасу в челюсть. Но от присутствия Стаса была одна, даже две пользы, а конкретно — два ружья.

«Будем охотиться», — сказал он. А я тут же предположила, что и стрелять он тоже не умеет. И тут мы подходим к третьей части «мерлезонского балета» под названием «каждый настоящий мужчина должен уметь убивать». Даже я.

«Дайте я сам вам все тут покажу!» — кричал Стас, так как дико боялся давать ружья нам в руки. Однако, когда кончилась тушенка, мы стали более настойчивыми, так как нам не давали покоя мысли о том, что где-то тут, прямо в этих лесах, среди вот этих вот завалов и бурелома ходит, летает, крадется, издает неприятные, пугающие звуки она — наша потенциальная еда. Пару раз мы устраивали стрельбища. Банок, конечно, не было, но для тренировок мы использовали другие подручные средства — шишки, ветки, камни. И каждый раз Стас нервничал, пока ружья не запаковывались обратно в чехлы.

Ружья оказались папиными.

В тот день, когда все мы, включая меня, стали настоящими мужчинами, Стаса как раз с нами не оказалось. Так что технически он настоящим мужчиной не стал. Он ушел на своей протекающей, как решето, байдарке вперед, чтобы просмотреть русло. Раньше он так никогда не делал. Потому что, во-первых, он же Всемогущий и все знает заранее, а во-вторых — лень.

Однако после миллионного случая порыва байдарки Стас решил все-таки начать просматривать русло на особенно сложных участках.

— Танька, Леший, сюда! — зашипел Шашлык, вылезая из кустов прямо рядом с нашей палаткой. Пока Стас осматривал русло, Шашлык набрел на реальный, вполне осязаемый потенциальный шашлык. Олень стоял на другой стороне реки, опустив морду в воду.

— О господи! — я еле удержалась, чтобы не закричать. За три недели в тайге оленя я увидела впервые.

— Тише, ружья тащи, — коротко скомандовал Шашлык, и Леший пополз так тихо, как только мог. Вот тут нам пригодилось умение делать все быстро и бесшумно. Ну как бесшумно...

— Ты принес?

— Да, принес? — шептал Леший.

— А патроны?

— Черт, патроны! — И Леший полз назад.

— Давай патроны.

— На патроны. Давай второе тоже зарядим.

— У второго патроны другие.

— Я не поползу.

— Ш-ш-ш, братва! — это уже я вмешалась, так как наш обед навострил уши. Однако, какими бы шумными мы ни были, какими бы неуклюжими ни были наши действия, олень нас не увидел и не услышал. Может, дело в реке. Все-таки Пана — река бурная и шумит очень даже значительно. А может, олень глухой попался. С кулинарной точки зрения это значения не имело.

Мы суетились и шипели друг на друга, волновались, роняли патроны на землю, поднимали и запихивали их снова в ружья. Если бы Стас увидел, как мы сделали это, как его драгоценные ружья падали в грязь, он бы нас убил. Положил бы рядом с оленем.

Но, как известно, победителей не судят.

Непостижимым образом и только благодаря исключительно сильной мотивации, а конкретно — желанию жрать, мы все сделали и не спугнули оленя. В этом, наверное, проявляется истинная человеческая природа — в умении и готовности убивать. До того дня я никого никогда не убивала, да и после того дня тоже. Говоря буквально, я никого не убила и в тот день, ведь заряженное ружье было одно, а нас трое.

Олень пал от двух выстрелов Шашлыка. Ирония, не правда ли?

Однако я стояла рядом, я была готова в любой момент взять ружье из его рук и попробовать сама, я переплывала реку, чтобы нашего мертвого оленя, не дай бог, не унесло водой. Да простят меня все защитники животных на свете, это был самый вкусный олень в мире.

Большим кинжалом мы вместе вскрывали его и разделывали тушу, а затем сидели и думали, что же делать с более чем тремястами килограммами мяса четырем идиотам посреди тайги. Четвертый идиот как раз тоже подтянулся.

— Что здесь происходит? — Глаза Стаса буквально округлились от удивления, когда он увидел уже почти разделанную тушу оленя. Наши лица, перемазанный грязью и кровью, излучали чистое, первобытное счастье.

Мы находились в тайге около двух месяцев — не самый маленький срок, если учитывать тот факт, что каждый день для нас был как самый настоящий бой. В какой-то момент нам нужно было перейти с реки Паны на реку Варзугу. Точный план нашего путешествия, если таковой и имелся, был только у Стаса, а мы были достаточно легкомысленны, чтобы не поинтересоваться нашим маршрутом вовремя.

Все же думали, что Стас Всемогущий знает, куда ведет нас.

— Стас, что это? — спросил Леший, когда из недр своего рюкзака наш Командор достал сложенный вчетверо листок бумаги.
— Это — обрис, — невозмутимо ответил он.
— А что такое обрис? — хором поинтересовались мы, глядя на любительский рисунок с черточками, кружочкам и овалами. Честное слово, этот листик даже близко не напоминал карту.
— Рисунок с карты. Это — Пана, — ткнул пальцем Стас. — А это — Варзуга. Нам — туда.

— Туда? — нахмурились мы. — А ты уверен, что там есть дорога?

Стас посмотрел на нас, как на умалишенных детей, вздохнул и покачал головой.
— Конечно, там нет дороги. Это же ВОЛОК. Там — только направление.
— И какое же оно, направление? — мы с сомнением огляделись, испытывая сильное синхронное желание развернуться и пойти вверх по Пане, обратно к Ловозеру, и дальше, дальше, дальше. Улыбаемся и машем.

— Там два направления, через марь и через лес. Через лес — длиннее на десять километров, так что байдарки не потащим.

— Значит, через марь? — спросили мы в ужасе, так как марь, по-нашему, это просто болото. Помните Гримпинскую трясину из «Собаки Баскервилей». Что-то наподобие этого, гнилая зеленая жижа, в которую можно свалиться в любой момент.

— Сделаем так. Нельзя нести все через марь.

— Бросим здесь? — еще больше поразились мы.

— Ты что, дура? Мы разделимся, — сказал Стас строго. Дурой я не была, но и умной меня не назовешь, раз на план Стаса по разделению нас на волок согласилась. В итоге мы с Шашлыком были увешаны палатками, котелками, спальниками, всем тяжелым или объемным и отправлены по лесной дороге в обход — как настоящие герои. А Стас и Леший пошли напрямую, через марь — с байдарками и едой.

Первые сутки волока у нас с Шашлыком прошли на ура. К вечеру мы стали замечать, что с трудом ориентируемся на местности. К обеду следующего дня мы поняли, что заблудились и уже не уверены, в каком именно лесу находимся. К вечеру того же дня у меня воспалился большой палец на ноге.

Шрам от того воспаления у меня остается до сих пор. Все произошло из-за того, что еще в самом начале волока я провалилась ногой в болото и на место небольшого пореза попала гнилая болотная вода. Следующие два дня я хлюпала мокрыми ногами по лесам и болотам, пока не заметила, что нога опухла и начала увеличиваться в размерах. Все эти два дня у нас с Шашлыком было все что угодно — палатки, котелки, грибы, коих в тех местах насчитывалось неимоверное количество. Но — ни лекарств, они остались у Стаса, ни еды. Так что грибами едиными мы и были живы — пока не встретились все же со второй частью группы.

— Господи, что делать-то? — Стас почти плакал, глядя на меня, или, вернее, на мою опухшую ногу теперь уже сорок второго размера.

— Стас, ее в больницу надо, — мягко вмешивался Леший. — Срочно. Там нагноение.

— Где я тут тебе возьму больницу? — кричал Стас. — Ты сможешь еще неделю потерпеть? Тут где-то есть деревня с бывшими заключенными, они там на поселении, лес валят. Может, они тебя до больницы доставят?

Помню, я молчала долго. Смотрела на моих героев — испуганные мальчишки и один не очень хороший капитан сборной. Перепуганные, чумазые, заброшенные собственной глупостью черт знает куда. Бывшие заключенные? Нет уж. Перспектива оказаться где-то тут через неделю с заражением крови мне совсем не понравилась.

— Стас, а у нас спирт еще есть? — спросила я.

— Да, немного, — кивнул он. Аптечка у нас была так себе, ибо Стас верил, что спирт, в крайнем случае, излечит от чего угодно. Собственно, так и получилось. Спирт помог, но прикладывать его к воспаленной ноге я не стала. Приняла внутрь в разбавленном виде. А лечение состояло в том, чтобы раскаленным докрасна ножом — самым острым, что есть, — разрезать рану, вычистить ее и прижечь так, чтобы никаких шансов не осталось на воспаление.

— Хочешь, я? — спросил меня Шашлык за секунду до того, как я хлопнула стакан с разбавленным спиртом. Моя анестезия. Руки у Шашлыка дрожали, и я понимала, что не могу быть уверена в результате. Вот тогда-то я и повзрослела. Вот тогда, когда я резала и прижигала собственную рану, посреди тайги, в возрасте шестнадцати лет, я и поняла, что могу все. И что на все способна. Я не кричала, только материлась себе под нос, а потом отключилась.

Нет, не потеряла сознание. Просто отключилась. Шашлык перебинтовал мне ногу.

Дальше мне уже не было страшно. Впереди был еще целый месяц тайги, море приключений, без которых я, понятное дело, вполне могла бы обойтись. На каком-то отрезке пути мы встретили одного хорошего знакомого Лешего — Тимофея, и он присоединился к нам. Я пересела в его байдарку, а Стас был официально свергнут и дисквалифицирован. Он забрал ружья и ушел в лес, к своим поселенцам из деревни бывших заключенных.

Я потом интересовалась — он нормально добрался и уехал в Москву, бросив нас в тайге. Байдарку он тоже бросил, она была сломана и изодрана, и ее было уже не починить. Как и самого Стаса.

Мы с Тимофеем сразу поняли друг друга, он научил меня видеть тайгу, различать гребенки и шеверы, оценивать глубину речного протока по величине и интенсивности волн на воде. Иногда мне казалось, что именно ради встречи с ним я прошла все эти испытания и трудности. Идти вместе с ним на байдарке было сплошным наслаждением.

И когда однажды, совершенно случайно и неожиданно, относительно спокойный поток порога вдруг изогнулся и полетел вниз с бешеной скоростью, мы с Тимофеем переглянулись и кивнули. Он оглянулся назад, а я в этот момент исступленно гребла назад, пытаясь отсрочить хоть на несколько минут столкновение с потоком.

— Назад, народ. Валите на левый проток! — крикнул Тимка. Леший кивнул, и тогда мы оба погребли как сумасшедшие, однако природа оказалась сильнее нас.

— Танька, держись! — крикнул Тимофей, когда байдарку носом понесло на камень. Я вцепилась в весло. В таких ситуациях нет ничего хуже, чем оказаться в совершенно неуправляемой лодке. Удар был довольно ощутимым, но стрингера выдержали. Тимка стягивал байдарку с камня вручную, когда я заметила, что ее разворачивает и несет на еще более опасный камень, стоящий прямо посреди бурлящего порога.

Ситуация была критической. Если бы лодку ударило о камень, ее бы поломало. Все было бы, как с лодкой Стаса, а мне было безумно жаль аккуратную, правильно проклеенную, удобную лодку Тимофея. К тому же я ожидала, что глубина тут не будет слишком большой. Там, где скорость, глубины не бывает. Иначе река бы так не разогналась.

В этом я ошиблась.

— Танька, что ты делаешь? — заорал Тимофей, когда я тоже выскочила из байдарки и, к своему изумлению, осела в воду почти по грудь.
— Во попали! — крикнула я. — И чего теперь делать?
— На хрена ты выпрыгнула?
— Она бы сломалась.
— Да и черт с ней!
— Нет! — покачала головой я. — Говори, чего делать, Тимка.

И он сказал. Мы стаскивали байдарку с камней около получаса. Мальчики ждали нас на береге, бегая и размахивая в бессилии. По порогу к нам идти было опасно и неразумно, а помочь нам они ничем не могли. Но мы справились и сами. Аккуратно, сантиметр за сантиметром мы протащили нашу байдарку через камень, не дав воде сломать стрингера. Шашлык и Леший помогли нам выбраться на берег. Весь остаток дня мы сушились, пели песни у костра и смеялись, вспоминая все пережитое.

Нам было хорошо.

Когда мы вернулись в Москву, я, наверное, около недели чувствовала себя как дикий зверь, заплутавший и нечаянно оказавшийся в других джунглях, городских. Я удивлялась, когда видела людей, машины. Я уже привыкла к тому, что вокруг только лес и река.

Мои родители прослезились, когда я вернулась живой. В первое время, в первые несколько лет я не хотела даже вспоминать это неудачное путешествие. Однако с годами все изменилось, и шум реки, летящая по порогу байдарка и то, как я впервые в жизни была вынуждена принимать настоящие взрослые решения, — все это стало появляться в моей памяти не как плохое, а как прекрасное воспоминание. Много раз я еще скажу себе — если уж ты смогла тогда сама себе ногу разрезать и прижечь, уж с этим-то ты справишься.

А аметистов мы так и не нашли. Стас-то ушел и планы с собой забрал. Но никто, кажется, этого даже не заметил. Каждый из нас нашел в этой поездке какой-то свой драгоценный камень, свой опыт на будущее, на все времена. И эти аметисты до сих пор с нами.

ВЛАДИМИР ВИШНЕВСКИЙ

ПОЭТ

Возможно, я двинулся в направлении стихосл/О/У/жения, когда сделал первый комплимент женщине.
Мне было три с половиной года, и произошло это опять же на чужой даче. На вопрос: «Вовочка, хочешь еще тортика?» — я ответствовал: «Нет, тетя Клава, но из ваших учек...» И даже это обрыв-многоточие вместо слов пообещал/просигналил некий очень свой, фирменный и выстраданный жанр. Я считаю, что Удача — родиться именно у своих родителей и успеть чем-то их порадовать. А базовая удача — это как бы первотолчок для гарантированного Счастья.

КАК МЫ С ПАПОЙ
ДРУГ ДРУГА СПАСАЛИ

• • •

Мое ранне-советское детство прошло в летних поездках на дачи родителевых друзей. Были мы бездачные, зато всегда званные на выходные — бывало, и с ночевкой. Если не везло вписаться в экипаж чьей-то «Волги» или «Москвича», добирались электричкой. О это дачное ретро — керогаз, гамак, чаепития на веранде в формате «подмосковные вечера», номера журнала «Юность» с рассказами Аксенова, найденные на чердаке, — и все под электричечный рефрен на местности... Когда сегодня, бродя по ТВ-каналам, я застреваю на любом месте уже культового фильма «Дело № 306», столь способствующего «расчесыванию» ностальгии, я вспоминаю прежде эту дачную эру. Еще и с этими идеальными именами Загорянка, Валентиновка... Где мы попачалу, когда я был совсем мал, снимали дачу, пока жизнь позволяла... Где и произошел эпизод 1, когда мой папа... Но здесь прервусь, чтобы процитировать автобиографию, которая однажды предварила мой томик в Антологии сатиры и юмора России XX века:

«Мой отец, Петр Моисеевич Гехт, был высококлассным инженером, авиатором-ракетчиком, незримым бойцом оборонки. А в юности — парашютистом, альпинистом, энтузиастом из одноименного марша. И когда на старости лет он полоскал горло, прилежно лечась, в этом звуке мне слышались пропеллеры ОСОАВИАХИМа. Папа был специалистом по расчетам на прочность, и слово «сопромат» у меня навсегда ассоциируется с ним. Говоря о нем, я и не пытаюсь избежать клише: был он просто порядочным, по-настоящему интеллигентным человеком и многого из-за этого не добился. Был он интеллигентом со всеми советскими вытекающими. Мама, возглавляя семью, жестко критиковала его, и расхожий до эстрадности упрек насчет неумения вбить гвоздь в стену, конечно, имел место в стенах нашей долгожданной «хрущобы». И от папы мне, возможно, достались лишь жизненно важные н е у м е н и я. Неумение интриговать, неумение превентивно нахамить незнакомому человеку. Неумение не сказать «спасибо». Неумение не помнить добра. Это не великие добродетели, тем более что мне с ними проще, чем без них...»

А еще мы с мамой всегда состояли в ироническом союзе против папы, постоянно вышучивая его — ну хотя бы за склонность постоянно засыпать, вырубаться, едва начав читать газету (однажды мы вклеили в прошлогодний номер «Вечерки» сегодняшнюю дату и подсунули ему перед сном...)

Кемарил он и в тот раз, в дачном гамаке, где у него в ногах завис десятимесячный я... Но, несомненно, отцовское чутье заставило его пробудиться ровно за мгновенье до того, как начал крениться и падать столб, на котором крепился гамак... Он прикрыл меня, подставив всего себя, получил столбом по голове и на некоторое время потерял сознание...

С понятной натяжкой, но добросовестно отвечая на поставленный вопрос, можно сказать, что этот случай «в корне изменил мою жизнь к лучшему», да, уже в ее начале — он ее просто спас. А уж дальше — что вышло, то вышло.

«Отдарился» я лет через 10, на даче у папиного друга и однокашника дяди Коли Кондрашова. Чью дочь Лену знаю, пожалуй, дольше всех из моих уцелевших друзей. Отец, в силу/слабость своей интеллигентности, нормально считал, что мы должны не просто погостить на даче, но и весомо это отработать. И мы вкалывали по полной, по полдня — вскапывали грядки, убирали территорию, бодро брались, как заступали на вахту, за те же грабли, вдохновенно унавоживали почву... И ждали новых заданий. Однажды от усердия мы с отцом даже застелили толем не ту крышу. Словом, с такой дачной закалкой к службе в СА я оказался мало-мальски подготовленным, уже понимая все концептуальное различие между штыковой и совковой лопатой...

В тот дождливый день у дяди Коли в Крюкове мы с папой, в немыслимых спецодеждах и резиновых сапогах, разбирали залежи мусора и прошлогодней листвы, грузя все это на тележку... Начиналась гроза. Отец послал меня в дом переодеться. Что-то усомнило его в том, что я сделаю все как надо. И он пошел за мной. Как только он отошел от железного ящика с водой, стоящего на стальных же ножках, туда ударила сильная молния — мое зрение помнит этот разряд!.. Отец мог запросто погибнуть, не пойди он за мной в дом.

Вместо моралите и т. п., типа «вон оно как в жизни бывает», хочу вспомнить маму и процитировать ту же автобиографию:

«Моя мать, Евгения Яковлевна Вишневская, по своему чувству юмора, интеллекту, обаянию и женственности, интуиции и молодости до последнего дня, — была выдающейся женщиной, что признавали все. Ее остроумие было уникально. И это только одно из мощных ее дарований — можно было наследственно двинуться по линии любого из них. Уже незадолго ДО она рассказала мне, что, когда была на пятом месяце, очень много смеялась. Соблазнительно думать, что это предопределило мою скромно-нескромную возможность рассмешить и улыбнуть одновременно больше трех человек. И если люди обратили и обращают на меня благосклонное внимание, то это лишь потому, что я ее сын».

Как бы она отшутила сегодня вот это и сняла бы весь мистический пафос?..

Это устойчивое словосочетание «родные и близкие» звучит у нас всегда как-то некроложно и панихидно.

Возможно, мама, пародируя, как можно сумничать по поводу вышеприпомненного, сказала бы нечто в том смысле, что родные и любящие люди способны не только погубить друг друга безумной своей любовью, но и все-таки реально спасти...

АЛЕКСАНДР МЕЛИХОВ

прозаик, публицист

Вырос в североказахстанском шахтерском поселке, всегда стремился выбраться из будничной жизни в какой-то более увлекательный и осмысленный мир. Сначала находил его в книжках и выдумках, затем в науке, в любви, в детях, путешествиях и приключениях, но в конце концов понял, что только выдумки и книги всегда будут с тобой. Особенно те, которые сочиняешь сам: тогда пищей для фантазии становится все.

ИНЦИДЕНТ

• • •

Я долго перебирал выпавшие на мою долю счастливые случаи, но все они оказывались, так сказать,
одноразовыми, не повлекшими никаких серьезных
последствий. Ну, нашел я классе этак в пятом семь
рублей старыми в книжке «Как закалялась сталь»,
но все они тут же бесследно разлетелись, как сон,
как утренний туман. Пробудив во мне вдобавок
ложные надежды. Я начал приглядываться к «Анне
Карениной», распиравшей книжную полку серой
взрослой скукой, и подумывал, что среди такой-то
толщины что-нибудь да отыщется, однако у меня
уже хватало ума понять, что толщина не признак
клада. Но все-таки однажды, чтобы отвязаться, я извлек «Анну Каренину» — и обнаружил в ней одиннадцать рублей.

Тем обиднее было ничего больше не найти
в остальных трех тысячах томов. Я тогда надолго усвоил, что удачи — всего лишь издевки дья-
вола, и с тех пор он, видя, что его раскусили, мне
перестал что-либо подбрасывать. Успехи, конечно, бывали, но исключительно добытые трудом.

Горбом, патетически выражаясь. Выпадали, конечно, и счастливые встречи, но ведь и добрые отношения даже с самым милым и любимым человеком все равно требуют усилий, подобно тому, как ухода требуют любые розы и тюльпаны, это только чертополох растет, хоть поливай его, хоть не поливай.

И все-таки один сравнительно судьбоносный случай я все же припомнил. Хотя когда этот случай свалился мне на голову, он отнюдь не показался мне счастливым.

Я откуда-то возвращался зимним вечером, по обыкновению витая в облаках: к тому времени я уже перешел в заочную школу, чтобы закончить за год два класса, и хрустальный дворец Науки мерцал уже совсем близко, где-то по соседству с Медным всадником. Пустая снежная аллея была освещена, словно театральная декорация, — и вдруг всю сцену, откуда ни возьмись, перекрыла элегантная компания — все как один были в «москвичках» с шалевыми воротниками, из-под которых сияли красные шарфы: это была униформа золотой молодежи. Шпана у нас ходила в ватниках и, в запашку, в полушубках, с которых предварительно срезались все пуговицы. Один из шалевых, высокий и жизнерадостный, приблизил ко мне красивое праздничное лицо и дал за спину отмашку — не он, пропустите.

И я поспешил удалиться уже по земле. Я даже испугаться не успел. Не гопники все-таки. Хотя и у золотой молодежи кулаки попадались свинцовые. Поближе к дому я вновь вернулся в облака и скоро думать забыл об этом инциденте, в нашем городе, увы, довольно ординарном: как все областные города, мы тоже кичились тем, что по преступности мы вторые в Союзе — на первое место почему-то никто не замахивался.

И вот я добрался до Медного всадника и прошел крещение Невой со стороны чумазого буксира, слишком близко простучавшего мимо гранитного спуска, и уже обжился в Хрустальном дворце, более всего прекрасном именно своей обшарпанностью: нам не до житейской дребедени (побелка, купорос...), мы парим так высоко, что никому не достать. За пять лет никто не снизошел заменить расколотую стеклянную вывеску: у джигита бешмет рваный, зато оружие в серебре.

А потом служение как-то незаметно превратилось в службу, где не было скучно, но не было и упоительно, и сердце у меня уже не замирало от красоты формул, которые я пишу. Это была вполне престижная научная контора, и место я там занимал вполне пристойное, но это была все-таки контора, а не Хрустальный дворец в поднебесье, и обитатели ее тоже не были небожителями. Это были просто сотрудники, в лучшем случае коллеги.

А держались в большинстве своем так, будто наше бетонное здание и есть Хрустальный дворец.

И я потихоньку приглядывался к тем, кто держался с особенным достоинством: как им это удается?.. Как они не видят, что все наши труды и достижения бесконечно меньше того, что нам грезилось?..

Больше всего меня занимал один бородатый и не такой уж молодой человек, уже за тридцать ему, кажется, перевалило. Как ему не совестно носить бороду, которая обязывает к чему-то великому, а он был мало того, что не математик (его держали для редактирования институтских сборников и особо важных отчетов), но еще и писатель, что было совсем уж смешно. Еще в университете мой друг Славка подглядел в деканате потешную сценку: немолодой мужик (тоже года тридцать два) пришел восстанавливаться, на что наш замдекана смотрел очень кисло:

— Вы же не учились больше десяти лет...

— Но я за это время написал повесть.

Мы прямо со смеху покатились — надо же до такого додуматься, повесть!

И вот этот бородач тоже пишет повести и при этом держится так надменно, как будто он академик Ляпунов. Ведь если бы даже его печатали, он бы и тогда оставался жалкой и ничтожной личностью, потому что все порядочные писатели обязаны быть умершими, но его еще и не печатали!

А между тем, когда я жил своей более или менее благополучной жизнью, она казалась мне слишком уж маленькой и обыкновенной, зато когда про такую же и еще более тусклую я читал у Чехова, она начинала представляться трагической и значительной. Так я понемногу и стал дрейфовать к сочинительству — чтобы защититься от ощущения собственной мизерности.

И начал догадываться, что никто не остается мизерным, стоит о нем что-то сочинить.

Тогда-то я начал почитывать и писателей, которые по недостатку вкуса продолжали жить в одно время со мной, и с удивлением увидел, что, хотя борода им все-таки не пришлась бы впору, кое у кого из них наша жизнь тоже обрастала значительностью.

Наша, но не моя.

А этого надменного беднягу так и не печатали, и он и получал-то не больше юных мэнээсов, и, как я узнал, еще и жил на съемной хате, однако борода его была все так же надменно вскинута, и разглядеть в его прищуренных глазах ничего, кроме презрения и гордости, по-прежнему не удавалось.

И вдруг я увидел его фотографию в журнале, если не путаю, «Литературная учеба»! Кто-то, видимо, из маститых, хотя все мои маститые давно пребывали на островах блаженных, рекомендовал его как молодого прозаика, подающего надежды. И я принялся читать его с замирающим сердцем: я надеялся там увидеть себя. Нет, не себя лично, но свою жизнь, которая — кто знает! — вдруг каким-нибудь чудом тоже чем-нибудь наполнится, чем-то таким, чего мне так не хватает.

Я проглатывал абзац за абзацем, но не находил не то что себя — я не находил НИЧЕГО. Это был сплошной подтекст без текста. Похоже, мой бородатый коллега (то-то борода у него была так коротко подстрижена!), подобно многим молодым людям того поколения, подобно самому Хемингуэю, воображал себя Хемингуэем. За кадром творилось что-то страшно трагическое, а герой реагировал необыкновенно мужественно и сдержанно: «Значит, все потеряно? Что ж, значит, потеряно».

Подробностей не помню, тому уж миновало черт-те сколько лет, высокие натуры столько и не живут, но я прекрасно помню, что чувствовал себя буквально оскорбленным: так для него нет не только меня, это бы ладно, черт со мной — кто я для него! — но для него как будто бы нет И ЕГО САМОГО!

Что же это за писатель, если он хочет быть выше даже собственной жизни! В реальности его каждый день возят мордой по столу, а в рассказе своем он только сдержанно играет желваками. Какого пинка ему еще нужно отвесить, чтобы он наконец честно вгляделся в собственную жизнь?!

И вдруг мне захотелось это сделать вместо него. А с пинком на помощь тут же явилась давняя золотая компашка из зимней аллеи. И жизнь нашего институтского Хемингуэя начала разворачиваться во мне с такой стремительностью, что пальцы сами попросились к перу, перо к бумаге...

Я только не мог решить, как начать — залихватски, типа «Эх, не повезло Глебушке!..», или величаво: «На город опустилась вечерняя мгла». Я еще не знал, что выбирать нужно не слог, а характер рассказчика, и выбрал стиль монотонный, можно сказать, бубнящий: когда ни на что не претендуешь, меньше шансов оконфузиться.

Глеб Поляков приехал в Ленинград из райцентра с тридцатитысячным населением и, шесть лет назад окончив в Университете филологический факультет, устроился литсотрудником в институт теоретической кибернетики. Оформлен он был младшим научным сотрудником, но занимался редакторской работой, переговорами с издательствами и тому подобным. Служба его устраивала, обеспечивая небольшую, но твердую зарплату и довольно много свободного времени. Это было особенно важно, потому что Глеб считал себя прежде всего писателем и даже несколько раз печатался. Мечты о славе Толстого или Хемингуэя уже давно и незаметно покинули его, теперь он примеривался к гораздо менее знаменитым авторам, и даже простое членство в Союзе писателей представлялось вполне достойной целью. И сослуживцев, судя по всему, тоже гораздо больше волновали их диссертации, чем мечтания о судьбе Гаусса или Колмогорова. Бессмертие не так уж нужно человеку... Особенно иносказательное. Омрачали настроение на службе в основном лишь столкновения с заказчиками, полагающими, что хорошо знают русский язык, — тип, к сожалению, весьма распространенный. Однако в конце концов он научился ладить и с ними.

В субботу поздно вечером он возвращался к себе на съемную квартиру (у жены он был только прописан). Сквозь зимнюю муть светила луна, и небо было не черным, а тусклым. Вдали горели ярко-белые фонари, похожие сбоку на полумесяцы, неправильной формы, но гораздо ярче настоящего. Глебу захотелось взглянуть на небо, чтобы проверить сравнение, но неохота было открывать холодному ветру укутанный в шарф подбородок, — и тут из-за угла вышли несколько молодых людей и преградили ему дорогу, выстроившись на тротуаре полукругом. Все они были в дефицитных меховых шапках, и всякий невольно залюбовался бы, видя, с какой непринужденной грацией они держатся в столь напряженную минуту. Впоследствии Глебу даже стало казаться, что все они стояли, залихватски подбоченясь и отставив левую ногу, словно некий танцевальный ансамбль. Один из них взял Глеба за поднятый воротник и, придвинувшись, стал поворачивать его голову вправо-влево, чтобы в неверном свете разглядеть лицо.

— В чем дело, ребята? — спросил Глеб, стараясь, чтобы его голос не выражал ничего, кроме любопытства: ну, увидел человек очередь и спросил, что дают, — в худшем случае ответят невежливо или вовсе не ответят.

Ему действительно не ответили, а придвинувшийся еще немного повертел его, потом отодвинулся и сказал: «Не, не он». Парни расступились, и Глеб двинулся дальше, стараясь, чтобы лицо его по-прежнему выражало только недоумение и, пожалуй, немного любопытства, однако не успел он сделать и двух шагов, как почувствовал удар ногой в зад. Собственно, удара-то и не было, обманутая неверным светом нога лишь скользнула по пальто, но все же это несомненно был у д а р н о г о й в з а д.

— Вы что? — спросил Глеб, оглянувшись.

Из-за принятой им роли любопытствующего прохожего его вопрос прозвучал так, будто ничто в их отношениях не предвещало такого поворота событий, да и поворот заключался всего лишь в том, что ему ответили «прошлогодний снег», или «не дают, а продают», или «а вам чего надо?».

— Иди, ...! — ответили ему, и он понял, что в самом деле нужно уходить.

И он пошел прочь, по инерции сохраняя выражение недоумения и, пожалуй, немного любопытства, пожимая плечами и все еще чувствуя себя спросившим, что дают.

Однако дома он ясно осознал, что его унизили, и притом постыдно унизили, и почувствовал на лице тяжелый жар. (Глеб был самолюбив: когда жена во время ссоры выкрикнула, что он ей надоел, он немедленно ушел, чтобы больше не возвращаться.) Сердце билось медленно и очень громко, глаза и мысли перебегали с предмета на предмет, чтобы не дать ему как следует осознать происшедшее и защитить его от приступа бессильного бешенства, ибо он знал, что и в бешенстве не сделает ничего решительного и ему придется притвориться, что такого рода действия противоречат его принципам или что он думает, будто эти танцоры уже ушли, но в глубине души все равно затаится стыд, и унижение усилится еще больше. Вдруг ему так захотелось заплакать, что он удержался с величайшим трудом.

Потом он почувствовал, что ему тяжело оставаться на ногах, и опустился на стул. Чтобы прогнать не ушедшие далеко слезы, он постарался рассмотреть происшествие с комической стороны, но вместо этого ярость охватила его с такой силой, что он довольно долго, зажмурившись и вцепившись в колено онемевшими пальцами, мычал и крутил головой, смутно удивляясь, что коленом чувствует руку, а рукой колено нет.

Когда приступ миновал, он был совершенно обессилен.

Посмотрев на часы, он понял, что прошло уже больше двадцати минут — значит, танцоры уже наверняка скрылись и предпринимать что бы то ни было уже поздно. Он с неприятным чувством отметил, что думает об этом с облегчением.

Впрочем, что он мог сделать? Схватить что-нибудь тяжелое (а что?), ударить одного (и, возможно, попасть в тюрьму) и быть избитым остальными (а может быть, искалеченным или даже убитым). И тем более униженным вдесятеро. Он уже толком и не помнил, сколько их было — четверо или семеро.

Да сколько бы их ни было, они всегда будут в выигрыше. Побьют сами — отлично, их побьют — тоже ничего, можно заняться отмщением, попадут в милицию — опять будет что вспомнить. А ему ничего этого даром не надо, он хотел всего лишь прийти домой и закончить рассказ, который по дороге продумал до конца.

Так что же, стерпеть — и все? Получалось так: стерпеть — и все. Ведь даже и честь его не задета, поскольку честь всего лишь мнение о нас, и что бы мы ни совершили анонимно, честь наша будет оставаться в такой же безопасности, как золото нацистов в сейфах швейцарского банка. Возможно, именно поэтому в неловких ситуациях люди держатся так неестественно — кто преувеличенно развязно, кто преувеличенно вежливо, — чтобы скрыть свое истинное лицо.

Именно для этого — чтобы остаться неузнанными — люди прячутся в условные формы обращения, словно водолазы в скафандр, и чем человек уязвимее, тем реже он выбирается из своего скафандра. Так что и пинка сегодня получил не он, а его скафандр.

Он и с квартирной хозяйкой общается в скафандре — почему-то бодрячка...

Он задумался, мысли потекли куда-то сами собой, и, очнувшись, он обнаружил, что танцоры, кто где, раскиданы по снегу, а он, подбоченясь и отставив ногу, снисходительно интересуется: «Ну что, хватит или еще добавить?»

Какой он, оказывается, дурак в глубине души! До сих пор живет идеалами гопоты.

В его родном городе нравы были простые: взявши в плен чужака, провожавшего и х девушку, соседские парни заставляли его при помощи спичечного коробка измерять ширину улицы или выть на фонарь. Сам Глеб-то на своей улице был с в о й, так что у него всего только раз срезали с валенок коньки (хорошие, «ласточки», не закругленные «снегурки», хотя и не роскошные «дутыши»), но не ради самих коньков, а ради сыромятных ремней. Он катался по замерзшему болоту неподалеку от дома, подошли двое пацанов постарше, и один спросил у другого: «Срежем?» «Попробуйте!» — храбро ответил Глеб и через секунду уже лежал на спине, а они возились с его ногами. Он и теперь помнил тупую легкость в ногах без коньков, когда с ревом шел домой. Но вдруг грабители догнали его и вернули и коньки, и ремни, и кто-то из них спросил почти заискивающе: «Мы один ремешок возьмем, а?» — «Возьмите... немного», — всхлипывая, разрешил Глеб.

Так что к унижениям ему было не привыкать. Но в последние годы его как-то разбаловали, хотя и в очень узком, но зато избранном кругу, где его ценили еще и за то, что он был писателем, пусть и начинающим. Чувствуя в этом звании нечто смешное, Глеб часто говаривал, что в его годы пора уже быть не начинающим, а кончающим, но приятелям его опусы нравились, а слабости он умел находить даже у классиков, отчего кое-кто считал, что он мог бы писать и получше их. (Они не догадывались, что отсутствие недостатков еще не есть достоинство.) Вращаясь в этой компании и бессознательно не допуская в нее тех, кто мог бы отнестись к нему без должного почтения, Глеб понемногу привык считать, что обладает способностью внушать невольное уважение. Сегодняшний случай, однако, был в вопиющем противоречии с этим.

Собственно, случай этот, чего уж там, был, конечно, не единственным, но прежде это были мелочи, легко вроде бы забывавшиеся, хотя на самом-то деле ничего забыть невозможно...

Глеб с мучительным наслаждением принялся их перебирать. Вот пьяный проводник ни за что ни про что обругал его, когда он всего-навсего вышел в тамбур, и он, вернувшись в купе, долго сочинял убийственные ответы, прекрасно понимая, что того ничем не прошибешь, разве что доведешь дело до драки, но драться-то он согласился бы только красиво, как в кино, а если кататься по грязному полу, так тут и победе не обрадуешься, да и какая может быть победа в помойке... Тем более что в поезде наверняка и милиция своя.

Написать в газету, в цека, во всемирную лигу сексуальных реформ?..

Но он был еще очень молод тогда. А вот совсем на днях на совещании у директора заспорили о произношении какого-то слова, и он дал правильный ответ с приложением этимологической справки, но, к его удивлению, спор продолжался так, словно бы он ничего и не говорил. Он сгоряча повторил, с тем же результатом, а потом по инерции еще и в третий раз. Это вызвало легкие улыбки, но заметить его так и не заметили.

Внезапно все подобные случаи нахлынули на него в таком изобилии, что он совершенно потерялся. Школы, улицы, почтовые отделения, магазины, трамваи, автобусы, служба, соседи, редакции, редакции, редакции, и не было случая, чтобы после стычки он не чувствовал себя побитым, поэтому наилучшей тактикой всегда оказывалось ПРЕЗРЕНИЕ к обидчикам. Но ведь невозможно презирать тех, кто сильнее тебя, — можно только притворяться...

Но почему тогда близкие считают его гордым и вспыльчивым? Ведь и с женой тогда вполне можно было все повернуть к миру, когда она что-то испуганное залепетала, — почему же он остался неумолим? Неужели он, как самый канонический трус, пасует перед сильными и отыгрывается на слабых? Его снова бросило в жар.

Но как же быть? А быть одинаковым и с сильными, и со слабыми. Если уж ты гордый и вспыльчивый, так никому не спускай! Но такие герои уже давно блаженствуют на островах блаженных...

Интересно, как ухитрился приобрести свою осанку начальник лаборатории, к которой он приписан, — ведь наверняка в школе его не раз лупили? И осанка эта наверняка не действует на проводников, мороженщиц и хулиганов? Да он даже при начальстве держится иначе... Но зачем тогда и осанка, если она никого, кроме тебя самого, не обманывает, а себя самого разве можно обмануть?

Глеб встал и принялся носить скопившуюся за несколько дней грязную посуду в раковину на кухню, а то хозяйка утром уже указала ему, что он слишком много тарелок перетаскал к себе в комнату. Машинально отскребая от тарелок присохшие оболочки магазинных пельменей, из которых он варил что-то вроде похлебки, Глеб стал сочинять рассказ о сегодняшнем происшествии — и понял, что никак не может изобразить героя униженным. Обрушить на него любые несчастья — это сколько угодно, но герой при этом всегда и отбреет кого угодно, и морду набьет кому угодно. Это что, выучка Ремарка и Хемингуэя? Впрочем, это многих славных путь — брать реванш в фантазиях. Неужели и он сочиняет ради этого?

Если так, стоит ли писать? Деньги? Да у него на машинисток уходит больше, чем все его гонорары. Но чего он будет стоить без веры в свое писательское призвание? Просто-напросто — как он будет жить?

Он начал перебирать своих сильных героев, никогда не теряющих головы и всегда хладнокровно выбирающих из двух зол меньшее, каким бы огромным оно ни было. Смех и грех! Да любого тряхни как следует, и он будет бегать и кричать: «Мама, мама!» Уж он-то сам во всяком случае.

Ну так и пиши про таких, как ты сам!

Эта мысль при всей ее тривиальности почему-то никогда не приходила ему в голову — он даже перестал вытирать вымытую посуду. Он вспомнил, что в детстве был ужасным плаксой и очень этого стыдился, — а может, надо было гордиться? Он завидовал дружку, который с похорон своей бабушки, часто угощавшей их шанежками, ушел в кино. А сам Глеб, когда увидел на плите сухари из ее шанежек, чуть не задохнулся от слез, убежал в сарай и долго стоял там, раскрывая рот, как рыба на берегу. И он завидовал черствости, считая ее мужеством! А ведь когда он обварил руки, все удивлялись, что он разговаривает как ни в чем не бывало. Но ему было мало этого, он воспитывал в себе равнодушие к чужим страданиям и сильно в этом преуспел. Теперь, когда его вдруг пронзала беспричинная, как ему казалось, жалость к чьей-нибудь беспомощной ноте в голосе, испуганному взгляду, повороту головы, он думал: «Нервы расшалились». И это случалось с ним все реже и реже. А когда-то было истинным наказанием.

Однажды Глеб крутился с ребятами у киоска, где продавали ужасное, наполовину состоящее изо льда мороженое. Вообще-то мороженого в городке не водилось, но изредка оно откуда-то возникало, и даже в картонных стаканчиках. Тогда все, у кого были деньги, становились в очередь по нескольку раз, так как в одни руки «отпускали» только два стаканчика. Какой-то парень из степного совхоза, в жару одетый в брезентовый плащ, с двумя стаканчиками направлялся к грузовику, в кузове которого сидели пятеро парней и девушка, — второй стаканчик предназначался, видимо, ей. Когда он перелезал через борт, один из парней крикнул: «Отбери у него мороженое!», а парень с мороженым, кинув на него беспомощно-тревожный взгляд, детским движением прижал стаканчики к груди. Увидев это, Глеб бросился к матери и, захлебываясь от слез, пытался рассказать ей, но оказалось, что и рассказывать нечего.

А очень молодая беременная женщина в поезде, которая начала рыдать, когда ее стал отчитывать контролер. А он, сжавшись, думал: ведь она, наверно, не из-за этого плачет, а просто уже сил не осталось. И сколько еще таких случаев было!..

Да что случаев, у него сжималось сердце, когда он видел немолодую усталую женщину в нарядном платье, мгновенно воображая, как она выбирает ткань, прикладывая ее то к руке, то к груди, пытаясь взглянуть на себя со стороны, обдумывает фасон, рукавчики, сосредоточенно подбирает брошку, — и вот она возвращается из гостей, лицо раскрасневшееся, но все равно усталое и еще более постаревшее — воспаленный румянец странно контрастирует с безмятежной алостью губной помады, подбородок отвисает, на ногах вздулись вены, и платье, уже не новое, помято и кое-где закапано. Стекляшки же на броши так никем и не были замечены, да ей и не до них, она уже озабочена чем-то совсем другим.

А случайно взглянув на женщину с набитой авоськой, он представлял, как она дожидается своей очереди в кассу, перебирая в уме, кто из ее трутней что любит и чего не любит, и вот выбрала и волочит своим дармоедам, потому что знает, что если человек допускает слишком большие перерывы между принятиями пищи или принимает недоброкачественную пищу, то может заболеть, а она больше всего на свете не желает, чтобы это случилось с кем-нибудь из ее детенышей — от сосунков до старичков и старушек. Но если даже это и случится, она и тут будет знать, что ей делать, о чем беспокоиться и для кого стараться.

Почему-то мужчины трогали его меньше, может быть потому, что они больше пыжились, что-то из себя изображали. Не то чтобы они были менее искренними — женщины, пожалуй, бывают неискренними чаще, но у них и неискренность какая-то искренняя, как у детей. И обувь у них маленькая, даже у толстых и злых...

А мальчишка, который, ужасно гордый, шел по берегу Детвы с удочкой и целой связкой окуней на камышинке, и к нему подошли двое поменьше, и один сказал: «Давай кукан. Ты у меня стырил», а тот, пока еще удивленно, ответил: «Нет, я за садом наловил», а те сказали стоявшему тут же мускулистому красавцу: «Толя, он у нас кукан стырил», а Толя, секунду подумав, распорядился: «Дайте ему!» — и они начали его бить, а он даже не сопротивлялся, потому что мускулистый красавец стоял здесь же, а только закрывался и горестно повторял: «Это не твой кукан, это мой кукан!», а те все били его и били, и он наконец, чтобы как-то прекратить это, завыл, и тогда грабители оставили его, взяли связку и направились в сторону города, а ограбленный, воя уже потише, поднял удочку и пошел прежней дорогой.

Глеб почувствовал, как невыплаканные слезы подступают к глазам и текут по лицу. Ему вдруг мучительно захотелось прямо сейчас же, сию минуту написать что-то такое, что все ужаснутся и постигнут наконец, как это страшно — обидеть кого-то. Даже самую малость!

Он поспешно вытер лицо посудным полотенцем, поставил недотертые тарелки в шкаф (и так просохнут) и пошел в свою комнату, но внезапно хозяйкина дверь щелкнула, и она, крепкая, сорокалетняя, в начинающем лосниться махровом халате, выглянула в прихожую.

— Здравствуйте, Глеб. — Мгновенная улыбка сменилась выражением требовательной, но справедливой начальницы. — Вы сегодня опять оставили в ванной свой бритвенный прибор.

— Здравствуйте, хорошо, уберу, — скороговоркой отрапортовал Глеб и хотел прошмыгнуть к себе, но она, вглядевшись в него, спросила:

— Что с вами? Случилось что-нибудь?

— Да нет, ничего, обморозился, — пробормотал Глеб, проскальзывая мимо и уже у себя в комнате заливаясь краской.

Он погляделся в зеркало — глаза и нос действительно распухли. А вот борода была все такая же — гордая и мужественная. Ему ведь и бритвенный прибор нужен только для того, чтобы подравнивать ее контур, а ради чего? Если тебе дают пинка под зад, а ты при этом еще и в ухоженной мужественной бороде — это уже вообще ни в какие ворота.

Он сел за стол, ясно понимая, что совершенно не представляет, как и с чего ему начать.

Эврика! Первым делом нужно сбрить бороду!

Так давняя шалевая команда подарила мне первый рассказ. Признаюсь, мне было нелегко распечатывать личную камеру пыток, которая имеется у каждого в бесконечных лабиринтах памяти, но лихорадочное записывание, вычеркивание и переписывание все новых и новых строчек открыло мне, что изображение горестей может сделаться увлекательнейшим делом. Больше того, вложив в институтского Хемингуэя изрядный кусок самого себя, я проникся к нему такой симпатией, что решил снова начать с ним здороваться, хотя он на мои приветствия никогда не отвечал.

Я специально отправился в дирекцию, где он довольно часто вынужден был ошиваться, и — новая удача — увидел, что мой рассказ совершил еще одно чудо: НАШ ХЕМИНГУЭЙ ОКАЗАЛСЯ БЕЗ БОРОДЫ! Вот она — волшебная сила искусства!

Потом, конечно, начались суровые будни — временами мне казалось, что я заразился судьбой своего героя. Я назвал рассказ «Инцидент» (он был длиннее, чем сейчас, я еще верил, что людям что-то можно разъяснить) и понес его в журнал «Аврора» — я слышал, что там печатают молодых интересных писателей, а я в ту пору был еще молод и, как мне казалось, довольно интересен.

За столом перед входом сидела строгая классная дама, и я остановился, не зная, что мне делать дальше.

— Ну что вы встали? — сурово спросила она и добавила в пространство: — А то схватят что-нибудь со стола...

Хотя я таких привычек не имел даже в детстве, а в ту пору был уже каким-никаким ученым, кандидатом наук, автором двух десятков статей, переведенных ин инглиш, ответственным исполнителем двух серьезных народно-хозяйственных тем...

Когда я через месяц пришел за результатом, мне предложили порыться в стопке рукописей на подоконнике. Я прочитывал только первые фразы: «Кровавый закат развернул свои крылья», «Однажды пришел Достоевский к Карамзину», «Захар, отхаркнувшись, врубил третью скорость», «Прожектора вышаривали фашистских стервятников»...

Ага, вот и мой Глеб Поляков — к мятому, запятнанному листу (в машбюро драли по двадцать коп страница — порция мороженого...) небрежной скрепкой косо прицеплен приговор: мелкотемье, отсутствие крупных характеров и, на десерт, незнакомое мне тогда еще слово «психоложество».

И все-таки мой «Инцидент» был опубликован в «Севере» (о «Север», «Север», чародей!), и сразу трое знакомых сообщили мне, что критик Дмитриев по телевизору предъявил меня городу и миру в качестве заслуживающего внимания прозаика. И тут же следом я получил порцию этого самого внимания от газеты «Советская Россия», где критик Бондаренко назвал моего героя (а в подтексте и меня вместе с ним) униженной рептилией. Так и пошло — каждая редкая публикация где-то кем-то осуждалась, то в обкоме, то в хренкоме, и каждая приносила мне новых друзей, и даже в ту же «Аврору» я понемногу стал ходить как к добрым знакомым. Любители литературы представляли в ту пору что-то вроде катакомбной церкви — они передавали меня друг другу и где могли продвигали, и со всеми с ними у меня до сих пор самые нежные отношения.

Да, бывали и часы, и дни, и месяцы отчаяния, когда казалось, что бетонной стене не будет конца, и лучше было бы, наверно, силы, отданные выстаиванию, отдавать творчеству. Я был бы веселее, оптимистичнее — но достоинства ли это для писателя, чье дело видеть трагизм бытия и обращать его в красоту?

Да, тот давний инцидент принес мне, как жар-птицево перо, много, много непокою. Но с той поры я начал потихоньку переселяться в неизмеримо более красивую и значительную вселенную.

ДМИТРИЙ ИВАНОВ

кинодраматург, прозаик, режиссер

В столицу нашей Родины, город Москва, приехал из Молдавии, так что я — первый официально зарегистрированный литературный гастарбайтер. Пишу быстро, особенно если вовремя подвозят материалы, старательный, крепкий, ем что попало, так что хлопот со мной немного. Звоните. Недорого. Аванс. Строго.

ПОПУГАЙ

* * *

Да что там говорить, если разобраться, вся моя жизнь состоит из одних счастливых случаев, я вообще, везучий человек. Зачали, а ведь могли и не зачать. Родили, а ведь могли и не родить. Одели-обули, а ведь могли и оставить в чем родили. Обучили-воспитали, а ведь могли бы этого не делать. Кстати, если бы этого не сделали, кто знает, может, я был бы еще везучее. Да, точно, был бы! Но что уж теперь.

В жизни мне встретилось множество замечательных людей, мастеров в самом лучшем, то есть прямом смысле этого слова, и каждый, в гроб сходя, меня благословил. Все мои победы давались мне легко, а поражения я чаще всего принимал за победы, так что обычно по земной коре шагал в хорошем настроении. Да, можно сказать: в общем и целом своей жизнью я доволен — все прошло гладко, да и с погодой повезло. Но среди множества счастливых совпадений совершенным особняком стоит один случай. О нем и расскажу.

Самое слабое место практически любого человека, как известно, тщеславие. Люди любят, когда их хвалят. Какую первую претензию обычно предъявляет ребенок родителям? «Почему вы меня не хвалите, я же так стараюсь?!» Даже если родители у него алкаши, а сам он ест из собачьей миски, вместе с другом, собакой по имени Джейсон — алкаши любят давать собакам такие холеные, голливудские имена, так в алкашах прорывается тоже оно, тщеславие, — все равно ребенок, выросший на «Чаппи», будет доволен и энергичен, как спаниель из рекламы, если его хвалят. Что уж говорить о людях творческих, инвалидах духа, а нередко и тела. Конечно, все они тщеславны, как Стивен Хокинг, который из своего кресла заявляет не кому-нибудь там, не испуганным его видом голубям на Трафальгарской площади, а самому Богу, не меньше — что его нет. В смысле не Хокинга нет, а того нет, к кому он обращается — непонятно, зачем тогда обращаться? А все оно, тщеславие. Творческие люди с незапамятных времен проявляли особую изощренность в этом вопросе. На свете нет такого количества военных наград — то есть таких наград, которые даются за то, что тебе оторвало руки или ноги, а нередко и голову, — сколько есть на свете всяких премий, статуэток и бюстиков, кубков и ваз, львов и пантер, пальм и дубов, которые творческие люди вручают друг другу за подвиги, при совершении которых цинично сохраняют и руки, и ноги. Удивительно, как до сих пор на свете кое-где — в горах, в труднодоступных местах — еще сохранились не ободранные на триумфальные венцы кусты лаврушки. Тщеславие и ненасытность!

Страдал ли и я ими? Ну конечно. Чем я хуже? Страдал. Но однажды счастливый случай излечил меня от недуга.

Я никогда не бывал на кинофестивалях до того самого дня, когда первый раз побывал. Мой друг, кинорежиссер, человек с темпераментом, который и сравнить не с чем — разве что с куском натрия размером с арбуз, брошенным в джакузи — кто учил в школе химию, тот поймет, — вот этот мой друг снял по моему сценарию фильм. Нас с другом и фильмом позвали на фестиваль. Я идти не хотел, и друга просил не ходить — чувствовал: добром это не кончится. Но друг говорит — а вдруг нам дадут? Он и сам не верил — знал же, что ничего не дадут, на фестивалях призы дают только фильмам про бомжей-транссексуалов, а в нашем кино ни одного такого парня не было, а все равно — пойдем, говорит, вдруг дадут. Тщеславие. Я, главное, ему говорю — брат, я же тебе говорил, надо было хоть в последней сцене дать голого дедушку, который в степи танцует вокруг горящей покрышки, камера едет долго на дедушку, потом бросаем дедушку, едем на горизонт долго-долго, а на горизонте гроза, и дождь из лягушек, тогда — да — может, и дали бы, а ты сказал — нет, в жопу голого дедушку, давай просто — дети играют в степи и смеются — а за это кто тебе что-нибудь даст? А друг все равно — нет, пойдем, ну вдруг, ну а вдруг... Тщеславие и наивность.

Ну, пошли мы. Рожи, рожи... Это коротко о фестивале.

Ничего не дали — это понятно. Дали тем, кто долго ехал на дедушку. Когда прошли главные призы, друг, который в зале рядом со мной сидел, сказал мне на ухо: сейчас будет приз зрительских симпатий, точно наш, ну хоть так. Я сказал: да. Вот что делает с человеком этот страшный порок. Как родившиеся на помойке котята, мы уже не претендовали на «Подушечки для пушистого баловня», мы были согласны на скелет кильки из бака — ладно, хоть так. Ну зато. Ну все равно. Ну хоть, все-таки. Тщеславие, жалкость.

Не дали. Вообще ничего.

После церемонии мы пошли в разные стороны. Друг был злой. Он вообще вспыльчивый. Тем же вечером в мужском туалете фестивальной гостиницы он многократно макнул головой в писсуар одного авторитетного кинокритика — нет, не за плохой отзыв о нашей картине — бедолага ее не смотрел даже, а за то, что тот сказал, пока пи́сал, что киноязык Феллини лично его не вставляет. Ну что ж. Зато вставило то, что сделал мой друг.

А я пошел гулять по набережной. Была жаркая ночь. На небе было полно звезд, и я подумал, что как-то обидно уходить с фестиваля ну совсем с пустыми руками. Но что унести? Ничего же не дали. Обидно. И тут ко мне подошел молодой армянин с фотоаппаратом на шее. Как потом оказалось, он давно за мной наблюдал. Как тоже потом оказалось, он хорошо знал психологию тщеславных киношников. По скорби, что бродила по моему лицу, он понял все, что случилось, и сказал:

— Уважаемый, не хочешь сфотографироваться? Будет память. — И добавил. — ...Хоть.

Я подумал и сказал:

— Да можно, наверное. А с кем?

Молодой армянин сказал:

— С Мишей!

Я удивился. Потом оживился. Потом еще что-то сделал, кажется^ — точно не помню. Пока я все это проделывал, армянин пошел куда-то за пальмы и вынес попугая. Огромного, красного, синего, желтого.

Я засмеялся и спросил:

— Его зовут Миша?

Фотограф сказал:

— Миша!

Я подумал: ну, что ж. Не Джейсон хоть. Ладно.

И спросил, покосившись на мощный клюв попугая:

— Не кусается?

Фотограф засмеялся, и сказал:

— Да ты что, братуха! Ему 50 лет уже, как моему пахану. Раньше он с ним работал, пахан же меня и привел в фотографию. — Вот что значит — фотограф не первый год снимает киношников, нахватался: «привел в фотографию...». — За все это время еще никого не кусал, отвечаю! — заверил меня армянин.

Я расслабился. Фотограф был опытный, хоть и молодой, ну а попугай — и опытный, и пемолодой. Миша.

«Будет память. ...Хоть», — я подумал.

Фотограф посадил попугая мне на плечо и сказал:

— Теперь посмотри на него, и скажи: «Миша, улыбка!»

Я посмотрел на попугая и сказал, как просили. А Миша меня укусил. Укусил! Так сильно, как будто это я его вывез птенцом из Африки. Так зло, как будто это я его обрек на жизнь в Адлере. Слово «больно» ничего не скажет про те памятные мгновения. Хотя было больно, очень, очень, и еще сильнее. Но главное — было обидно! Почему, почему?! Почему, сука, это пернатое говно впервые за полвека решило кого-то укусить, и это должен быть я? За что? За что!

Потом я понял, конечно, — НАКАЗАНИЕ. И как я мог только подумать сначала — «за что?». За тщеславие. Кинокритик, которого мой друг макал в писсуар вдохновенно, как Пушкин в чернила перо, вот он — да, пострадал ни за что. А я — за тщеславие.

Больше никогда я не ходил на кинофестивали. Счастливый случай по имени Миша дал мне понять: не ходи. Порок, конечно, не изжит во мне окончательно. Но каждый раз, когда мне хочется пойти туда, где «вдруг что-то дадут», я вспоминаю, как было больно. И не иду.

Спасибо, Миша. Живи триста лет.

ГЕОРГИЙ ДАНЕЛИЯ

кинорежиссер

Случай творит чудеса! Георгий Данелия мог бы стать выдающимся архитектором, но благодаря случаю и, конечно, таланту стал великим режиссером! Мог строить города, а создал целую планету!

ПЕРСТ
СУДЬБЫ

● ● ●

После Архитектурного по распределению я попал в ГИПРОГОР (Институт проектирования городов), в мастерскую перспективной планировки. Мы решали, как должны развиваться города страны в течение ближайших двадцати пяти лет. Но пока мы в Москве чертили — они на месте строили. Мы не знали, что они строят, а им плевать было на то, что мы чертим.

Поначалу я был полон энтузиазма, засиживался на работе по вечерам и порученную мне работу выполнил на месяц раньше срока. Ожидая похвалы, представил чертеж главному архитектору. Тот взял черный карандаш и начал чиркать прямо по чертежу: «Тут надо так. А это надо вот так». Мог бы хоть кальку подложить... Стереть его чертов карандаш мне не удалось, и пришлось чертить все заново. Через неделю принес со всеми исправлениями, а он опять чиркает: «Здесь надо так. А здесь — так...»

Снова переделываю — опять не то.

В курилке мне объяснили:

— Когда срок сдачи?

— Пятнадцатого.

— Сдай проект тринадцатого, и все получат премию. А будем сдавать за месяц до срока, на месяц сократят сроки. Понял?

Я понял.

Приходил на работу к девяти, отмечался и шел курить. Потом — в мастерскую, что-то чертил для приличия (под бесконечный рассказ чертежницы Зины о подлостях соседки Люси) и шел курить. Потом играл в морской бой с экономистом Маргулисом (под рассказ Зины о Люсе), слонялся по мастерской, потом еще чуть-чуть чертил (под Зину о Люсе)... И шел курить.

Между прочим. Ставлю в известность: здесь и далее имена и фамилии действующих лиц не всегда достоверные.

И так до без четверти час. Ровно без четверти приходил Олег Жагар, который работал в соседней мастерской. Мы съедали бутерброды, запивали чаем и ровно в час — за проходную. Гулять.

В тот судьбоносный день идем, гуляем — видим: под забором лежит пьяный. Нестандартный: в макинтоше, берете, очках и галстуке. И при часах. Могли бы и мимо пройти, но — не прошли.

— Надо разбудить, — решил Олег, — разденут этого интеллигента. Эй, коллега!

Интеллигент открыл глаза, сел, огляделся, соображая, где он, и тупо уставился на нас.

— Домой иди, пока в вытрезвитель не забрали, — предложил Олег.

— Я не пьян, — прохрипел интеллигент, — я отдыхаю.

Он вытащил из кармана скомканную газету, расправил ее, снова лег и сделал вид, что читает.

Если бы тогда этот тип не попался нам на глаза, может быть, моя жизнь на следующие полвека сложилась бы иначе. Не было бы бесконечных бессонных ночей и сердечных приступов, не выкуривал бы три пачки сигарет в день, не увидел бы полярное сияние в Арктике и миражи в Каракумах, внучки не хвастались бы тем, что они мои внучки, композитор Гия Канчели не подарил бы мне заграничную курточку из чистого хлопка и не писал бы я сейчас эту дурацкую книгу.

Дело в том, что пьяный читал «Советскую культуру», а там был заголовок: «Мосфильм» объявляет набор на режиссерские курсы».

Я купил газету и узнал, что при «Мосфильме» решили организовать высшие режиссерские курсы. На эти курсы будут принимать людей смежных профессий — художников, писателей, театральных режиссеров, музыкантов... и архитекторов. Стипендия — сто тридцать рублей! А у меня в ГИПРОГОРе зарплата — девяносто.

— Ну какой из тебя режиссер? — рассуждала вечером мама. — Ты же видел режиссеров. Знаешь, какие они.

Режиссеров я видел, и очень многих. До войны мы жили в бараке в Уланском переулке. Жили роскошно: у нас была большая комната (21 кв. м) и отдельный вход. Когда из Тбилиси приезжали Верико и Чиаурели, они привозили вино, всякую снедь и звали к нам своих гостей. Мама готовила вкусную грузинскую еду, и у нас побывали и Эйзенштейн, и Пудовкин, и Довженко, и Рошаль, и многие другие классики. Все они были яркие, колоритные личности и излагали свои мысли образно, красиво и очень складно.

Когда мне было лет пять, мамина подруга Аллочка на ночь вместо сказок рассказывала мне историю Римской империи. Когда мы добрались до Цицерона, я представлял его себе в виде Григория Львовича Рошаля (Рошаль у нас бывал чаще других) — в берете, очках, при бабочке, но в тоге.

Мама была права — мне до Цицерона далеко. Я до сих пор даже короткий тост складно произнести не могу. А еще грузин.

Я объяснил маме, что не собираюсь быть режиссером-постановщиком. Хочу стать вторым режиссером, как она, и не хочу до гробовой доски слушать про Зинину соседку Люсю. И что стипендия на курсах сто тридцать рублей.

— Давай попробуем, — согласилась мама. — Но сейчас это будет очень сложно.

Времена изменились. Чиаурели за пропаганду культа личности услали в Свердловск. Директором «Мосфильма» стал такой же любимец Сталина, лауреат шести сталинских премий Иван Пырьев. Если Пырьев узнает, что я племянник ненавистного конкурента Чиаурели, то он меня и близко к курсам не подпустит. Так что чем меньше людей будет знать, что Георгий Данелия — сын Мери Анджапаридзе, тем лучше.

Мама позвонила кинорежиссеру Михаилу Калатозову, которого знала еще по Тбилиси, сказала, что сын собирается поступать на режиссерские курсы, и попросила посмотреть, есть ли у него какие-нибудь шансы.

На следующий день в курилке Олег Жагар меня консультировал. В отличие от мамы он мое решение сразу одобрил:

— Раз в башке щелкнуло, то валяй. Чтобы потом не жалеть.

Жагар, фронтовик-разведчик, на десять лет старше меня, был эрудированным и умным человеком, и я с ним считался.

— Давай подумаем, что Калатозову говорить... Он обязательно спросит, почему ты решил поменять профессию. А ты?

— Скажу: потому что здесь тоска зеленая.

— Ни в коем случае! Говори, что с детства мечтаешь быть кинорежиссером, что это твое призвание. Что любишь литературу, музыку, живопись, театр, а кино — искусство синтетическое и все это аккумулирует. Ну, живопись и литературу ты более или менее знаешь... Как с музыкой?

— Не ахти... Мелодии помню, могу даже напеть, но что чье...

— А ты там не пой. Говори, что твой любимый композитор Бетховен, «Героическая симфония». «Героическая» — верняк. Ну, и Прокофьев. Да, а в литературе не забудь «Не хлебом единым» Дудинцева. Сейчас это модно.

...В субботу я пошел к Калатозову. Михаил Константинович — высокий вальяжный шестидесятилетний грузин с бархатными карими глазами — усадил меня в кресло, сам сел напротив.

— Решили поменять профессию? Зачем? Архитектор — замечательная специальность.

Он был со мной на «вы», хотя знал меня с детства: я дружил с его сыном Тито.

— Я люблю живопись, литературу, музыку и театр. А кино — искусство синтетическое и все это аккумулирует.

Калатозов одобрительно покивал.

— В самодеятельности спектакли ставили?

— Нет.

— Играли?

— В спектаклях? Нет, в спектаклях не играл.

— А где?

— В капустнике, в цыганском хоре пел. В институте. Пауза.

— Фотографией увлекаетесь?

— Нет.

— Пишете? Рассказы, заметки...

— Нет.

— Стихи?

— Сейчас уже нет.

— А когда?

— В детстве сочинял какую-то бестолочь... Но мама очень гордилась.

— Ну-ну, — заинтересовался Калатозов, — прочтите.

— Да не стоит...

— Прочтите, прочтите.

И я прочел:

Во мгле печальной на горе стоит Чапаев бледный.
Погиб Чапаев в той реке, погиб он, незабвенный.
Врагу за это отомщу и силу нашу покажу,
И выскочат из Троя четыреста героев.

— Трой — это троянский конь, — объяснил я. — Мне тогда мамина подруга Аллочка про него рассказала.

«Господи, что я несу!»

— М-да... — Калатозов тяжело вздохнул. — А Чапаева Бабочкин сыграл неплохо...

Пауза.

— Вы сказали, любите музыку... — наконец, спросил Калатозов. — Сами музицируете?

— Немного.

— На фортепьяно?

— На барабане.

Пауза затянулась. Всемирно известный режиссер сложил руки на груди и задумался, а я с тоской смотрел по сторонам. В этой комнате мне все было знакомо: и фотография, где Калатозов снят с Чаплином (во время войны Михаил Константинович был представителем Экспортфильма в США). И тахта, покрытая шотландским пледом, и картина над тахтой — красивая молодая женщина в кресле. Женщина с картины смотрела на меня с сочувствием. Я легонько подмигнул ей: не переживай, родная. Я все понял, сейчас уйду.

— Иностранный язык знаете? — наконец придумал еще один вопрос Калатозов.

— Нет.

— Вы молодой. Надо выучить.

Я встал.

— Обязательно выучу. Я пойду, Михаил Константинович. Извините. Спасибо.

Калатозов тоже поднялся.

— Я провожу.

Он вышел со мной на лестничную площадку и нажал кнопку вызова. Загудел лифт и, не доехав до нас, остановился — перехватили.

— Парфеноны и Колизеи стоят тысячелетия. А кино что — целлулоид, пленка. Зыбкий материал. — Калатозов вздохнул.

— Ой, Михаил Константинович, — вспомнил я, — извините, я у вас на столе папку оставил!..

...Через десять минут Калатозов внимательно изучал содержимое папки, а я в кресле напротив напряженно ждал приговора.

Последние дни я, готовясь к визиту, с утра до вечера рисовал жанровые картинки и сделал, как мне казалось, забавную раскадровку чеховского «Хамелеона».

Досмотрев, Калатозов закрыл папку, откинулся в кресле, сложил руки на груди и задумался.

«Не понравилось», — понял я и стал непослушными от перенапряжения пальцами завязывать тесемки на папке. Тесемки не поддавались.

— Дайте мне, — Калатозов отобрал у меня папку и сделал аккуратные бантики. — Это вы сдайте в четыреста двенадцатую комнату на «Мосфильме». Узнайте, что там еще надо. На экзамене я вас спрошу, почему вы хотите стать режиссером. Ответите, как сегодня мне. Маме привет.

— Спасибо, Михаил Константинович!

В дверях он меня спросил:

— А почему вы мне эти рисунки сразу не показали?

— А вы не спросили, рисую я или нет.

ЕЛЕНА НЕСТЕРИНА

прозаик, драматург

Начала писать еще во время обучения в Литературном институте им. М. Горького. По словам автора, ее творчество можно охарактеризовать как социальную фантастику с элементами чуда и волшебства. Успешно сочетает работу в издательстве, творчество и заботу о семье.

МНОЖЕЧКО ВЕЗЕНИЯ

● ● ●

Едет мужчина в автобусе и думает: «В стране бардак, жена — стерва, работа — дрянь, денег — ни шиша». А за его спиной стоит ангел-хранитель и записывает: "В стране бардак, жена — стерва..." Не знаю, зачем ему это нужно, но раз все время заказывает — придется выполнять»...

(народная мудрость)

Сдаться. Признать полную унылую неудачу и сдаться. Пойти работать в «Ашан» — и за зарплату, равную зарплате, например, редактора книжного издательства, быть мерчендайзером отдела, ну, скажем, промышленных товаров. Расставлять по полкам прекрасные баночки под сыпучие продукты, раскладывать одеяла и подушки, пластмассовые вилки и бумажные тарелки для именин и пикников! Канцтовары — о, прекрасные канцтовары!!!

Работать — быть послушной руководству и стараться выбиться в суперстаршие супервайзеры. В моменты отчаяния и тоскливых размышлений о своем будущем мне кажется, что это будет хорошо. Максимально далеко от того, чем я занимаюсь сейчас, но все-таки и не в сыром мясе и мороженой рыбе, которую я боюсь. В окружении милых приятных вещей. Хоть и не своих собственных. Но я не завидущая.

Что происходило? Я понимала, что потихоньку исчезала как личность.

Наверное, у каждого наступает миг, когда он приходит к выводу, что бултыхать лапками, как лягушка в кувшине с молоком, бесполезно — поскольку в его кувшине не молоко, а молочный коктейль, да к тому же — из молока искусственного, так что взбить масло и опереться на него, чтобы подняться вверх, не получится. А у тебя, Аленка, большая семья, и на много лет вперед нужны деньги. И выдающейся и многоденежной карьеры не будет. Будет только служба. Да и то вялая, без перспектив, потому что таких, как ты, не продвигают. Демонстрировать рвение надо было учиться раньше.

А писать собственные книги... Имею ли я право их писать? Это тот вопрос, который не надо задавать. Надо писать и писать, упорно высиживать книги и высиживать. Тогда придут слава и успех. Но задавать очень хочется — и, как будто расковыривая почти зажившие болячки, отвечать себе: «Не надо писать книги! Зачем? Да кому они нужны?» И всячески уничижаться. Тот, кто этого никогда не делал, пусть начинает из своего стеклянного дома кидаться камнями в мой. Возможно, у писателей удачливых дома сделаны из бронированного мавзолейного стекла — эдакий дар благословленных на писательское царство.

К определенному возрасту, оглядываясь на карьеру, точнее, на ее отсутствие, я смогла убедиться, что являюсь счастливым человеком, но свое собственное везение упускаю — так что все, что начинало удачно складываться и сулило обернуться счастливым финалом, заканчивалось или беззвучным ничем, или крахом. Это оказался какой-то просто удивляющий своей стабильностью «антидар»: сводить к нулю собственные блестящие дебюты, оказываться в нужном месте в нужное время — и полностью проваливать операцию. Чаще всего все, счастливо начатое, просто переставало продолжаться. Без видимых причин и без явных моих ошибок и неверных ходов. Просто — тишина. Я, наверное, переплюнула (ну хоть в чем-то!) Джоан Роулинг по количеству издательств, которые дали отказ моим произведениям. Джоан Роулинг с ее первой книгой о Гарри Поттере, как известно, отказали примерно в двадцати восьми издательствах, пока она не нашла то, в котором Поттера взяли. Чаще у меня даже были не отказы, а та же тишина, что даже обиднее решительного «не возьмем»... Творческая мысль не стоит на месте, а потому мне порой казалось, что это не кто-то специально навел чары и наколдовал мой личный неуспех, просто я случайно оказалась на пути того, кому колдуны магическим образом пробивали дорогу к славе. Тибидох-дох-дох! — и вот перед счастливцем прорублена дорога успеха, а все, кто оказался впереди или поблизости, могучим ураганом отмелись на обочину. А как идти по чужой обочине к собственным вершинам?

Я пела в хоре графоманов кантату «Не везет, не везет, пташечка», не сдавалась и продолжала предлагать свои книжки. Хоть куда-нибудь. С рекомендацией добрых людей, без рекомендации. С предложением концепции издания серии. И без таковой. Активности мне не занимать. Рыба об лед бьется звонко, особенно мороженая.

Да, великого произведения у меня не было, с текстом того же «Гарри Поттера» ходить по издательствам было бы приятнее. Вывод напрашивался один: я занимаюсь не тем. Не своим делом. Равно как и обслуживание чужих книг — дело тоже не мое. Путь, пускай даже по обочине, выбран неверно. А что верно?

О, светлый образ домохозяйки-тусовщицы! «Землю попашет — попишет стихи»... Идеальная модель жизни. Если бы это было возможным. Но писать стихи и пахать, сидя на шее мужа, который еще сильнее пашет, нехорошо.

Почему не существует тест-центра, который может дать человеку заключение: своим он делом занимается или нет? Как бы я хотела это знать! Почему так тяжело? Потому что не мое? Надо ли стараться дальше — или отгрести в другую сторону, убежать с обочины на пустырь или в поля и заняться чем-то совсем другим? Ведь никто не ответит, кроме меня самой. А если я ошибаюсь? Если именно во мне самой находится главная ошибка, которая направляет всю мою жизнь, а также людей, живущих со мной, по совершенно другому пути?

Подводя итоги своей деятельности, я понимала: это ноль результата. Все нужно начинать сначала. Обнуление. Мне бы горячий камень — и жизнь заново. Но не будет ни камня, ни «заново». Будет снова упорное, но «что получится». Были учебники по личностному росту и изменению себя, тренинги творческой активности, поездки по святым местам, вынос мозга близким с одновременным разрушением хорошего отношения к себе. Новые произведения, вместо веселых и трогательных, какими мне казались предыдущие, получались у меня депрессивными — их даже показывать кому-то было нельзя. И они сгорали в топке.

Исчезая как творческая личность и просто как личность-личность, я продолжала упорно заниматься текущими делами: налоги, документы, платежи, квитанции, показания счетчиков; работа (когда-то любимая и осмысленная, теперь просто работа — от страха, что уже не будет другой, тетя я взрослая), езда на работу, работа, езда с работы, с собой домой работа, работа на работе...

«А нужного чуда не видать покуда» — да, казалось, что только чудо может меня спасти. Но чудо в моей жизни уже было, на чудо наверняка существует лимит. Мое чудо в виде любимых людей живет со мной. Вот такое оно получилось, многолюдное.

Я новое чудо, конечно же, ждала. Но заставляла себя думать, что не ждала. Честно. И одновременно надеялась — отчаянно и горячо надеялась, как, наверное, надеются непонятно на что попавшие в шторм посреди океана люди на парусном корабле.

Обмирая душой, я ждала удачи, немножечко везения. Разве они не чудо? Ждала и понимала, что в одни руки... Что дважды в одну реку... Что надо заслужить...

Да все я понимала.

Но сердцу не прикажешь. Не прикажешь не ждать; не надеяться. Или надо так совсем перестать верить в себя и в возможность успеха — чтобы просто упасть на честное дно поражения? Упасть, ударившись посильнее, — и тогда, после этого удара, как раз и начнется этот самый подъем? Но вот попробуй разуверься полностью! Чтобы вот так вот, до дна... Может, в этом и есть причина?

Учебники жизни пишут, что прежде всего человек должен измениться сам. Чем сильнее он изменится, тем качественнее изменится и его судьба. И никак иначе. Никакое единичное везение не поможет, случайная удача ничего не значит.

Круг замыкается.

Но уже хочется даже единичного везения и случайной удачи. Гордыня это или слабость? Слабость или гордыня?

Я развивала версию за версией, анализировала и размышляла, между тем исправно функционируя как рабочая единица.

И вот районная налоговая служба. Электронная очередь, талончики, поднеси свой паспорт к считывающему устройству — и тебя признают тобой. Признали — вот номер очереди.

Ждем.

— Да что же мне так не везет-то?! — раздался позади меня звонкий голос.

Только что он был приглушенным, девушка приехала сюда с мини-офисом, аккуратно шелестела бумагами и говорила по телефону. И вот, среди активных дел, ей тоже не везет. Нет-нет, конечно, пусть ей не везет единично, пусть эта девушка будет не из нашей грустной компании!

— Мне же только получить тут несколько бумажек — и я сразу буду у вас! — снова приглушенно, но уже с нотами отчаяния в голосе объясняла девушка. — Ну как же не вовремя... А он что? В больнице? А где больница? Ой... И уже никак? Через месяц-полтора?!

Дзынь! — загорелся номер очереди R076. Мой R077. Я поднялась с кресла. Девушка сидела на ряду кресел, расположенных ко мне спиной. Я сделала шаг назад. Ее лицо стало видно в пол-оборота. Красивая крупная девушка, у лица большой телефон. А на самом лице — катастрофа. Удивление от катастрофы. Размышления: что делать? Что-то случилось. Очень неожиданное. И больница. Кто-то в больнице...

А я сейчас уйду, и мне все равно, как все равно всем прочим вокруг. Справедливо все равно. Мы ничем друг другу не можем помочь. Я даже вперед ее не смогу пропустить, потому что

я

мой паспорт

номер, на который зафиксирован паспорт в системе

номер очереди

номер окошка, к которому мой номер направят

все то же самое, но зарегистрированное на эту девушку, —

не смогут поменяться и подвинуться.

Так что я иду — потому что дзынь! — и на табло появляется мой номер.

Иду в соседний зал с окошками и возвращаюсь с полученными документами. А девушка уже ходит туда-сюда, продолжая разговаривать и бросая взгляды на табло с номерами. Аккуратная такая девушка, видно, что деловая и собранная, не поэтесса и не безумная художница. Держит на сгибе руки сумку с ноутбуком, прижимает к себе много бумаг в разных папках, вслушивается в то, что говорят ей по телефону. Дзынь! — снова сменился номер, девушка дернулась в его сторону, как будто ей нужно попасть именно в само это светящееся табло. И вот соскальзывают по гладкой куртке бумаги и папки, широко разлетаются по полу...

Девушка бросается в две стороны одновременно — и бежать к окнам сотрудников налоговой службы, и к своим упавшим бумагам. Я в первый раз вижу, что такое возможно. Красиво. А еще она была такая достойная, такая несуетливая, хоть делала все быстро и с отчаянием человека, получившего какую-то ну очень неожиданно-плохую весть. Которому явно предстояло многое исправлять и как-то выкручиваться.

Это вызвало мое уважение. Большое.

— Ваша очередь? Идите скорее, я подберу и вас дождусь! — Да, это я, я предлагаю, бросившись к бумажному вееру. — Я все соберу, не волнуйтесь!

Девушка хмурится, закусывает губу, все это сменяется быстрой улыбкой. Махнув головой, девушка бросается в соседний зал.

Ее не было довольно долго. Красная, держа в руке куртку, стопку документов и сумку с ноутбуком, она выскочила из-за спины неспешного дедушки.

Ей снова позвонили. Ее извиняющиеся глаза оказались у моего лица, она протянула ко мне руку за своей документацией, но тут снова зазвонил телефон, она вытащила его из кармана куртки и заговорила. Да, тут же мимо прошла подчеркнуто недовольная дама и озвучила свою мысль о том, что здесь государственное заведение, поэтому подумайте, женщина, что будет, если все начнут вести тут разговоры по телефону. Девушка шарахнулась от нее в сторону, продолжая говорить. Я двинулась за ней. Так мы дошагали до выхода на улицу.

— Спасибо! — выдохнула девушка.

Ей предстояло убрать в сумку многочисленные документы. Она уселась на мокрую скамейку, бросив куртку рядом, раскрыла сумку. Я передавала ей бумаги частями, она их в эту сумку засовывала.

Ну вот, все.

Вжикнув «молнией», девушка откинулась на спинку скамейки. На ее каштановые волосы падали тяжелые влажные снежинки.

— Как отсюда выезжать, вы не знаете? — спросила она.

Я в этот момент уже уходила. Благородный помощник мог быть свободен. Он шел на маршрутку до метро. Чего и вам, девушка, он желает.

— Представляете, у меня еще и машина заглохла, — выслушав мое объяснение про остановку маршрутки, сообщила девушка. — Я триста метров до налоговой не доехала, бросила ее. Вызову эвакуатор. И сюда еще раз придется приезжать — половину документов завернули. Какое-то глобальное невезение.

А вот и я тут еще рядом оказалась — самый (дрыг-дрыг пальцами-кавычками) везучий человек на свете.

И мы пошли с ней к остановке маршрутки. У метро ее ждала другая машина, которую девушка вызвала на ходу. А еще рассказала, что режиссер ее спектакля Пупкин за день до возвращения то ли из Омска, то ли из Томска сломал ногу и лежит в тамошней больнице на вытяжении. Вот так вот слетал на премьеру собственноручно поставленного спектакля.

А премьера проекта, продюсером которого является эта девушка, через полтора месяца.

Как захотел благородный помощник подпрыгнуть и заверещать: может быть, найти замену? Попросить кого-то из режиссеров? Вы знаете, совершенно случайно, из фейсбука и тому подобного у меня имеются контакты некоторых режиссеров. Давайте, я найду телефон молодого режиссера Пипкина, или позвоню Папкину, он знакомый Пыпкина, или Попкину, это муж моей подружки Пепкиной?

Но тут девушка сказала:

— Значит, я сама буду ставить.

Она обратилась ко мне, но смотрела явно через меня, как будто сообщая это большой аудитории. Группе оппонентов, недовольных и финансово заинтересованных.

В этот момент она, шагая и не глядя на дорогу, наступила на замаскированную под лужей решетку слива дождевой воды. Это мы уже позже поняли, что там была поврежденная решетка, которая квакнула и согнулась вниз под ее весом, — а сейчас девушка взмахнула руками, погрузившись в воду ногой почти до колена. Телефон вылетел из ее руки. Описал дугу и падал на асфальт. Падал, чтобы разбиться.

Я, я, я его поймала.

Я схватила девушку под руку и потянула на себя. Я вырвала из решетки замшевый сапог. Порванный и мокрый.

И услышала, что я приношу удачу.

Да — я, я приношу...

В спасенный телефон девушка долго объясняла, как подъехать водителю не к метро, а прямо сюда.

Мы с ней вместе забрались в подоспевшую машину.

Мы узнали, что мы Алена и Алина. Мы говорили о музыкальном театре и современных пьесах. О том, кто из нас чем занимается.

— «Женщина-трансформер»? Это ты написала книгу «Женщину-трансформер»? — подпрыгнула Алина, когда услышала от меня, чего я создала любопытного и чем горжусь. — Я читала! Вот это да! Ты можешь такое? Такое можешь!

Сказать, что было приятно, это почти что ничего не сказать. Моя продукция играет на меня!

— Мне эта книжка сознание перевернула! — продолжала Алина, забыв про свои многочисленные проблемы. — У меня поменялось — многое-многое поменялось. Как будто я поймала удачу. Как ту птицу. Я думала, автор этой книжки-то давно на Мальдивах живет, стрижет купоны и пишет себе потихоньку что хочет.

— Надо же, — с грустью улыбнулась я. Мальдивы...

— Я даже хотела купить права на «Женщину-трансформер», написать сценарий и сделать экранизацию, — призналась Алина.

— А чего же не купила?

— Ну...

Вот в этом «ну» и заключалась основная тема моей жизни. Так чудесно все начинается — и кончается вот этим самым «ну». Понятно, что в кино восемьдесят процентов проектов не осуществляются. Но ведь есть же оставшиеся счастливые двадцать, и кто-то ведь их создал. Эх...

— Это же надо так придумать... — не заметив моей горькой иронии, воодушевленно продолжала Алина. Но скосила глаз на меня и сменила интонацию. — Эй, ты чего? Сама людям подарила надежду, шаг, можно сказать, в чудесное показала как сделать, а сама его сделать не можешь, сидишь киснешь.

— Да я не кисну.

— Да киснешь.

— Да с чего ты взяла?

— Да взяла. А надо просто сделать шаг в сторону. И идти себе вперед.

— Ага...

Мы просвистали мимо метро — потому что наивная девушка, уверенная, что я приношу удачу, предложила мне работу.

Даже не на подхвате — приносить удачу и другие полезные мелочи. Перетасовав свою творческую группу, Алина, отныне режиссер-постановщик, заявила, что я, на ее взгляд, хоть и не специалист, зато очень, очень креативна, и попросила быть линейным продюсером. То есть продюсером внутри проекта, на позициях.

Ке-е-ем?!! Я?!

Она оказалась взрослая, эта Алина, просто на вид такая молодая и яркая. И проект ее был далеко не первым.

Первым у меня. У меня, которая неудачлива! Кто заставил Алину поверить, что это не так? Понятно, что — самоубеждение. Она решила, что это так, и потому верит.

А ведь, скорее всего, это же самое самоубеждение срабатывало и на тех, кто принимал решение по моим книжкам. Нет, не брать этот текст, не печатать — и все. Вот так мне кажется. Мартин Иден по этому поводу дал бы, конечно, более внятную консультацию. Но нет его с нами.

И я стала работать. Я ушла с основной своей работы, оставшись, правда, незабываемым и тоже очень полезным внештатником. Ай-люли.

Музыкальный театр! Точнее, рок-опера. Веселая такая штука, хоть и не без готики. Вот что это оказалось.

Театр. Сцена, аппаратура и оборудование, репетиционные помещения — аренда в сторонних организациях, сведение, документация, декорации, кофры, костюмы, буфет.

Этот проект стал полностью наш. Мы с Алиной пахали. Да, училась я на ходу, и тормозила, и чего-то не понимала, и совершала позиционные ошибки. И страх, конечно, нападал, тот самый, прежний: «Ты не сможешь, ты не умеешь, ты все провалишь...» Не было только одного: «Не то, не то...» Потому что что «то» — думаю, так никогда я и не узнаю. Волшебной самоуверенности, открывающей любые двери изящным пинком, не будет никогда. Но я смогу и без нее.

А еще я адаптировала текст. Что-то оказалось нужно поджать, что-то расширить. И все подошло удачно. И цены мне не было.

Чудо, чудо!

Можно констатировать, что эта работа изменила мою жизнь? Не просто изменила, а ИЗМЕНИЛА! И сколько всего в ней интересного началось! Хоть и время, конечно, сжалось. Мои дети несколько раз ночевали со мной в театре — и просились еще. Даже муж мой с удовольствием помогал в моей новой странной работе. И зауважал, конечно же, еще больше.

И я пела в хоре. Можно сказать, даже в кордебалете.

Я — на сцене и в костюме. Можно такое представить? Не в хоре грустных графоманов, нет. Чтобы никого не искать на замену внезапно отвалившейся актрисы, я встала на пятом плане у фонтана сама.

И ничего. Выжила. Такая постановка неожиданных замен. Ого!

Отступление.

Мой самый страшный сон

Если мне снятся кошмары, то они двух видов.

Первый: что я поднимаюсь по лестнице без перил и каждый пролет ее становится ниже предыдущего. На самых последних этажах он такой, что можно пробираться только вприсядку, а потом и вовсе ползком по ступенькам. Нехватка пространства давит, ощущение незащищенной высоты кошмарит. Все вместе очень страшно.

И второй: я играю на сцене. И играю так плохо, в такой слабой постановке, что стыд мой просто невыносим. Я произношу свой текст, но мне не удается произносить звуки. Партнеры ждут мою реплику, не могут из-за меня продолжать дальше, я пытаюсь, звуков нет. Партнеры как-то выкручиваются. Стыд накатывает новой ледяной волной, я в ужасе. И даже иногда в холодном поту. Стыд. Стыд – это очень страшно. И сон такого типа страшнее, чем типа первого.

Почему мне такое снится?

Может быть, кошмарные сны — это послания судьбообразующего характера?

Как в одном человеке уживаются неуверенность (читай: трусость) и упорство? Конечно, я была уверена, что уж премьеру-то с моей помощью мы точно провалим («С нашим-то счастьем!» — как я привыкла о себе говорить). Но не провалили. Минимум.

Мы этот спектакль играем. Мне платят деньги. Я по-прежнему в проекте. И теперь уже даже не в одном. Я все так же ничего не знаю о жизни, блуждаю среди смыслов, так что создавать новые миры в этой жизни — миры, в которые на полтора часа попадают зрители, — это счастливая форма моего существования.

А еще я написала мюзикл. И композитор не сказал «нет». И книжку я тоже пишу. Романтическую историю с приключениями. Она опять будет наивна, но с героизмом. Тех, кому такое нравится, много. Ведь у меня же явно хорошо получается. Мне не стыдно хвалиться.

Может, даже до экранизации романа «Женщина-трансформер» когда-нибудь дойдет. Почему нет-то?

Да, мне кто-то помог. И даже не травма режиссера Пупкина, который, кстати, излечился и вернулся в команду, начав ставить наш следующий спектакль. Вера и добрая воля. Чудо уверенности. Взошла звезда доверия.

Кстати, а косяки и неудачи у Алины на порванном в луже сапоге и закончились. Я боялась образа невезунчика, которого быстренько с позором выгонит барыня. Но этого не случилось. Даже наоборот — то самое невозможное под названием «изменись сам» — как раз во время работы на проекте и произошло. Исчезло из поведения упадническое «чего изволите», чем я грешила, много лет работая под большим количеством руководителей, я потихоньку научилась сначала иметь, а потом и отстаивать свое мнение. Про то, какая я стала интересная женщина и раскрылась как личность, даже говорить нечего. В первую очередь я нравлюсь самой себе. И другим, мне кажется, со мной хорошо.

И отныне мне не то чтобы везет.

Я просто раньше занималась не тем. Не совсем тем.

Хотя нет, зачем стесняться: везет мне!

Я люблю работать. Я люблю музыку и театр, я люблю книги. Люблю придумывать истории. Моей любви хватает на многое. А когда я люблю, я способна свернуть горы. Даже когда я заверешу сотрудничество с командой Алины, я не буду бояться искать что-то новое. Не знаю, насколько я уверена в себе, но я теперь смелая. Наверное, смелой я и была — только очень давно, сама забыла когда.

Надо же...

Сейчас я успеваю везде, где начинаю что-то делать.

И успех я заслужила.

Так что пусть не существует тест-центра, который может дать человеку заключение: своим он делом занимается или нет, я знаю, что для кого-то двигателем судьбы становятся другие люди.

Вот поэтому, пожалуйста, все, кто меня видят, все, кто меня слышат, все, кто меня знают, скажите: «Алинка, спасибо тебе за Аленку!»

АЛЕКСАНДР СНЕГИРЕВ

политолог, прозаик

Александр Снегирев учился в Московском архитектурном институте и Российском университете дружбы народов, но выбрал писательскую стезю. Когда он был маленьким, его родители выписывали журнал «Англия». В декабрьский номер за 1987 год был вложен небольшой календарь с фотографией зеленых холмов. В следующем году его мама уехала в полугодовую командировку, и, ожидая ее возвращения, он стал вычеркивать дни на этом календаре. Через неделю вычеркивание забросил, но зеленые холмы с тех пор навсегда стали для него и обещанием счастья, и невозможностью счастья, и самим счастьем. Да и само счастье – странная штука: зыбкая, ускользающая, невозможная и одновременно вечная.

ОЧЕРЕДЬ

• • •

Огни отелей заманчиво блистали на мокрой мостовой. Низкорослые подростки в полицейской форме преграждали путь.

— Давай подождем, — предложил отец.

— Это на полчаса минимум, — сказал я с некоторой претензией, будто именно отец послужил причиной и непогоды, и очереди.

Стоять не хотелось, но и уходить, не повидав нашумевшую уже экспозицию, не хотелось тоже. Мы выбрали бездействие — остались в очереди. Я поднял воротник, чтобы за шиворот не так сильно сыпало дождевую пыль. Неподалеку располагался подземный торговый центр. В его ворота втекала человеческая река. Говорят, в древности здесь тоже была река, только не человеческая, а обычная, пресноводная. Позже ее русло сдвинули в трубу и выкопали ТЦ. За спиной послышались голоса — я обернулся — за нами занимали все новые и новые желающие повидать экспозицию.

— Его примерно в такую же погоду хоронили, — ни с того ни с сего вспомнил отец. — Снег с дождем, слякоть, пар из рта.

— А где очередь стояла? — спросил я.

— Вот там, — отец махнул рукой в сторону шумной улицы. — Как раз вон на той площади собрался народ. Я подошел, думал быстро дойду до Колонного зала, где был выставлен гроб, попрощаюсь и домой.

— Много народу было?

— Сначала немного, а потом толпа. Мы с товарищами старались держаться вместе, но скоро нас растащило. Помню, так сдавило, что я даже ноги поджал и не падаю — толпа меня несет. Хорошо, как на море, только дышать трудно.

Услышав, как когда-то отец отдался колыханию людской стихии, я подумал, что, прыгнув в воду, люблю поджимать ноги, так, чтобы колени к подбородку, и покачиваться эмбрионом в бесконечной водной плотности. Есть в воде что-то женское — любую форму примет и любую форму обоймет плотно, накроет с головой и разгладится. Не вся вода, однако, доставляет удовольствие. Мокрая ситоха, сыплющая в лицо и уши, удовольствия, например, не доставляет. Если ты, конечно, теплокровное. Я втянул голову в воротник.

— Когда толпу стало мотать, когда сдавило и я ноги поджал, то увидел рядом старушку, — продолжил отец. — Нас прижало к дому, и она стала кричать, что задыхается. А я ничего сделать не могу, я сам задыхаюсь. А в доме, прямо перед нами, дверь. Сначала все подъезды были открыты, потом их уже изнутри заперли, чтобы народ по нужде не ходил. Старушка пыталась дергать дверь, но куда ей. Когда в следующий момент откатило, я тоже дернул. А за дверью мужик какой-то, держит и не пускает. Тут на нас опять навалились, ни вдохнуть, ни выдохнуть. Старушка едва голосит. И я подумал, что, может, и ладно, я же не всесилен. Но через секунды, едва я смог шевелиться, я снова схватился за ручку, каким-то неимоверным коротким усилием приоткрыл дверь и втолкнул туда едва живую старушку. И сразу эту дверь мною и захлопнуло. Так к ручке придавило, я думал, ребра сломает.

Наша длинная очередь хоть и медленно, но двигалась в сторону храма искусства, теперь мы стояли между двумя рядами железных ограждений.

— Потом меня отнесло к железной ограде, — продолжил отец. — Не к такой, как эти, а к решетке с острыми пиками высотой по грудь. Как меня к этой решетке прижало, как поволокло...

Отец усмехнулся и рассказал, что в тот день, когда объявили о смерти, всех отпустили с лекций для того, чтобы можно было проститься. Он с приятелями пошел, толпа их скоро закрутила и его, одетого в отцовское кожаное пальто, прижало боком к черным остриям. Еще чуть-чуть и насадило бы. Но не судьба, даже не оцарапало, только тащило вдоль, и он смотрел, как с пальто одна за другой отлетают пуговицы.

Подростки-полицейские получили радиоимпульс и пропустили очередную партию, в которую угодили и мы. Мы шли по коридору, образованному двумя рядами переносных ограждений, лишенных углов и каких бы то ни было острых деталей.

— К вечеру чекисты сформировали нормальную очередь по двое, по трое, отгородили грузовиками, и давка прекратилась, — сказал отец, когда мы дошли до следующего кордона и остановились. — Вдоль тротуара нагребли кучи потерянной обуви, и те, кто в толкотне остался без одного, а то и без двух ботинок, рылись в этих кучах, подыскивая что-нибудь подходящее. Ночью грузовики включили фары. Над очередью поднимались клубы пара, и в этих клубах скакали странные, искаженные тени.

— А с туалетом как? — спросил я.

— Мужики становились в кружок, женщины терпели. Чтобы не замерзнуть, мы с соседом толкались плечами, — отец толкнул меня плечом. Не сильно, но от неожиданности я едва не упал. Всегда надо стоять устойчиво, никогда не знаешь, когда получишь удар. Я легонько толкнул отца. Его плечо, даже через две наших плотных куртки, показалось очень худым, кожа да кости. Толкание и в самом деле согревало. Отец продолжил рассказ.

Когда стало светать, пробежал шепоток, что в некоторых грузовиках трупы. Какой-то пацан подтянулся, схватившись за зеленый борт ближайшего. Машин в те времена было мало, легковые все были черными, а грузовики военного цвета, зеленые. И только в пятьдесят восьмом году, к Фестивалю молодежи и студентов, когда в Москву приехали тысячи иностранцев, некоторые грузовики покрасили в оранжевый. Короче говоря, пацан подтянулся и заглянул в кузов. И отпрыгнул, вертя быстрыми глазами, ставшими вдруг неприятно насытившимися. Любопытство повлекло отца так же неодолимо, как несколько часов назад его влекла толпа. Подойдя к грузовику, он схватился за дощатый борт и тоже подтянулся.

У Проспера Мериме есть новелла «Взятие редута» — ветеран наполеоновский войн вспоминает бой при деревне Шевардино. Сиплым голосом имеющего несколько ранений человека он говорит, как они подошли к укреплениям, взобрались на вал и увидели строй русских гренадеров, направивших на них ружья, и артиллеристов с зажженными фитилями. А в следующий миг грянул залп.

Прямо перед лицом отца раскинулись женские ноги в синих рейтузах. Кузов был полон телами.

Розовощекий полицейский в панцире бронежилета сдвинул последнюю заслонку, и поток страждущих, увлекая нас, хлынул к вратам храма искусства.

Внутри нас ждало тепло, сухость, обыск на предмет колюще-режущих, огнестрельных, горючих и взрывчатых средств и многолюдность, свойственная дню бесплатных посещений. По лестницам и эскалаторам, по коридорам и балконам текли реки студентов и пенсионеров, детей и родителей, местных и гостей столицы. Мы устремились вниз, под пол, под землю, потому что именно там развернулась интересующая нас экспозиция.

Еще издалека, сквозь арку входа в залы, нашим взорам открылись большие, развешанные по стенам полотна с изображениями двух верховных богов: усатого и того, что с бородкой. Первый в белом кителе, второй в черном костюме-тройке. По бокам от алтаря, по стенам боковых нефов размещались картины с житиями верховных богов, а также с богами рангом ниже, с полубогам и с выдающимися людьми. Размеры и замыслы картин соответствовали масштабу эпохи — холсты были гигантскими, не удивлюсь, если бы их хватило на пошив палаток для защитников Шевардинского редута. Сюжеты не отличались разнообразием, но поражали добросовестностью воплощения. Здесь верховный бог в пиджаке говорит великие слова, а там верховный бог в кителе принимает цветы от восторженных нимф. Вот они треплют круглые головы купидонов в алых шейных платках, поощряют плечистых героев и, конечно, наставляют. Наставляют всех: богов рангом пониже, полубогов, героев, жрецов, нимф и купидонов. И вся эта орава, сжав в крепких кулаках матросские бескозырки, опершись на рабочий инструмент, прижав ладони к груди, восторженно и благодарно внимает. И даже рогатый скот вполне осмысленно выглядывает из стойл, а конь натягивает узду, требуя атаки. Происходит все это в просторных залах невиданных дворцов, на величественных площадях, на необъятных палубах непотопляемых крейсеров, среди бескрайних, обильно колосящихся полей. Сытый и сытный мир. Вечное лето, в крайнем случае весна. Всего вдоволь. Даже с избытком. Белки, жиры, углеводы. Подступает отрыжка, в буфет не хочется.

Обойдя все пределы храма, насытившись каждой картиной, мы снова оказались у входных врат, на этот раз чтобы храм покинуть. Только теперь мы обратили внимание на компактный стенд с экраном. На экране мелькало что-то нецветное. Мы подошли поближе и склонились, чтобы разглядеть.

— Давай немножко на живого посмотрим, — попросил отец.

И мы стали смотреть.

Маленькая улыбка, маленькие усы, маленький белоснежный китель и такая же маленькая белая фуражка. Маленький рот что-то говорит беззвучно, а маленький палец тычет прямо в нас. Мол, ты и ты... Тут мое внимание привлекли голоса.

Перед входом топталась одетая в форменные оранжевые штаны и спецовку работница коммунальной службы. Смотрительница отказывалась ее пропускать — в верхней одежде не положено. Я прислушался — оранжевая смущалась. Страдая и мыча, она пояснила, что сдать спецовку в гардероб не может, под спецовкой на ней надето совсем неподходящее. Смотрительница покачала головой, на лице ее отразилось, что она вникла, но продолжала оставаться непреклонной.

И я не сдержался.

Я сказал сморительнице, что нельзя не пускать рабочего человека в храм искусства в бесплатный день да еще на выставку с богами рабочего класса.

— Не положено, — твердила смотрительница и отвела глаза.

Оранжевая совсем поникла и тронулась прочь. Большая, утепленная, настоящий оранжевый грузовик с Фестиваля молодежи и студентов. С каждым шагом она делалась недостижимее. Вроде вот они, метры, а не преодолеть.

И я шагнул за ней. И если первые шаги мои были кисельными и вязкими, как во сне, то следующие были тверды и быстры. Я догнал оранжевую и поволок обратно. Я отнюдь не мелкий, но рядом с оранжевой смотрелся, как буксирный кораблик, тянущий океанский лайнер.

Предъявив оранжевую смотрительнице, я сказал, что, может, ей, оранжевой, очень надо, может, она в первый раз в музее, а может, в последний. Оранжевая начала было бубнить и отплывать в сторону, но я ее вернул. Я сказал, что не пускать в храм искусства из-за спецовки нельзя, это противоречит кодексу работника храма искусства, это против того, чему учат они. И я показал на верховных богов, которые ласково улыбались и щурились из чертогов.

Служительница отвернулась и махнула рукой — мол, проходи.

И оранжевая неуверенно пошла в сторону верховных богов, полубогов, воинов, жрецов, нимф и купидонов в алых платках.

Отец продолжал смотреть на экран, с которого все тыкал и тыкал маленький палец.

Ты и ты.

Я дал вам шанс себя проявить.

Спасти старуху в давке.

Провести страждущую в мой храм.

И вы этот шанс не упустили.

Нэ упустыли.

Тебе хорошо?

— Очень хорошо, — ответил я.

Ты счастлив?

— Счастлив, — подтвердил я. — Я очень счастлив, товарищ Сталин.

— Что? — спросил отец.

— Сам с собой разговариваю, — отмахнулся я.

— В гробу я его так и не видел, — сказал отец, когда мы выходили их храма искусства под снег. — Утром следующего дня я увидел, что нахожусь недалеко от нашего переулка. Тогда я сказал дружиннику, что живу рядом, и меня выпустили за ограждения.

ЕЛЕНА КРЮКОВА

музыкант, поэт, прозаик, искусствовед, член Союза писателей России

Сначала музыкант (Московская консерватория, фортепиано и орган), потом поэт — собственная тайная музыка; потом прозаик — роман как любимая крупная форма, рядом с симфонией и фреской. Пространство-время, огромность и трагедийность мира оправданы и освящены любовью — и это лейтмотив всех книг Елены. «Быть художником — большое счастье», — говорит Елена и всей своей жизнью доказывает это.

ДВОРЯНСКОЕ
СОБРАНИЕ

• • •

Москва надвигалась, наплывала каменными волнами...

Среди камня там и сям вспыхивали и гасли огни. Я чувствовала себя поездом, разрезающим надвое каменный пирог. По обе стороны состава — враги. Они тоже каменные. По левую руку — дом, по правую — мост.

А там — метро, и в нем можно утонуть.

Оно без берегов и без дна. Бездна.

Москва вбирала, всасывала меня, крутила, маленькую людскую щепку.

Нет жизни без Москвы, наивно думала я, ведь здесь средоточие всего. Чего — всего? Трудно плыть в людском море, каждую ночь оно превращается в каменные валы. Валы вздымаются, молча и безжалостно.

Москва слезам не верит, беззвучно повторяла я, но и улыбкам она тоже не верит. Она не верит ничему.

Зачем Москве нищая поэтка?

Я молча и одиноко сидела в ресторане Дома литераторов за столиком, и мой обед — вот он, кофе и булочка.

Как в старом анекдоте про Расула Гамзатова: адын кофе и адын булочка.

Круглая маленькая булочка за пятак.

А народ тут роскошно заказывает лангеты, жюльены, черную икру в странных гнутых вазочках. А еще тарталетки. С паштетом и красной икрой. Тарталья, каналья!

Взгляд на часы.

На последнюю электричку с Курского вокзала еще успею.

Куда успею? В Железнодорожный. А проще, в Железку.

Железка, в девятнадцатом веке — станция Обираловка, именно там Анна Каренина бросилась под поезд.

Вот где я живу.

Однокомнатная квартирешка моей родни. Платить — только за коммунальные услуги, свет-газводу-площадь. Это роскошно, это божеская милость. Народ в Москве квартиры снимает за черт знает сколько долларов в месяц.

А я! Обираловская девка.

Пьяный поэт за соседним столиком качнулся ко мне:

— Куда вы, прекрасное созданье?

— Домой.

— О! Возьмите меня с собой.

— Перебьетесь.

— Да я щас... да я тут всю посуду! Из-за тебя! Перебью!

Я бежала вон из орехового старинного зала, где на каждом столе горела настольная лампа с оранжевым абажуром, где писатели ели и пили, богатые и знаменитые прозаики, а бедные поэты присаживались к ним за столики и угощались на дармовщинку...

Москва — вечный бег, и ты никогда и ничего не успеваешь.

А завтра тебе на работу.

Ты тут одинока.

Но в другом городе у тебя — старая мать и маленький сын. Цены растут, а живых надо кормить. Мама! Коля! Не переживайте. Я же устроилась работать. В отличный журнал, называется «Арт-панорама». Там надо писать статьи про художников. Мама, твой муж и мой отец, он же был художником, прекрасным художником, и я так хорошо знаю историю живописи, и в современной разбираюсь, мне сам бог велел в таком журнале работать! Ты не бойся, я много денег заработаю!

Я маме не говорила, что я еще, кроме журнала, работаю дворником. И по вечерам убираю грязь и мусор после ярмарки в Столешниковом переулке. Ящики, бумаги, газеты, окурки. Я сама немного курила. Я сама швыряла окурки в грязь.

«Я стояла коленями в шоколадной грязи... Я была поколением, что лишь: Боже, спаси...» — твердила я холодными губами — на ветру, под сырым снегом, под ледяным дождем.

Что это: январь? Ноябрь? Февраль?

В Москве всегда зима. Москва и зима — почти рифма. Еще немного, и рифма. Но мы и без нее, проклятой, обойдемся.

Одиночество — с чем оно рифмуется?

Совсем недавно я рассталась с человеком, который выжал меня, как тряпку, и кинул в снег, как окурок.

Три года ужаса и ожидания.

«Быть женщиной — великий шаг, сводить с ума — геройство?» Ой, нет! Нет-нет! Быть женщиной, думала я, несясь на Курский вокзал под светом диких фонарей, это повинность, оброк, обряд, а женщина — живой ясак, живая дань. Приходит владыка, мужчина, и властно дань собирает.

А потом сжирает, что можно сожрать, обсасывает косточки, плюет их наземь, себе под ноги, раздавливает грязным сапогом и уходит.

Так и я жила, и главное тут было — не роптать. Чуть возропщешь — и все, кранты.

Отчаяние загрызало, перерезало зубами глотку, и чудилось — по щекам не слезы текут, а кровь...

А с виду, с виду-то — как хороша!

В платке с розами и метельными кистями однажды бежала проходным двором. Голос услышала, пущенный в спину, как крепкий снежок: «Эх, а девка-то какая красивая!»

Кому эта чертова красота нужна, злобно думала я. Да никому. И мне — в первую очередь.

Вот и Курский, и электричка на путях. Еще стоит. Скорей!

Поехала.

Мне двери раскрыл, отжал крепкий парень. Сам впрыгнул за мной. Я — от него бежать по вагонам, а они пустые, а кто знает, что у парня на уме?!

«Да стой, куда ты! Поговорить хочу!»

Сажусь. Он — напротив. Говорим. Сейчас уж не помню о чем.

И под черной тоской, под полночною мглой... говорят, говорят, говорят — всей душой...

Так я училась не бояться людей.

Хотя, видимо, мне просто везло. В последних электричках и убивали, и насиловали.

А вот и Железкин вокзал, ну пока, попутчик!

Слава богу, он не здесь выходит, он до Купавны.

Великий путь «Москва — Петушки», и бессмертный Веничка Ерофеев на губах, на языке: «Серп и Молот — Карачарово... и немедленно выпил».

Двенадцать ночи! Беги, несчастный нищий кролик! Беги изо всех сил! Милиции нет. Спит она в столь поздний час. «Кто там стучится в поздний час? Конечно, я, Финдлей. Ступай домой! Все спят у нас! Не все, сказал... Финдлей...»

Я бежала и читала наизусть все веселые стихи, какие знала.

Шарахалась от всякой тени. Вздрагивала на стук в подворотне. Жадно глядела на горящие окна: вот здесь не спят! И здесь не спят! Если нападут и заору — может, высунутся из окна!

«Вот опять окно... где опять не спят... может, пьют вино... может, так сидят...»

Нет, это не надо, это грустное...

Ловлю ртом воздух. Вот и дом. Хрущевская серая пятиэтажка, чудовищная мышь. Пятый этаж. И в подъезде может кто-то страшный стоять.

Нет. Здесь уже уютно. Пахнет чьей-то едой из дверей: печеным, жареным. Тушеной капустой. Пирогами.

«Пирогами... и блинами... и сушеными грибами...» Как там?.. «Долго, долго крокодил... море синее тушил...»

Ключ лязгает в замке.

Все. Добежала.

Сбросить сапоги. Скинуть старую шубейку. Размотать теплый шарф. Мама вязала. Поглядеть на руки в мозолях: от лома, от дворницкой лопаты.

Они все думают — я поэт!

Нет, я дворник. И за мою работу мне платят — деньги!

И я — горжусь ею!

Моя нищая квартира.

Колченогий диван. Старый стол, укрытый клетчатой клеенкой. Книги на подоконнике. Тумбочка, в ней — белье. Кухня, газовая плита, маленький старый холодильник не холодит — барахлит. Зимою еду вывешиваю в сетке за форточку.

Так, сетку из-за форточки добыть; а что в ней?

За день уж забыла. Ага, пельмени. Самые дешевые и самые невкусные.

Вода в кастрюльке кипит. Это музыка. Есть брусок золотого масла. Это живопись. Есть — это танец, это сияющая радость.

Кто же ночью ест? А голод не тетка.

Гудит газовая колонка. Принимаю душ.

Гляжу себя мочалкой по голому мокрому телу. Что такое тело человека? Тебя, тело, никакой душе не понять. Нам никогда не понять, кто мы есть такие. И зачем мы — это мы.

Мужчины и женщины.

И зачем мы встречаемся и расстаемся.

Сидя в старом застиранном халатишке на диване, слушая пенье ржавых пружин, я думаю о своей никому не нужной жизни.

Мама стареет. Сынок растет. Скоро я их увижу.

Скоро весна, и по весне я поеду в родной город.

И что?

Приеду и уеду.

И все закрутится снова.

Грязная ярмарка. Писатели и редакции. Последняя электричка. Страх и ужас. И эти слезы, уже надоели. И это одиночество, уже поперек горла.

Странно, опасно и дико подумалось о том, что вот — были поэты, и они, доведенные до отчаянья, не захотели жить. Наложить на себя руки ведь очень просто. Джек Лондон! Рюноске Акутагава! Вирджиния Вулф! Александр Фадеев! Эрнест Хемингуэй! А Гоголь, Николай Васильевич? А Марина Ивановна? Боже мой, Боже. И сколько их! Никаким писателем в стане самоубийц быть не захочешь...

Что ты себе хочешь этим сказать, Лена? А ничего. Ничего не хочу! Я нарочно. Я просто так!

А может, ты с ума сходишь? Здесь, в пустой квартире, одна?

Сама с собой разговариваешь.

«Не дай мне Бог сойти с ума... нет, легче посох и сума...» Нет, легче труд и глад...

Труд и глад у меня уже есть.

Посох и сума — интересно, надо подумать. За юродивую примут.

Нет, по миру не пойду. Мне и юродивой Москвы хватит. Выше крыши. На всю жизнь наемся.

Итак. Итоги. Нищая. Голодная. Одна. Страна рушится. Ветер гуляет. Зима. Мороз. Ни зги не видно. Фонари погасли. Это два часа ночи. Моя жизнь молодая. Она еще молодая и светлая, а я живу на дне кастрюли. На дне железкиной кастрюльки с тремя тошнотворными пельменями из мяса кошек и собак.

С кухонной стены на меня смотрела фотография хозяйкиной усопшей кошки. Фотография заляпана жиром, нос кошки выпачкан, лоснится: может, несмышленое дитя ее пыталось посмертно кормить...

Я вышла из кухни в комнату. В окне виднелись ребра балкона. За балконом тускло переливалась Железка.

Каменная жизнь, каменные столбы и стелы. Железная арматура, железные рельсы. Дома — и люди в них. Тысячи людей. Миллионы. И — ни одного родного. Ни одного — моего.

Слезы, не надо, ну пожалуйста! Не подступайте!

Поздно. Уже все мокрое лицо.

В молодости и плачешь горше, и проклинаешь жесточе.

Я повела глазами — сквозь линзы слез — по стенам нищего жилья.

Утлое бра. Вышивка, съеденная молью. Градусник. Мещанская мордочка в рамке с виньетками.

Икона. Стоп. Икона.

Богородица Донская.

Я сама ее купила.

Софринская дешевенькая иконка, да просто бумажная репродукция, аккуратно наклеенная на дощатую плашку. Чуть золотистый фон. Темный мафорий Божией Матери, отороченный яркой зеленой полосой. Красивые краски. Младенец на Ее руках смотрит печально и пронзительно...

И вдруг Его глаза остановились на мне.

Впечатались в меня.

Она глядела чуть вбок и вниз, а Он вроде бы миг назад глядел на Нее — и Его глаза медленно повернулись в глазницах, и да,

Он смотрел на меня.

На меня!

Нет, это просто слезы, они мешают глядеть. Зрачки мне врут. Я близорукая!

Я не...

«Молись, — медленно произнес нежный голос внутри меня, — молись, это одно тебе остается».

И я медленно, медленно опустилась перед иконой Донской Богоматери на колени.

Молитва.

Вылепить губами слова.

Я не знаю канонических молитв. Значит, вылепить сердцем. Ох, нет, я помню. Я вспомнила. «Отче наш. Да воскреснет Бог и расточатся врази Его. Господи Иисусе Христе, Сыне Божий... Богородице Дево, радуйся!»

Я замерзшей, слишком твердой рукой перекрестилась. Рука плохо двигалась, как сломанная.

Было больно. Пальцы свело. Губы дрожали.

— Благодатная Марие... Господь с тобою...

Так же медленно я наклонилась к полу. Ближе, ближе. Лоб пола коснулся. Потом грудь.

Потом я легла на пол. Грудью, животом.

И так лежала. Без движения. Без слов.

Губы снова зашевелились:

— Благословенна Ты в женах! И благословен... плод... чрева Твоего...

Я не боялась забыть. Молитва была слишком короткая.

Короткая, как колыбельный стих. Как «я тебя люблю».

Как перед смертью: «Мама!»

— Яко Спаса родила... еси душ наших!

И все?

И все.

Нет, не все! Не все!

Лежала на полу. Доски холодили живот под тонким халатом. Пахло пельменями и нафталином.

Я понимала: встать сейчас так просто я не могу. И не смогу.

И не надо.

Надо — лежать распростершись. Надо — просить.

Просить! Чего? О чем?

Под ладонями плыл пол.

Я лежала на деревянной льдине, и она несла, уносила меня туда, куда я совсем не собиралась плыть. В мое будущее. А может, в мое давнее, забытое прошлое. И оно наплывало — и я устремлялась, летела...

Утлая квартирешка летела вместе со мной, несла меня в брюхе, как наивного Иону.

Войны, миры! Руины стран!

Время бомбит наши дома, и они падают, обваливаются, истончаются, обращаются в пыль и пепел.

Но я-то живая! Еще живая!

Быстрее, живая, проси! Проси у Богородицы своей сейчас всего, всего! Всего, что сможешь!

А Ей что посулить? Ей — жизнь отдать! Посвятить! Подарить...

— Милая Богородица... душенька, голубушка... Пожалуйста, пошли мне... художника!.. такого доброго, светлого... как мой папа... такого же талантливого... Художника!.. И чтобы он полюбил меня. А я полюбила его. И сделала для него все, все, все! Все... Все в жизни... Сделала ему... судьбу... Помогала ему... во всем... За его бы плечом стояла, когда он картины будет писать... за мольбертом... И чтобы я его понимала, как никто... Чтобы всю свою любовь — ему одному отдала! И чтобы мы прошли по жизни рядом... вместе... рука в руке... всю жизнь — насквозь... до конца. До конца! Слышишь, моя милая, моя родная! До конца!

Она — слышала.

— Пусть так будет... Пошли мне это счастье! У меня ведь никогда, никогда не было его. Такого счастья. У меня было горе, много горя. Я понимаю, что роптать не надо, я и за горе Тебя благодарю! Но если рядом со мной будет человек... художник... Почему художник? Потому, что художник — человек! Именно художник — и есть человек! Но ведь... всякий человек — художник... Я уже запуталась. Но, милая, любимая моя, нежная, вечная! Божия Матерь — чистая, великая! Матушка наша общая! Мать наша! Как это?..

Я вспоминала вслух.

Я же пела в церкви. Я же в храм ходила — стыдясь, вставала на колени, на истоптанные каменные плиты, перед иконой, перед Твоей иконой, Богородица.

— Честнейшую Херувим... и славнейшую без сравнения Серафим... без истления Бога Слова рождшую... сущую Богородицу... Тя величаем...

Я лежала на полу и пела «Честнейшую».

Пела, как могла.

Лицо мокрое. Слезы текли.

Шепот обжигал губы.

Я шептала и шептала, просила и не могла остановиться.

Ночи было мало.

— Возьми мое одиночество! Возьми мою жизнь, мои силы! Буду Тебе служить. Верой и правдой! Я пишу, я чувствую слово... Бога Слова, так ведь? Я воспою Тебя. Я дорасту, доживу до этого! Сейчас, милая, я еще не могу. Сейчас... еще душа не готова! Сердце еще... слабое... Но придет ведь время! И окрепну... и я тоже... напишу... как они... кто Тебя пел... кто Тебя любил... там, далеко...

Века сгущались и клубились над моим затылком. Я спиной чувствовала сначала их холод, потом — их неутоленный жар.

Я шептала, бормотала еще долго.

Слова перестали выглядеть словами. Они стали дыханием, рыданием. Одним выдохом. Потом молчанием. Текли и пылали внутри.

Так я лежала на полу еще долго.

Пока не замерзла. Пока ноги, руки не застыли.

Из незаклеенной на зиму полосками бумаги балконной двери дуло.

Я задремала на полу.

Очнулась. Перебралась на диван. Укрылась одеялом. Корчилась. Стучала зубами. Сжимала руки в кулаки. Поверх одеяла лежала старая, может, еще тридцатых годов, шуба; из дырявой подкладки вылезали клочья ваты. Я накинула ее поверх одеяла — для тепла.

Под одеялом и шубенкой я согрелась и уже уснула по-настоящему.

А в шесть утра прозвенел будильник.

Вот мое утро, и вот редакция «Арт-панорамы».

Редакция — это мастерская художника Игоря Снегура на Старом Арбате. Этот журнал придумал он сам и издавал его сам, на деньги от продажи работ. У Игоря работы покупали в посольствах и за границей.

У него жена Таня — моложе его на сорок лет.

У него на столе ликеры, коньяки, блинчики с ветчиной, виноград: так отмечается начало рабочего дня.

Редакция — это Игорь, Танечка и я. И мы сначала едим и пьем, а потом готовим новый номер.

— Леночка, а что ты такая печальная? Не выспалась? И черные круги под глазами. Непорядок! Ночью надо спать, — Игорь подмигнул Танечке. — Или не надо! На выбор. Девочки, девочки! Не забудьте, сегодня выставка в Дворянском собрании! Вы идите, а я не пойду. У меня дела. Леночка, а ты после выставки куда? Ведь поздно закончится. Там фуршет! И вкусный, между прочим. У дворян всегда все вкусное. Может, к нам? А, я и забыл! Тебя везут к Наталье Баженовой в Дом художника, в Химки! Ну, валяй, валяй. У всех гениев — для журнала — стоящие материалы собери! Только не упейся там. Ой, что это я! Прости старого дурака. Я все думаю, что ты художник и мужик. На тебе конвертик! Зарплата сегодня! А ты и забыла!

Я взяла из рук Снегура конверт и чуть не заплакала от радости.

День как прошел, не помню.

Помню дымы Москвы, хрусткий снег, черный лед; бегаю, скольжу на льду, чуть не падаю.

Метро дышит тепло и вонюче.

На ветках нежный иней. Вокруг ног поземка.

Да, это февраль. Достать чернил и плакать. А может, смеяться во весь голос.

Сегодня после ярмарки в Столешниковом я попросила поработать вместо меня свою подругу Иру Колчину.

Белобрысая молчаливая Ира родом из Калуги кивнула покорно. Она ждала ребенка неизвестно от кого. Ждала и ждала. Срок маленький был, она еще могла держать в руках метлу и лопату.

А вечер? Вот он и вечер.

И как хорошо, что я предусмотрительно надела темно-вишневое бархатное платье! И туфельки в сумку засунула. Теперь буду при полном параде в этом Дворянском собрании.

Светская жизнь.

Лена, ты сегодня не дворничиха, а светская львица! Сплошные художники, сплошные картины. И на столах, наверное, яства и бокалы с шампанским...

Красота!

Я знаю, в Москве есть люди, которые тщательно и внимательно составляют расписание открытий, вечеров и презентаций, и ходят по ним, чтобы пообедать и поужинать. Потому что на иных торжествах подают не только вина и сладкое, но и горячее: мясо с грибами, бифштексы, куриные ляжки.

Вот он и дом.

Метель метет. Колонны сквозь снег перламутром светятся.

Дворяне, ваше Собрание! А я тут кто такая?

Однако войду, и по лестнице мраморной поднимусь. И сделаю вид, что я тут своя в доску.

Ого, народу!

За народом картин не видно.

Вот так картины! Как отец мой, художник, говаривал когда-то: без пол-литра не поймешь. А я уже — понимаю! И даже все рассказать про них могу, про картины. Про современное искусство. Тому, кто не понимает.

Люстры горят! Отяжелели от мощного света, вот-вот упадут! И — мне на голову. Живопись — над головами! Знаменами летит!

У нас знамя уже не красное. Уже другого цвета.

Залы, паркет, огни. Обнаженные шеи и плечи. Все как в прошлом. А может, это и есть прошлое?

Нет, лица-то настоящие. Среди красивых человечьих глаз и ярких улыбок нет-нет да и мелькнет свиная харя.

А что вы тут делаете, добрые люди?

Свиньи, псы, крокодилы. Они тут тоже есть. Ходят по залам, смотрят поверх очков. Очковые кобры ползут, утянутые в шелк.

Я знаю, здесь, на вернисажах, делаются дела: совершаются сделки, заключаются договоры.

Здесь русский дух, здесь Русью пахнет? Здесь деньгами пахнет, а не Русью. Деньгами и счетами.

Благородное лицо! Вот и ты, наконец... Ты проплыло мимо и улыбнулось мне. Именно мне! И я улыбаюсь в ответ.

Затылки, профили, изящество рук...

А вот руки совсем не изящные: короткопалые, хитрые, наглые. Зеркало души — не глаза, а руки. Глаза могут солгать. Руки — никогда.

Танечка Снегур машет мне нежной тонкой рукой через тучи лиц и голов.

— Леночка, я тут!

— Я тут, Танечка, тоже...

Показывает жестами: я похожу, поброжу. Я жестами в ответ: я тоже осмотрюсь!

И осматриваюсь. И вижу: прямо на меня из блеска шумящего зала плывет пышногрудый корабль, и он обтянут синим бархатом. Маргарита Федорова! Великая пианистка! Московская консерватория! Моя профессорша! Вот чудеса!

— Маргарита Алексеевна!

Машу руками. Протискиваюсь сквозь нарядную толпу.

Маргаритины брови ползут вверх. В мочке уха вспыхивает жемчужина. Верхняя губа с заметными усиками дрожит и вздергивается: так она улыбается.

— А! Елена! Ты тут какими судьбами?

— Да вот, да я... Я сейчас в редакции «Артпанорамы» работаю!

— Ясно. А музыку забросила?

Брови свела сурово, по-бетховенски.

— Нет, нет, нет! Ни в коем случае!

— Врешь ты все. Стишками, дура, занялась! Зачем тебе марать бумагу! Музыка — вот высшее из искусств!

Поднимает руки кверху. Она похожа на Иакова, борющегося с Богом на гравюре Гюстава Доре.

Мы обе садимся на кушетку в центре зала.

Маргарита в синем бархате, я в вишневом, цвета кагора.

Сидим. То говорим, то молчим: гул зала перекрывает наши голоса. На груди у Маргариты горит жемчужная слезка. Такие Рембрандт на груди Саскии писал. А брови у нее еще больше утолстились. Мощные, густые. Мужские. И кулак — маленький, женский, а сжимается слишком крепко, по-мужски.

Так она и играет — так и Бетховена, и Шопена, и Скрябина исполняет: то нежно, то мощно.

Сила и нежность. Воля и милость. Так она нас всегда учила.

Маргарита смотрит беспечно, лукаво:

— Тебе эта живопись нравится?

Презрительно кивает на картины.

— Нравится.

Я стараюсь быть честной.

— Ха! Ха! А вот мне — нет. Я люблю Тициана! Веласкеса! Рембрандта! А этих нет, увольте.

Так мы сидим и беседуем.

Мимо нас идут люди. На нас смотрят люди.

И я еще не знаю, кто на меня смотрит из-за плеч и голов, из-за холста, из-за угла.

Люстры пылают. Щеки пылают.

Художник-гном с ярко-рыжей бородой разносит на подносе бокалы с шампанским и тонкостенные, изящные стаканы с вином. На столах — еда. Снегур не соврал, вкусная. Я всегда стыжусь есть на фуршетах, хотя очень хочу. Хочу быть такой же раскованной и свободной, и грациозной, и чуть презрительной, и смеющейся, и летящей, как все они. И чтобы брильянты на шее сверкали...

Ты правда этого хочешь? Так сильно этого хочешь?

Нет. Я нисколько этого не хочу. Так, придуряюсь.

Маргарита растворяется, как жемчужина в бокале с вином.

Я еще иду, еще дышу толпой, ее духами, винным запахом ее губ.

Художники пьянеют, их гости тоже. А где же тут дворяне? А тут теперь уже все дворяне. Все благородно улыбаются, благородно подают друг другу руки, благородно хотят танцевать.

Поздний час на дворе.

А я сегодня в постылую Железку не еду, ура! Меня сегодня везут... везут...

Куда меня везут? Ах да, в Химки!

А где же тут Наталья Баженова? А вдруг тут нет ее?

Кидаюсь к рыжебородому. Он опрокидывает в мохнатую пасть бокал шампанского.

— Скажите, а вы Наталью Баженову не знаете?

— Наташку-то? — рыжий Пан отнимает бокал ото рта. Утирает ладонью усы. — А вон она, родимая! А рядом с ней — Танька Родина! Моя! Я скажу: не надо Раю, дайте Родину мою!

Наталья ниже меня ростом. Она хромает. Она в брюках. Ей кажется, брюки скрывают хромоту. У нее глаза плутовки, они похожи на темные, в разноцветных гало, глазки на крыльях махаона. У нее французистая челка и зубы как у зайца.

Я слышу, как горячо бьется ее сердце. А может, я просто вижу это под ее прозрачной кружевной кофточкой...

— Ага, вы — Елена Крюкова из «Арт-панорамы»! Снегура уважаю. Вы тут все ели и пили? Точно все? Если голодны — я вас дома накормлю! Мы для художников — три машины заказали!

Вниз по мраморной лестнице, вниз.

За мной катится перекати-поле, живой шар — рыжий, черный, седой, бородатый. Художники. Они все — моя родина и моя родня. Я выросла в мастерских, пила пинен, спала на подрамниках и укрывалась холстами.

Старая детская шутка. Я ее сама сочинила.

Сейчас.

А на улице метель! Забивает нос, рот. Щеки в ожогах снега. Мороз вызвездил волосы, ресницы. Я тру мраморный нос варежкой.

— В эту, в эту машину садитесь, да-да, в эту!

Я открываю дверь. В такси человек восемь. Кажется, они сидят друг на друге. И дико, во весь голос, хохочут.

Нет, мне не сюда!

Из машины вываливается пьяный художник.

— Нет-нет, вам именно сюда! А я пешком пойду! Обо мне не заботьтесь!

Он втискивает меня на сиденье и утрамбовывает ногой, как громоздкий багаж.

— Ой!

— В тесноте, да не в обиде! Ямщик, трогай!

Дверца хлопает. Я сижу, почти раздавленная.

Слева вот очень горячо.

Кошусь.

Человек. Мужчина. Художник. Бородатый. В мохнатой ушанке. В очках. Очки запотели. Он не может их снять и протереть. Тесно. Он улыбается и робко смотрит на меня сквозь слепые запотелые стекла.

Первой спрашиваю я:

— А вы художник?

— Ну.

— Вы тоже к Наташе Баженовой в Химки?

— Ну.

— В Дом художника?

— Ну.

«Ну» у него вместо «да».

— Вы из Сибири?

— Ну. Из Сибири. Из Красноярска.

— Я тоже жила в Сибири!

— Где?

— В Иркутске.

— Рядом. Счастливая. Байкал там.

— Да. Я ездила на Байкал каждый выходной.

Молчим. Пьяные художники галдят, поют и травят анекдоты. Такси катит по Москве, по ее шоссе и мостам. Летит над ее реками и каналами.

Над грохотом, ревом, снегом и тишиной...

У меня чувство, что мы с этим человеком муж и жена. И что мы уже лет двадцать, а может, пятьдесят прожили вместе. Мы старые супруги, и мы возвращаемся домой с гулянки. От друзей. От родных. К себе домой.

— А вас как зовут?

— Владимир. А вас?

— Елена.

— Очень приятно.

— Очень.

— Скоро приедем.

— Да, скоро. Уже «Речной вокзал» проехали.

Метель обкручивала нашу железную повозку.

...еще все книги напишутся потом. При тебе. Еще все стихи — потом. При тебе. Еще все ошибки, заблуждения, праздники и отчаяния — при тебе.

С тобой.

...еще все картины твои — при мне. Еще все пьянки твои и грандиозные выставки — при мне. Еще вся верность твоя, вся любовь твоя — при мне. Навсегда.

...еще все карнавалы наши, все бархатные береты и шляпы с перьями, все жемчуга и рубины, все танцы-обниманцы в старых захламленных мастерских, все велосипеды и грибы в лесах, все дома, что будем покупать и строить, все чужие реки под чужими ажурными мостами — Сена, Влтава, Эльба, Рона, Луара, Гудзон... все музеи мира и все его трущобы, все пустыни мира и все его пирамиды...

...еще наше венчание в старой деревенской церкви, и мое белое платье из марлевки, и полевые цветы у тебя в загорелых руках...

...еще дети наши...

...приехали!

— Художнички, кончай ночевать! Станция Березай, кому надо, вылезай!

— Володя, а что ты чувствовал, когда трясся рядом со мной в том битком набитом такси?

— Все чувствовал. Все, что надо.

— А ты меня первым увидел или я тебя первая?

— Я тебя. Ты и не глядела в мою сторону.

— А это где?

— А на пуфике этом в Дворянском собрании. Ты сидела рядом с такой представительной дамой в синем бархатном платье, с жемчугами в ушах. Вы беседовали. Я глядел жадно и печально. И думал: вот — дворянки! Недосягаемые. Никогда мне до них не досягнуть! Я, простой сибирский мужик, ужурский парень, граница Хакасии и Красноярского края, медленный таежный медведь, а тут дворянки! На пуфике! В жемчугах! Умереть не встать. Или только мечтать.

— И ты возмечтал?

— Я? Да. Я хотел всех растолкать и подойти к тебе.

— А что ж не растолкал?

— Постеснялся. А ты меня как узнала? Тогда, в машине, тоже сразу?

— Раньше.

— Как это раньше?

— Я тебя вымолила. У Богородицы.

— Как это вымолила?

— Так. Просто. Молилась, лежа на полу, всю ночь.

— А как ты молилась? Просила: Божья Матерь, дай мне, дай Володю?

— Не скажу.

— Но ведь и я о тебе молился.

— А как?

— А вот так. Поехал я на Столбы. Забрался на столб один, Дед его у нас зовут. И смотрю вниз, на тайгу. И думаю: сигану-ка я вниз, до того устал от одиночества. Хотя и жена была, и другие женщины были. Все было, а родной души не было. Подумал: сброшусь! — и напугался. Грех это, подумал.

Толком не знал, что такое грех. Чувствовал. Я тогда некрещеный был.

— Это я тебя потом окрестила.

— Да. Это ты. Все ты. Всегда — ты.

— И ты.

Одиночества нет.

Горя нет. Боли нет. Беды нет. Обмана нет. Притворства нет. Тьмы нет.

Есть только свет.

Только любовь.

Богородица, Ты сотворила мне все мгновенно. Я и ахнуть не успела. Я на всю жизнь запомню колонны Дворянского собрания, и белокосую метель, и визг машинных тормозов, и змеиную поземку, обвивающую мои ноги в стареньких сапогах. Я запомню то старое концертное бархатное платье, и насупленные брови Маргариты, и тусклый блеск жемчуга в ее мочке. Мы сидим на кушетке посреди шумного зала, и я еще одна. Я еще без тебя. Тебя еще нет. Ты невидим. Ты, моя судьба, еще смотришь на меня из-за толстого золоченого тяжелого багета, из-за холста, из-за угла. Из-за снегов и метелей. Из-за Енисея и Урала. Через все степи, ледяные реки и ледяные годы. И я тебя еще не вижу.

Я тебя слышу. Я тебя предчувствую. Я тебя чувствую. Я тебя знаю.

Я тебя люблю.

БОРИС
ШАПИРО-ТУЛИН

прозаик, драматург,
сценарист, телеведущий,
доктор экономических
наук, академик РАЕН

В своей долгой счастливой жизни
я перепробовал массу профессий
и благодарен каждой из них
за незаменимый опыт, но писательство
всегда было не просто профессией,
писательство — это состояние
души. А счастье, я не знаю точно,
что оно собой представляет, но на
всякий случай привожу формулу,
которую вывел один из персонажей
моих рассказов, убегавший от
преследователей. «Счастье, — подумал
он, — порой бывает и тогда, когда тебя
просто не могут догнать». Собственно,
а почему бы и нет?!

СОН В РУКУ

• • •

Сны заминированы пробужденьем.

В. Вишневский

Лет тридцать тому назад мне посчастливилось побывать в реликтовом сосновом лесу под Екатеринбургом. Места эти из-за близости к шурфам, где добывали когда-то уральские самоцветы, в память об авторе «Малахитовой шкатулки» назывались «Бажовскими». Считалось, и не без основания, что воздух здесь был наполнен особой целительной силой, а потому крупнейшие предприятия города возводили в этом лесу пансионаты и профилактории для своих сотрудников.

В один из таких пансионатов весной (была вторая половина апреля) мы с моим соавтором — два совсем еще молодых драматурга — приехали для работы над сценарием трехсерийного художественного фильма.

Фильм по заказу ЦТ готовился к столетнему юбилею Михаила Фрунзе и был посвящен одному из эпизодов его биографии, напоминавшем по своему накалу лихо закрученный боевик. В нем было все — и бегство из острога, и погоня, и ловкая игра нашего героя с жандармерией, чьи сотрудники, встречаясь с ним практически ежедневно, долго не могли распознать в блестящем молодом дворянине государственного преступника, охота за которым шла по всему краю.

Сроки, как всегда, поджимали, и, когда времени для работы уже практически не оставалась, мы поняли, что нам необходимо срочно вырваться из суетной Москвы и укрыться в каком-либо «медвежьем углу». При всем при том «медвежий угол» должен был обладать минимальным признаками комфорта (письменный стол, электричество, удобные постели), а также, что немаловажно, отсутствием какой-либо заботы о хлебе насущном.

Мой соавтор проявил недюжинные организаторские способности, и через два дня после принятого решения мы выгружали две пишущие машинки и множество папок с материалами к сценарию в одном из домиков, стоящих в упомянутом уже реликтовом лесу. Находилось наше жилище метрах в двадцати от главного корпуса пансионата, в котором была огромная и почти пустующая в эту пору столовая, закрытый на висячий замок кинозал и уютная бильярдная, чей интерьер мы перенесли потом почти без изменения в одну из сцен фильма.

Работали мы запоем по 14–16 часов в сутки.

Апрель выдался теплым. Иногда один из нас выносил свою пишущую машинку на столик, сколоченный под огромной сосной, и тогда стук клавиш переплетался с птичьими трелями, которые изо дня в день все больше и больше заполняли собой окрестное пространство. По вечерам, когда слегка подмораживало и верхушки деревьев упирались в яркие крупные звезды, мы, как правило, шли на берег реки и под ее неторопливый говор обсуждали очередные повороты сюжета.

Две первые серии были закончены довольно быстро, а вот с третьей вышла заминка. Мы никак не могли понять, каким образом жандармам удалось все же выйти на государственного преступника, объявленного в розыск, каким образом проникли они в тайну господина Василенко — под этим именем скрывался от преследования опасный беглец.

Готовясь к работе над сценарием, мы усердно искали материалы во всевозможных архивах, понимая (это требовало от нас и телевизионное начальство), что рассказ о реально существовавшем человеке мог опираться только на подлинные факты из его жизни. Но ни в одном из архивов нам не удалось найти упоминание о том, кто и как рассекретил нашего героя.

Пауза в работе зловеще затягивалась. Попытки придумать, как все это могло происходить на самом деле, казались нам неубедительными, легковесными и, в конечном счете, грешащими против истины.

Ситуация грозила стать тупиковой. Мы перестали спать по ночам. Голова разламывалась от множества вариантов, среди которых не было только одного — подлинного.

Однажды под утро, не помню уж на которые сутки, меня сморил странный сон.

Мне снилось, или, точнее, привиделось, что я оказался в том самом времени, которое мы описывали в нашем сценарии. Я словно бы со стороны наблюдал за всеми перипетиями побега. То, что я увидел, было поразительно. Оказывается, вместе с нашим героем в побег ушел еще один человек. Фамилия которого (я это вспомнил, проснувшись) была Кирилович. Оказавшись на воле, он нашел убежище у давних знакомых, а через какое-то время допустил роковую ошибку — написал письмо своей возлюбленной Юзефе, дочери польских ссыльных, которую он встретил на поселении. Чувства к этой женщине были так глубоки, что, пренебрегая всеми правилами конспирации, он умолял ее приехать к нему, оговорив заранее место их будущей встречи. Письмо по чистой случайности попало в руки мужа Юзефы, работавшего тюремным смотрителем. Обманутый супруг не стал выяснять отношения с неверной женой, а отправился с этим посланием в отделение местной охранки. Блюстители порядка, конечно же, сделали все, чтобы письмо попало вновь строго по назначению, и когда Юзефа через некоторое время собралась в поездку, направили следом за ней целый хвост филеров. Несчастных влюбленных взяли прямо во время свидания. На допросах Кирилович продержался недолго. Тайна дворянина Василенко, то бишь Михаила Фрунзе, была раскрыта.

Вся эта история, развернувшаяся в моем сновидении, оказалась настолько убедительной, что, едва я рассказал ее своему соавтору, мы тотчас же ввели в наш сценарий несколько дополнительных персонажей, тщательно прописали все сюжетные линии, связанные со злополучным письмом, и поставили точку ровно в тот день, который был последним в нашем графике.

Как ни странно, но эта история имела свое продолжение. Через несколько месяцев после того, как фильм был показан по центральному телевидению, мне позвонили из одного областного архива и пригласили посмотреть любопытные документы. То, что я увидел, повергло меня в шок. Передо мной лежал отчет охранного отделения по делу об интересовавшем нас побеге. В отчете фигурировали и Юзефа, и ее муж — тюремный смотритель, и человек, совершивший побег вместе с будущим полководцем. Вот только фамилия была у него другая — не Кирилович, а Кириловский.

И еще одно удивительное совпадение. Актриса, блестяще сыгравшая в нашем фильме Юзефу, была как две капли воды похожа на свою героиню, чья фотография находилась в этом же деле. Впрочем, именно такой я видел ее и в своем сновидении.

Я знаю, что, прочитав этот текст, большинство читателей воскликнет: «Этого не может быть!» И я соглашусь с ними. Конечно, не может быть... но ведь было.

МАРСИАНИН

• • •

А вот еще одна забавная история, которая начиналось как в старом добром анекдоте: «— Сестричка, а может, таблетку? — Не положено. — А может быть, тогда укол? — Не положено. — А что, если в реанимацию? — Больной, не занимайтесь самолечением. Врач сказал: в морг, значит в морг».

Нет, конечно, мой доктор столь категорически не изъяснялся, но дал понять: если максимум через месяц я не соглашусь на операцию, то жизнь моя будет балансировать на узком канате, с той лишь разницей, что внизу окажется не арена цирка с благодарными зрителями, а самая что ни есть бездонная пропасть. И еще намекнул, что краткий отрезок времени, когда я смогу продержаться на этом чертовом канате, он рассчитать не в силах, поскольку подобное известно одному только Господу Богу, а у того и без меня дел по горло, так что, перефразируя старый анекдот: на операцию — значит на операцию, и это, — сказал доктор, потупив глаза, — при всей неочевидности ее исхода.

Когда жизнь становится похожей на анекдот, тут уж не до смеха. У меня был месяц, и мне надо было понять, как им распорядиться. Я вспомнил, как поступают в таких случаях герои зарубежных фильмов — они составляют список неотложных дел и начинают методично следовать каждому его пункту. Я тоже составил список, но в отличие от киногероев первым пунктом поставил поездку в город моего детства, благословенный Бобруйск. Почему в отличие от них? Да просто потому, что ни в одном из голливудских фильмов я не видел, чтобы хоть кто-нибудь из персонажей, находясь у роковой черты, обозначил в своем списке пусть не первым номером, бог с ним, пусть последним или даже в совсем короткой приписке на обратной стороне непременное напоминание — посетить город Бобруйск. Нет, нет, поймите меня правильно — я не иронизирую. Не всем же, в конце концов, выпадает такое счастье — родиться в Бобруйске. Но и завидовать не надо. Это, знаете ли, судьба. Это она выбирает самых достойных из длинной очереди тех, кто желал бы огласить своим криком местный роддом, что находился на улице Советской в двадцати минутах от колхозного рынка, и то если все время бежать за переполненным автобусом.

В общем, в Бобруйск я приехал спустя тридцать лет и восемь месяцев после того, как оставил его, как мне тогда казалось, навсегда. Приехал и убедился — то, что прежде составляло круг моего общения, исчезло безвозвратно. После московской круговерти я чувствовал себя абсолютным чужаком среди неспешной жизни, которая таилась где-то в недоступных для меня недрах и выплескивалась публично лишь у двух кинотеатров, одного Дома культуры и, возможно, у небольшого ресторана на первом этаже обветшалой гостиницы, той самой гостиницы, куда за неимением родственников и адресов прежних знакомых с трудом, но все-таки удалось поселиться. Мне хотелось попасть в одну из прежних компаний моей юности, хотя было ясно, что ей неоткуда взяться жарким полуднем в понедельник да еще у приезжего, которого никто здесь не ждал. Всю бесполезность своей задумки я понял практически сразу, стоя перед зеркалом в своем номере и разглядывая новый с иголочки костюм, голубую рубашку и галстук в красную диагональную полоску.

От всей этой безнадежности я ощутил страстное желание промочить горло чем-нибудь достаточно крепким. Я спустился вниз, но ресторан, естественно, был закрыт. Со все возрастающим чувством раздражения я открыл массивную с облупившейся краской дверь, прошелся по улице и внезапно оказался прямо перед зданием, вывеска которого несла на себе странное, но емкое словосочетание «Пиво-автомат». К моему удивлению, пиво в этом заведении было. Я достал мелочь и постучал монеткой по стеклу кассы. Кассирша оторвалась от вязания, не глядя на меня, пересчитала деньги и выдала круглый металлический жетон.

Спустя минуту, опустив жетон в автомат и наполнив бокал струей холодного пенистого пива, я направился к единственному, очищенному от грязных кружек круглому столику, за которым, правда, стоял еще один посетитель. Некоторое время мы молча делали глоток за глотком, стараясь подольше растянуть удовольствие. Но, увы, идиллия закончилась довольно банально.

— Вы, наверное, приезжий? — спросил, оглядев меня с ног до головы, мой сосед по столику.

Я кивнул.

— Тогда я вам скажу, чтоб вы знали, что умирать лучше всего осенью.

От неожиданности я сделал чересчур большой глоток, отчего у меня перехватило дыхание и я несколько минут судорожно хватал ртом воздух.

— Лично я хотел бы умереть ранней осенью, — продолжал мой сосед. — Вы знаете эту пору, когда трава еще выглядит совсем зеленой, но по утрам на ней лежит уже первый иней. В каком костюме меня положат в гроб, я догадываюсь, но меня смущает галстук. Дело в том, что у меня их три.

Здесь последовала пауза, словно мой собеседник ждал, что я выскажу свою точку зрения по обсуждаемому предмету. Но я все еще пытался отдышаться после неудачного глотка, и мне было абсолютно все равно, какой из трех галстуков больше всего подходит для церемонии погребения.

— Человек, — сказал осуждающе мой визави, — должен быть готовым ко всему, даже к собственным похоронам, включая оркестр. Ведь мы же с вами не какие-нибудь шаромыжники, чтобы нас хоронили без музыки. Конечно, о самом составе оркестра говорить бессмысленно, потому что по большому счету покойнику это уже все равно. Но я хочу, чтобы на барабане играл Голубецкий-младший, и знаете почему?

Он посмотрел на меня и, удостоверившись, что я об этом не имею ни малейшего понятия, торжественно произнес:

— Потому что хоронить кого бы то ни было без Голубецкого-младшего считается в нашем городе дурной приметой. Но я вам скажу больше. Около входа в городскую баню появится мраморная доска с золотыми буквами. И знаете, что на ней будет написано?

Естественно, что я ничего не знал и про это.

— На ней будет написано: «Здесь работал выдающийся мыслитель, открывший теорию происхождения Земли и человечества». А поскольку вы приезжий, то придется вам объяснить, что написано это будет про меня. И уж будьте уверены, если вам когда-нибудь удастся попасть в городскую баню, вы сразу увидите мою фотографию на доске передовиков банно-прачечного производства. Конечно, вы не знаете нашу мадам директор, и, как говорится, дай вам бог. Но когда я собрался идти на пенсию, она пригласила меня в кабинет и лично уговаривала не оставлять моей нужной для коллектива работы. И вы знаете, что я ей на это ответил? Мадам директор, — сказал я, — когда человек сделал открытие теории о происхождении Земли, этот человек имеет право на заслуженном отдыхе поразмышлять над некоторыми деталями. И тогда директор перестала меня уговаривать, потому что поняла — я прав.

Мой собеседник залпом осушил бокал, и я уже понадеялся, что на этом наша странная беседа завершится. Но он положил на стол большие красные ладони с въевшимися мыльными бороздками и внимательно посмотрел мне в глаза.

— Коротко я вам, конечно, могу рассказать о сути моего открытия, потому что вижу — вы начали уже торопиться, — сказал он, понизив голос. — Так вот, для того, чтобы понять, откуда наша Земля и как все мы оказались на ней, надо вначале ответить на вопрос — а что такое Марс. И тогда я вам скажу, чтоб вы знали, что Марс давно уже умер. Это мертвая планета, а мы все марсиане. Да, да — вы, я, кассирша, которая никак не довяжет свою кофту, и даже Голубецкий-младший, даже он марсианин, хотя его губит необузданная страсть к женщинам. Скажу вам больше. Когда-то все наши материки — и Европа с Азией, и Америка, и Африка, и малютка Австралия — находились на Марсе. А потом Марс начал стареть, ну, как, например, стареет человек, особенно когда он мужчина. А что в этом случае делают женщины? Они поворачиваются к нему спиной и ищут кого-нибудь другого, на кого можно было бы спокойно опереться. И вот, когда Марс начал терять свое притяжение, его симпатичные материки стали искать способ, как бы с большей выгодой от него отвязаться. Но наш космос, чтоб вы знали, построен очень разумно. Никто не может просто так потеряться в пространстве. И вскоре к Марсу подкатил молодой и полный энергии сгусток. Его поверхность была совсем чистой, и он сгорал от нетерпения поскорее к себе кого-нибудь притянуть. И что вы думаете? Европа с Азией, Америка, Африка и малютка Австралия, конечно же, сразу отметили, что он совсем еще юн и весьма хорош собой. И между ними постепенно установилась связь, ну, такая, например, когда одного человека, особенно женщину, тянет к другому. В одну прекрасную ночь материки решили оставить своего старика, и молодой нахал забрал их к себе всех сразу.

Банно-прачечный передовик наконец умолк и вытер платком капли пота на совершено лысом черепе.

— А Марс? — спросил я, не удержавшись.

Но в этот момент кассирша ожесточено пригрозила ему пальцем из стеклянной будки. Мой собеседник виновато улыбнулся, втянул голову в плечи и медленно направился к выходу.

— А Марс? — крикнул я ему вслед.

— А Марс, — ответил он от самых дверей, — высох, как все мы высыхаем без женского внимания. Он покрылся глубокими морщинами и по ночам стал весь красный от бессонницы. Но я вам скажу больше, если в этой жизни вам когда-нибудь станет не по себе — просто вспомните, что вы — марсианин. Просто вспомните. Уверяю вас — это совсем не трудно.

Я направился было за ним, но кассирша постучала по стеклу монеткой, делая мне какие-то знаки. Когда я подошел, она указала глазами на дверь и покрутила пальцем у виска.

— Жаль, — помню, произнес я.

— Чего жаль? — не поняла кассирша.

— Жаль, что вы не марсианка.

За время, что мы потягивали прохладное пиво, прошумел короткий летний ливень. Жара еще не успела высушить лужи, и над ними клубились легкие облака испарений. В этом колеблющемся воздухе медленно удалялся мой недавний собеседник, и уши его, оттопырившись по сторонам лысого черепа, просвечивали на солнце неестественно красным цветом.

«Настоящие марсианские уши», — подумал я.

В тот день я еще долго бродил по городу, узнавая и не узнавая его. Дом, в котором я родился, снесли, улицу переименовали, а на месте нашего двора с волейбольной площадкой и длиной цепью деревянных сараев был теперь пустырь, с огромным котлованом и несколькими извилистыми траншеями. Если сощурить глаза и при этом отвлечься от шумов вокруг, то могло показаться, что передо мной открывался небольшой фрагмент самого что ни на есть марсианского пейзажа.

Вернувшись в гостиницу, я первым делом решил посмотреть как выглядят мои собственные уши. Шкаф, со встроенным в него зеркалом стоял напротив окна, шторы были раздвинуты, и заходящее солнце, проникая своими лучами сквозь мои уши, делало их точно такими же красными, как у моего недавнего собеседника. Я стоял, смотрел на свое отражение и чувствовал, что солнце, постепенно перемещаясь сверху вниз, совершало внутри моего организма какую-то странную работу. Мне начинало казаться, что это не оно опускается за крышу соседнего дома, а, наоборот, я становлюсь таким легким, словно теряю притяжение и медленно, но верно поднимаюсь к каким-то иным высотам.

Назавтра я уехал в Москву. А через неделю доктор, глядя на только что сделанные снимки моих внутренностей, виновато кашлял в кулак и говорил что-то о врачебных ошибках, которые, черт бы их побрал, ломают доверие к современной медицине. Я не стал рассказывать ему о своей поездке в Бобруйск. Вряд ли он вообще знал, где находится этот странный город.

А теперь записывайте рецепт. Если с вами, не дай Господь, приключится какая-либо беда, не отчаивайтесь. Купите билет, поезжайте в Бобруйск, найдите заведение под вывеской «Пиво-автомат», встаньте у третьего столика слева от входа и ждите, когда напротив вас окажется человек с наголо обритой головой и ушами неестественно красного цвета. А далее — по тексту. Убедился на себе — поможет.

И еще одно маленькое дополнение. Подозреваю, что на месте Бобруйска может быть какой-нибудь другой, но, главное, единственный и неповторимый город вашего детства. И «в минуту жизни трудную» очередной «инопланетянин» уже ждет вас там, потому что чудеса, в которые вы когда-то верили, никуда не исчезли. Никуда. Не исчезли. Даю вам честное марсианское.

ИРИНА МУРАВЬЕВА

прозаик, литературовед, переводчик

«На свете счастья нет, но есть покой и воля», — сказал Пушкин, но с годами я чувствую, что нет ни покоя, ни воли, а есть, вернее сказать, бывает именно счастье, то есть острое до боли ощущение не передаваемого словами блаженства жизни. Оно наступает по разным поводам: иногда самым крупным, событийным, иногда мелким, как крупицы песка. Вчера я проснулась от яркого и ненасытного пения птиц на заре. И почувствовала счастье. Если мне удается писать прозу, которая передает это состояние или хотя бы соприкасается с ним, — я счастливейший человек!

ПОКЛОН ТЕБЕ, ШУРА

• • •

Она на нас сыпалась, сыпалась, сыпалась: ледяная, обжигающая лица крупа. И вместе с порывистым ветром грозила нам гибелью. Вот так вчетвером и погибнем на этой холодной Канавке, а может быть, Мойке: засыпет, и все. Нет, я не шучу. Какие тут шутки, когда мы приехали увидеть дворцы, Летний сад, Эрмитаж, а нас и не встретили? Странно. А впрочем, наш друг, общий друг, ведь покинул Москву навсегда, его взял Товстоногов, теперь у юнца в голове одни тайны большого искусства, ему не до нас. А звал-то зачем? Просто сердце хорошее. Позвал и забыл. И такое бывает.

— Да вы приезжайте, девчонки! Да запросто! Да тут этих комнат свободных! Вы че? Увидите Питер! Сам все покажу!

И вот мы приехали. Он нас не встретил. И комнат свободных в его общежитии — увы! — ни одной. Угрюмая ведьма вязала носок.

— Мало что обещал! Какой обещатель нашелся, скажите! Ну, вот и ищите кто вам обещал!

И мы, пристыженные, вышли на улицу. Парадные флаги краснели, как сгустки еще не утратившей яркости крови. Порывами ветра их то раздувало, то снова свивало в жгуты. Ах вы, флаги! Куда нам деваться? Ведь мы здесь погибнем.

— Я думаю: надо идти на вокзал, — сказала одна из нас, рыжая Юленька.

— Билетов-то нет. Что нам этот вокзал? — сказала другая: полковничья дочка. Отец, добродушный, с большим красным лбом, недавно давил сапогами восстание, которое вражеская оппозиция устроила в Праге. И все подавил. Вернулся к семье и гостинцев навез.

— А может быть, на самолете? — Я всхлипнула.

Все трое махнули рукой. Абрашидова, подруга моя, у которой квартира была в самом центре Арбата, схватилась рукой за живот:

— Умираю!

Кишки ее — толстые, тонкие, средние — всегда были невыносимо чувствительны. Щенячьим урчанием предупреждали, что боль подступает и мы под угрозой. Не только одна Абрашидова, все мы. Поскольку куда нам деваться с умершей? С живой-то никто никуда не берет.

А как хорошо было в поезде ночью! Как мягко стучали по рельсам колеса, как густо настоянный чай отражался в вагонном стекле, как дрожал в нем лимон, и сколько зовущего было в деревьях, которые — в первом печальном снегу — белели во тьме этой ночи! Ах, боже мой! Как быстро все кончилось. Мы здесь погибнем.

— Мне плохо! — сказала, держась за живот, подруга моя Абрашидова. — Ужас.

Глаза ее были черны и безумны. Кишки зарычали, как целая псарня.

— Ты можешь еще потерпеть или нет?

— Мне больно. Я просто теряю сознание.

— Что делать? — спросила полковничья дочь. — Ведь я говорила, что ехать не нужно! Какой он предатель! Он просто нас предал!

Она опустила ресницы и стала похожа лицом на отца, крутолобого, который шутить не любил и предателей выдергивал с корнем, как с грядки сорняк. И тут мы услышали голос. Грудной, слегка хрипловатый и женственный голос:

— И что мы стоим тут? Кого мы тут ждем?

Она была, кажется, в ватнике, черном, бесформенном ватнике. На голове пушистый платок. И глаза — сине-серые.

— Кого мы тут ждем? — она улыбнулась слегка, ненавязчиво.

И мы рассказали. Моя Абрашидова негромко рыдала во время рассказа.

— Ну ладно, пойдемте, — сказала она. — Чего здесь стоять? Вон ветрила какой!

— Пойдемте: куда? — И мы все так и замерли.

— Ко мне. У меня поживете. Я Шура. А вас как зовут?

Мы ответили как.

— Вот и хорошо. Что там жить-то? Три ночи. Мы с мужем и с детками в маленькой комнате, а вы вчетвером все в большой. Места хватит. Одна на диване, — нет, две на диване, — а две на полу. Голодными вас не оставлю, не бойтесь. Икры черной нету, но супа всем хватит.

Тут ветер подул так, что мы задохнулись.

— Ну, быстренько, девочки!

И мы побежали за ней прямо в арку. Двор был гулко-страшен, в нем пахло водою. В парадном дрожала унылая лампочка.

— Нам с вами в подвал. — И она усмехнулась. — В подвале живем, ждем квартиру. Сказали: дадут через год. Мы уж им и не верим.

Квартира в подвале была темновата, хотя горел свет в коридоре и в кухне. Везде была копоть, какие-то трубы, сушилось белье на веревке, ребенок катался вовсю на своем самокате и чуть нас не сбил.

— Ну, нашел где кататься! Дождешься весны, вот тогда и катайся! — сказала она и сняла свой платок. — Пойдемте, девчонки. Муж пьян, но он тихий. А дети хорошие, добрые. В маму. — Опять усмехнулась, блеснула глазами. — Вот эта дверь — к нам. Проходите, девчонки.

Какой-то мужчина, босой, в мятой майке, сидел за столом над початой бутылкой. На блюдце лежал кусок черного хлеба и вялый огрызок моченого яблока.

— А-а, что ж ты так скоро? А я и не ждал. Обедать вот начал. — Он громко икнул. — А ты и гостей привела? Ну, и ладно. Садитесь, подружки. — Он встал, пошатнувшись. — Обедать хотите? У нас все готово. Ты, Саша, давай, собирай тут на стол...

Она глубоко и спокойно вздохнула.

— Не хватит с утра-то? — спросила она. — Опять надерешься, как на дне рожденья, опять неотложку тебе вызывать. Детей пожалей. Вот помрешь, а им, бедным, и вспомнить-то нечего будет. Не стыдно?

— Нет, будет! — Он весь покраснел. — Как так: нечего? Родного отца и чтоб нечего вспомнить? Ты — мать, а такую... тут порешь!

— Ругаться не смей! — Она стиснула руки. — Без ругани, понял! Иди лучше в спальню! Соседи еще даже и не проснулись, а он уж надрался ни свет ни заря!

И муж вдруг послушался. Жестикулируя, обдав нас тугим, плотным запахом пота, он скрылся за дверью.

— Ну, вот. Спать пошел. — И она усмехнулась. — Сейчас напою вас чайком и пойду, двор надо убрать. Я ведь дворник тут, в доме. Мету за квартиру. А вы раздевайтесь!

Шел жесткий ноябрь: были праздники, пьянки, на улице сыпало льдистой крупой. Никто нас не ждал в этом мертвенно-бледном, слегка позолоченном городе. И вдруг мы попали в подвал. К чужой женщине. К ее босоногому пьяному мужу. Слегка пахло йодом, капустой и тем, что жарили к завтраку люди на кухне. Наверное, рыбой, наловленной в узких, затянутых слизистой тьмою каналах.

Она постелила: двоим на диване, двоим на полу.

— Всю ночь тряслись в поезде. Вот и ложитесь. Куда вам идти спозаранку? Успеете! Сегодня, к тому же, музеи закрыты. А вы ведь в музеи, наверное, приехали?

Мы выпили чаю, разулись, легли. Она погасила нам свет и ушла.

Когда я проснулась, они еще спали. Полковничья дочка и рыжая Юленька — на старом диване, чьи толстые ножки давно облупились и были похожи на лапы облезлой собаки, а мы с подругой моей Абрашидовой возле с бормучущей что-то свое батареей — на тощем матраце и двух одеялах. Проснувшись, я вспомнила, где я, и сразу в мой мозг, разомлевший от долгого сна, нахлынула ночь с отраженным в стекле размякшим лимоном и утро, когда мы стояли, продрогшие, не понимая, куда нам идти, что нам делать теперь, и тут ощущение полного счастья вдруг так обдало меня жаром, что я, локтем придавив сине-черные кудри подруги моей Абрашидовой, стала негромко смеяться.

Чему я смеялась? Да так. Всему сразу. Тому, что тепло, и тому, что уютно, что мы — словно на корабле, уносимом во тьму беззащитной, неведомой жизни, увидели берег, наполненный солнцем.

ЮРИЙ БУЙДА | писатель

Я учился в университете, потом
в Высшей партийной школе
и киноинституте, работал
ферезеровщиком на вагонзаводе,
слесарем на бумажной фабрике,
был дворником, кочегаром, санитаром
в психбольнице, наконец стал
журналистом, но никогда не оставлял
попыток рассказать о тех, кто сажает
картошку и растит детей, то есть
держит мир на своих плечах. Иногда
мне это удается, и тогда я говорю:
«Что ж, теперь можно идти дальше».
Наверное, это и есть счастье.

ЦЕЛУЮ ТВОИ
НОЖКИ БЕЛЫЕ

Дорога в школу пролегала или через кладбище, или мимо кладбища — другого пути не было. Кладбище было обнесено стеной, сложенной из сизых моренных валунов и красного кирпича, и в плане составляло как бы одно целое со школой. В кладбищенской церкви находились мастерские, где нас учили владеть рубанком и напильником, в заброшенных склепах хранились мешки с мелом, ведра, лопаты и грабли, а чуть в стороне был школьный стадион — беговые дорожки, волейбольная площадка и стрелковый тир. На переменах мы играли в прятки между могилами.

Кладбищу этому было лет триста, а может, и больше.

Высокие старые деревья, заросли туи, кованые ограды, замшелые склепы, массивные кресты из черного и белого мрамора, увитые девичьим виноградом, ангелы и скорбящие девы со склоненными головами, высеченные из гранита...

Это было немецкое кладбище, но после 1945 года, когда часть Восточной Пруссии стала Калининградской областью, а городок Велау — Знаменском, все это стало нашим. Все эти кресты и ангелы, все эти островерхие черепичные крыши и булыжные мостовые, все эти шлюзы, каналы, дома и польдеры, все эти леса, посаженные по линейке...

Лет двадцать, до середины шестидесятых, на этом кладбище хоронили новых хозяев — переселенцев из России, Белоруссии, Украины. Старые могилы не трогали — находили свободное местечко, копали яму, ставили фанерную пирамидку со звездой, редко — с крестом, обносили оградой, сваренной из железных прутьев и уголка. Весной приходили сюда, чтобы прибраться, покрасить ограду, посадить цветы, помянуть...

Однажды летом, когда мои дружки поразъехались по пионерлагерям и бабушкам, я бесцельно бродил по городку и оказался на старом кладбище. Здесь было безлюдно и тихо. По едва заметной тропинке я двинулся в глубь зарослей бузины и бересклета и остановился перед холмиком, обнесенным низким штакетником и затерявшимся среди черных обелисков и позеленевших от времени крестов.

Могила была недавней – от ограды пахло масляной краской. На пирамидке с крестом было написано: «Изотова Алина. *Ich küße deine weiße Beine*».

Обычная могила, обычная ограда, обычный памятник, сколоченный в мастерской бумажной фабрики. Но вот надпись — странная: почему по-немецки?

Я учился в английском классе, по-немецки знал лишь несколько слов и выражений, которых было достаточно для игры в войнушку, если выпадало несчастье играть за немцев: «Хенде хох», «Ахтунг» да «Хайль Гитлер», и надпись на памятнике мог разве что запомнить, благо зрительная память у меня была неплохая.

Глухонемая Алина Изотова работала уборщицей на почте. Она была женой электрика с бумажной фабрики, высокого жилистого мужика, который славился огромной физической силой. Рассказывали, что однажды Дмитрий Изотов остановил взбесившегося соседского быка, схватив его за рога и повалив наземь. Он был молчуном и нелюдимом.

Их дочь, моя ровесница, сидела в классе за моей спиной, была серенькой, неприметной троечницей с тихим голосом. Но если от других девочек к концу дня пахло потом и жареными пирожками с рыбой, то Ирочка Изотова всегда благоухала цветочным мылом.

Изотовы жили в конце нашей улицы и были известны своей нелюдимостью. Когда стало известно о полете Гагарина, весь городок словно сошел с ума от радости. Гудели трубы бумажной фабрики и маргаринового завода, гудели паровозы на железнодорожной станции, на улицах обнимались незнакомые люди, милиционеры стреляли в воздух, а наш сосед Николай Петрович, лишившийся ноги под Будапештом, сказал: «Ну вот и закончилась война» и заплакал. Это был праздник не по указке сверху — городское начальство и само не знало, что делать, потому что полет в космос стал неожиданностью для всех. Люди вытаскивали во дворы столы и скамейки, выпивали, пели «Катюшу», танцевали и целовались. И только в доме Изотовых было тихо, хотя в окнах горел свет.

Вечером я выписал немецкую фразу с памятника на бумажке и показал учительнице немецкого Элле Асмановой, которая с мужем пришла к моей матери — она была юристом — по каким-то своим делам.

— Я целую твои белые ноги, — перевела Асманова.

— Целую твои ножки белые, — поправил ее муж. — Так лучше.

— Поэт, — насмешливо сказала Элла.

— Но так ведь действительно лучше, — сказал Маис. — Целую твои ножки белые — это и есть любовь...

Они переглянулись, Элла густо покраснела, а ее муж виновато опустил голову, и я вдруг увидел их такими, какими не видел никогда. Раньше они были для меня соседями, учителями, а теперь... Почему Элла покраснела? Почему смутился Маис? И при чем тут любовь, черт возьми?

Элла Асманова была пышной рослой красавицей, которая всегда держалась прямо, ступала легко и смотрела на мужчин чуть снисходительно и насмешливо.

А муж ее был низеньким, тихим и горбатым. Он преподавал математику, был завсегдатаем городской библиотеки и выращивал в своем садике такие георгины, что посмотреть на них приезжали даже из Риги и Вильнюса.

Я перевел взгляд с раскрасневшейся Эллы на понурившегося Маиса, пытаясь понять, что произошло, — а ведь что-то произошло, — но мне это оказалось не по силам. Я чувствовал лишь, что дело не в словах, не в репликах, которыми они только что обменялись, чувствовал, что за этими словами таится какой-то другой смысл, отсвет той жизни, которая была мне недоступна...

— А правда, что она немка? — спросила вдруг Элла у моей матери. — Говорят, он украл ее у родителей, которых выслали в Германию в сорок восьмом, и отрезал ей язык, чтобы никто не догадался, что она немка...

Маис вздохнул и укоризненно посмотрел на жену.

— Не знаю, — сказала мать. — Но по-моему, это байка... глупая и жестокая байка...

Вскоре Асмановы ушли.

В окно я видел, как на улице Элла огляделась и, убедившись, что вокруг никого нет, наклонилась к мужу, и он поцеловал ее, и она взяла его под руку.

— Беда в том, — сказала мать со вздохом, — что у них нет детей.

— А кто из них правильно перевел с немецкого? — спросил я.

— Оба, — сказала мать. — В том-то и беда, что оба...

Через несколько дней к нам заглянула на чай подруга матери — Вероника Андреевна Жилинская, главный врач городской больницы. Речь зашла о немецкой надписи на надгробии, и Вероника Андреевна рассказала историю Дмитрия и Алины Изотовых.

Дмитрий Изотов нашел Алину в полуразрушенном домике, стоявшем в лесу неподалеку от городка.

Избитая до крови, она была в бессознательном состоянии и только что-то бормотала по-немецки. Была поздняя осень 1948 года, когда на запад уходили последние эшелоны с депортированными жителями Восточной Пруссии. Похоже, Алина отбилась от своих и попала в беду. Изотов выходил девушку, но так и не узнал, что же случилось в лесу: Алина — такое имя он ей дал — утратила дар речи. Дмитрию удалось выправить для нее новые документы, а когда Алина забеременела, они поженились. Изотовы жили на отшибе, и если выбирались по выходным погулять, то не в город, а на реку, подальше от чужих глаз. Дмитрий учил немецкий язык и пытался разговаривать с Алиной, надеясь, что к ней вернется дар речи, но этого так и не произошло. Полтора года назад Алине стало плохо, и в больнице установили, что у нее рак в терминальной стадии. Народу на ее похоронах было мало — муж, дочь, парочка неразлучных старушек, не снимавших траура уже лет десять, да землекопы. Поминок не было. Дмитрий на кладбище был, как всегда, суровым, невозмутимым, неприступным. О его истинных чувствах так никто и не узнал бы, не появись на надгробии эта надпись — *Ich küße deine weiße Beine.*

— Так как же правильно ее перевести? — спросил я. — «Я целую твои белые ноги» или «целую твои ножки белые»?

— А какие тут могут быть правила? — сказала Вероника Андреевна. — В любви правил не бывает.

— Но ножки у нее были действительно красивые, — подал голос отец.

Мать и докторша переглянулись и грустно улыбнулись.

Двенадцатилетнему подростку хотелось ясности, завершенности, недвусмысленных «да» или «нет», но было понятно, что от взрослых этого было не дождаться. Лежа в постели, я пытался вспомнить, какие были ноги у Алины Изотовой, но память отказывала, потому что на ее ноги я никогда не обращал внимания. Вспоминалось только лицо — милое, простецкое, курносое и губастое, с виноватой улыбкой.

Она всегда держалась в тени, словно хотела остаться незаметной, неузнанной. Мысли мои вернулись к ногам. Белые ноги были у всех, кроме Ольги Садрисламовой, отец которой был узбеком. А красивые — об этом я еще не задумывался. Белые, красивые... Вспомнилось, как вспыхнула Элла Асманова, когда ее горбатый муж вдруг заговорил о любви... и как она склонилась к нему, чтобы он ее поцеловал... взгляд, которым обменялись мать и Вероника Андреевна, их грустная улыбка...

Ясный мир ребенка, в котором собаки, люди, мечты и облака были равнозначны, вдруг рухнул, в него ворвались чужие судьбы — раньше мне до них и дела не было, и весь этот мир превратился в фотобумагу, на которой под воздействием проявителя медленно проступают смутные очертания новой жизни...

— Их кюссе дайне вайссе байне, — прошептал я, глядя в потолок, по которому плыли пятна света от проходившей мимо дома машины. — Байне, черт бы их взял...

Спустя несколько дней я столкнулся с Изотовым у реки. Он сидел на берегу — босой, в расстегнутой на груди рубашке — и бросал камешки в воду. Огромный, мощный, с татуировкой в виде якоря на предплечье, с рубленым лицом, Дмитрий Изотов не был похож на человека, который называет женские ноги ножками да еще пишет это на памятнике, пусть и по-немецки.

Я сидел за кустом на корточках, не сводя взгляда с Изотова.

Высоко в небе кружил аист, было жарко, пахло речным илом и скошенной травой.

В одной из толстых книг, которые стояли у нас в гостиной на этажерке, я прочел, что скошенная трава пахнет спиртами, эфирами и альдегидами, а сильнее всего — загадочным альдегидом цис-три-гексеналем, который образуется в результате разрушения жиров и фосфолипидов, содержащихся в растениях. Осенью нам предстояло приступить к изучению неорганической химии, и мне хотелось на первом же уроке поразить учительницу — красавицу Лию Николаевну, у которой недавно утонул четырехлетний сын. Хотя, подумал я, вряд ли ее утешат мои познания. Я вспомнил, как она плакала на кладбище, и мне вдруг стало стыдно, хотя я и не мог понять, откуда вдруг взялось это чувство, никак не связанное ни с альдегидами, ни с маленьким мальчиком, ни с его матерью, которая после похорон вдруг стала топтать траву у кладбищенских ворот, крича: «Почему зеленая? Почему? Почему?» Помню, мне тогда стало страшно...

От этих мыслей меня отвлек какой-то странный звук.

Я приподнялся, раздвинул ветки и увидел Изотова — он лежал ничком на земле, вжавшись лицом в траву, и стонал. Это зрелище явно не предназначалось посторонним, и при мысли о том, что Изотов сейчас поднимется и обнаружит, что кто-то за ним подглядывает, мне стало не по себе. Это был не страх — это был стыд, такой же непонятный, как и тот, что захлестнул меня, когда я вспомнил учительницу, топтавшую траву.

Выбравшись на цыпочках из кустов, я бросился бежать.

Через час я был на старом кладбище, у могилы, скрытой в зарослях бузины и бересклета. При моем появлении с ограды вспорхнули желтые и белые бабочки.

Здесь ничего не изменилось, разве что трава на могильном холмике стала гуще, зеленее после недавних дождей.

Я перечитывал надпись на надгробии — *Ich küße deine weiße Beine*, думая о чужой, совершенно чужой жизни, о несчастной Алине, лишившейся речи, и суровом Дмитрии Изотове, об Элле Асмановой и ее горбатом муже, об их стыдливом поцелуе, о моей матери и ее подруге Веронике Андреевне Жилинской, которая после войны работала медсестрой в госпитале для безнадежных инвалидов и, когда в Москве было принято решение об отправке этих калек на Валаам, на верную гибель, ночью вынесла в мешке за спиной безногого Илью, ставшего ее мужем и отцом ее дочерей, думал о смерти и бессмертии, о безжалостном времени, которому человек всегда бросает вызов и всегда проигрывает, оставляя после себя разве что слова на надгробии — *Ich küße deine weiße Beine*, думал о ногах и ножках, белых и красивых, и вдруг поднял голову, и в этот миг разошлись облака, и солнце ослепило меня, а когда облака вновь сомкнулись и я открыл глаза, между мною и деревьями, между мною и могилами, между мною и этим миром все еще дрожала прозрачная золотая завеса, преображавшая и деревья, и могилы, и мир, и я вдруг понял, что этот трепещущий свет навсегда останется в моей памяти, а может быть, превзойдет меня, спасая от забвения эти краски, звуки и запахи, этих людей и эти ножки белые...

ЕКАТЕРИНА НЕВОЛИНА

прозаик, сценарист, редактор

Я всегда верила, что мир больше,
чем то, что видно глазами. Истории,
которые рождаются в твоей голове,
способны расширить его границы,
жить с ними гораздо интереснее.
Итак, сначала были истории,
а уж потом — два гуманитарных
института и прочие скучные вещи,
впрочем, тоже не случайные
и приведшие меня туда, где я есть.
Быть собой и видеть чуть больше —
в этом наверняка и таится счастье.

ПРИЧУДЛИВО ТАСУЕТСЯ КОЛОДА...

• • •

Сначала я хотела быть рыбой.

— Кем ты хочешь стать, когда вырастешь, деточка? — спрашивали взрослые, нависая надо мной огромными, уходящими в небо глыбами.

И я смело, не задумываясь, рапортовала:

— Рыбой.

А что, очень мудрое желание. Вода бережно держит тебя в широких ласковых ладонях, и ты, лениво повиливая хвостом, скользишь в свое удовольствие среди прозрачных струй, не ведая ни заботы, ни труда... И тело у тебя совершенное, округлое, гладкое, и потолстеть ты, конечно, не боишься, потому что толстая рыба — это же красиво и очень умильно! В общем, идеал практичности и эстетики.

Потом я хотела стать отважным путешественником. Мы тогда как раз жили на Чукотке, где служил мой папа, военный летчик. Очень оживленное место: военный городок домов, наверное, аж на семь, плюс бараки и, что самое главное, прекрасная тундра с морошкой. Сопки, болота, лиман... красота непередаваемая! На самом деле красота. Особенно ранней осенью, когда однообразная зимой и летом тундра вдруг вспыхивает тысячью оттенков — желтый, красный, оранжевый бурый... Словно перед тобой цветной ковер, вытканный самым искусным мастером.

...Было мне тогда лет пять с половиной. Дело происходило, кажется, как раз летом перед школой. Так вот, моя трепетная душа стремилась к подвигам и освоению новых земель, но уже тогда я не была эгоисткой, а старалась поделиться радостью с окружающими. Вот собрала я каких-то детей и повела их в земли неизведанные. Правда, далеко мы не ушли, а новую землю я освоила ближе, чем хотелось бы, свалившись в болото. В общем, возвращаемся мы с позором обратно. Я вся грязная, мокрая, а у выхода с мостков уже мама поджидает, причем с таким ласковым видом, что сразу понятно: капец. Нашлись в отряде предатели, успевшие донести ей об отважной вылазке. Так и не стала я первопроходцем...

Потом, уже классу к третьему, прочитав чудесную книгу Вячеслава Пальмана «Кратер Эршота» про приключения геологов, попавших в кратер старого вулкана и нашедших там нетронутый уголок доисторического мира, я не сомневалась, что мое предназначение в этой жизни — геология. О романтика странствий, когда неизведанные земли сами ложатся тебе под ноги, а впереди ждут головокружительные, временами опасные приключения, но непременно со счастливым исходом!..

Чуть позже я, правда, прочитала «Гиперболоид инженера Гарина» Алексея Толстого и передумала быть геологом, решив, что изобретатель — вот истинная стезя для ума пытливого и талантливого. Набрав цветной проволоки, я попыталась сплести из нее вечный двигатель. Двигался он, правда, только в том случае, если двигать его собственноручно, но ведь, как говорится, у всех свои недостатки.

Лет в двенадцать я едва не нашла свое призвание в журналистике. Мои дедушка с бабушкой жили тогда в Эстонии, и вот там в одно лето, которое я традиционно проводила у них, шли соревнования по езде на картах. Зрелище захватило меня, взволновав кровь азартом, и я решила, что обязательно должна взять интервью у участников гонки. Была рядом с трассой стоянка для ремонта картов, вышедших из строя во время заезда. Из строя они выходили почему-то регулярно. В общем, самое подходящее место для ловли жертв для молодого и амбициозного журналиста. К чему я, ни секунды не сомневаясь, и приступила.

Однако, увы и ах, ни магическое слово «интервью», ни даже школьная тетрадка в руке не впечатлили двух первых респондентов, которые буркали что-то в ответ и снова ныряли под капот... или что там есть у этого карта?.. Но тут, как обычно пишут в романах, я встретила ЕГО. Молодого, прекрасного в своей доброте пилота карта, который уделил мне внимание. До сих пор помню, что звали его Сергеем... Владимировичем. Именно так — через паузу, очень смущенно. Лет ему было, думаю, не больше двадцати, но мне, разумеется, он виделся взрослым и матерым. Ужасно расстраивалась, что он не выиграл в соревнованиях. Зато, проезжая мимо меня, уже после интервью и ремонта, он помахал рукой. Впрочем, на этом журналистский опыт неожиданно оборвался. Больше интервью до некоторых пор я не брала.

Судьба оказалась ко мне сурова и вечно ставила на пути какие-то препятствия. В общем, мушкетера, Натти Бампо и лорда Генри из меня тоже почему-то не вышло. А странно, задатки ведь наверняка были.

К окончанию школы, как можно догадаться, я совершенно запуталась и не представляла, кем быть. Особых стремлений у меня не имелось. По правде сказать, я уже готова была вернуться к своему первому желанию, самому спокойному и гармоничному.

И тогда решение за меня приняла мама.

В то время в моде была юриспруденция. Наша страна выруливала на международно-правовую систему и бодрым маршем шагала к построению капитализма. А юрист, впрочем, как и психолог, — незаменимые винтики каждого уважающего себя капиталистического общества, ну как в фильме «Крестный отец», когда юрист по значимости идет сразу после консильери и киллера. Дураку понятно, что профессия почетная и весьма денежная.

Ох уж эта волнующая подготовка к экзаменам, когда я на балконе читала Генриха Манна, прикрыв книгу чем-то вроде истории права!.. Наверное, я могла бы стать юристом. Если честно, весьма посредственным, потому что не было во мне ни искры, ни грамма истинного интереса. Вот потом встречались мне прирожденные юристы — въедливые, ехидные, непробиваемые, с написанным на лбу девизом: «Я так люблю судиться!»

Но волей судьбы маминой мечте не было суждено воплотиться.

На первый же письменный экзамен я самым невероятным образом опоздала. Вышла, конечно, заранее и просто ужасно волновалась. Но судьба сначала разорвала ремешок моей туфли, так что идти оказалось абсолютно невозможно. Настоящий, 100% натуральный юрист, конечно, снял бы эти чертовы туфли и побежал на экзамен босиком. Воодушевление и стремление к великой цели поднимало бы его над бренной землей, а под ноги никогда не попались бы ни бутылочные стекла, ни другие острые штуки. И он красиво вбежал бы в зал, пусть даже в последнюю минуту, привлекая внимание всей аудитории и вызывая восторг своей решительностью, вдохновенным полыханием глаз, в которые словно по фонарю вставили, и нимбом вставших вокруг головы волос... и это была бы уже совсем другая история...

Но история, как мы знаем, не признает сослагательного наклонения. Поэтому туфли я не сняла, а поковыляла домой переобуваться. Потом, конечно, бежала — на автобус (которые вообще-то ходят у нас часто, но только не в тот день), потом от автобуса до метро, где лихорадочно подгоняла мысленно поезд — быстрее, быстрее... потом до университета... И прямиком до закрытых дверей аудитории. Там-то и стало ясно, что часы уже пробили, карета моя давно превратилась в тыкву, и каркнул ворон: «*Nevermore*».

Ах, судьба (позволю я здесь себе маленькое, но весьма лирическое отступление) ведешь ты нас тропами неизведанными, и так сложно понять порой, к добру или к худу то, что возникает у нас на пути!..

Этот забег стал первым и последним забегом моей так и не начавшейся юридической карьеры.

Чтобы не терять год, я поступила на библиотечный факультет.

Нет, разумеется, было понятно, где юрист, а где библиотекарь. В том самом списке, где юрист гордо стоит на третьем месте после консильери и киллера, должность библиотекаря значится на последних строках, сразу после сторожа детского сада и охранника склада старых шин, подлежащих утилизации. Впрочем, в их жизни еще может что-то случиться, а библиотекарь обречен на монотонное прозябание среди книжной пыли, каталогов (в то время они, кстати, все были бумажными, карточными) и формуляров злостных задолжников, обещавших сдать книги еще в позапрошлом месяце. Его жизнь подсвечена тусклой настольной лампой читального зала и проходит под аккомпанемент скрипа давно не ремонтированного пола и кашля вечно простуженных посетителей... И в то время, пока юрист произносит в суде зажигательные речи, ловко играя Паганини на струнах душ присяжных заседателей, или, собирая доказательства невиновности дона Корлеоне, ползет под пулями в здание суда, накрепко сжав зубами ручку портфеля с бумагами, на долю библиотекаря приходятся дела исключительно ничтожные, пустяковые, а самую большую опасность представляют пылевые клещи и все те же задолжники, способные ранить нежное сердце работника книги и формуляра грубым словом, прицельно и хулигански брошенным в него непосредственно перед тем, как бросить трубку.

Однако баловница-судьба вновь, с глубоким, полным безнадежной тоски вздохом, взяла заботу обо мне в свои руки.

На первом занятии в институте я села рядом с девушкой Леной, с которой мы очень быстро подружились. И вот, еще в сентябре, я получила от нее весьма неожиданное предложение: «А давай писать вместе роман!» И, конечно, без раздумий ответила: «Нет. Я не пишу».

Тут требуется небольшая историческая справка. Лет в одиннадцать-двенадцать, начитавшись произведений Рони Старшего, я решила написать роман. Сюжет вертелся вокруг юноши и девушки из враждующих племен и был полон опасностей, стремительных птеродактилей, галопирующих мамонтов и самой искренней и всепобеждающей любви. Произведение писалось в тетрадке, из которой потихоньку выдирались листы — для солидности, ведь уважающий себя роман должен занимать все пространство от доски до доски. На него ушла, должно быть, половина лета. Труд, как можно догадаться, кропотливый, но вдохновенный. Выстраданный. Наконец подошел к концу и он, а плод того труда был вынесен на суд компетентных зрителей в лице моей семьи. Но, как случается это с истинными шедеврами, оказался не оценен современниками. По крайней мере, полученная реакция не соответствовала моим ожиданиям. С чувством обиды и разочарования я сожгла свой первый роман, злокозненно лишив потомков (и себя заодно) возможности прочитать и оценить его.

После этого я, конечно, пробовала писать. В голову мою приходили идеи и гасли там, как гаснут на дне заросшего ряской пруда лучи закатного солнца. Написав примерно страничку, я принималась перечитывать и тут же, разочаровываясь, рвала написанное.

Но институтская подруга все же уговорила меня писать совместно роман. Я перестала перечитывать написанное — и дело пошло на лад. Вскоре я начала писать рассказы, а к четвертому курсу настолько поверила в себя, что отправилась в Литинститут узнать, нельзя ли туда перевестись.

Разумеется, первым же человеком, которого я там встретила, был не неизвестный никому студент Иванов, а тогдашний ректор. Он расспросил меня и велел принести свои рукописи...

А дальше уже не интересно, поскольку все закрутилось, завертелось словно бы само собой. Я все-таки не перевелась на первый курс лита, а, жалея затраченное время, окончила прежний университет и тут же приступила к получению второго образования, заодно оттачивая редакторский талант на деловых письмах в... аудиторской и юридической конторе, куда устроилась секретарем. «Вот тебе, кстати, и юридическая карьера, — ехидным голосом говорила мне судьба. — Что, думаешь, твоя заявка осталась не рассмотренной в моей канцелярии?..»

К счастью, я досовершенствовалась до того, что ушла в издательство, а вскоре и написала под заказ свою первую книгу.

Теперь вот сижу за письменным столом, и в моей жизни не все и не всегда бывает гладко. Но существует ли идеальная, без ошибок выписанная жизнь? Лично я бы не поверила в такую, сочла бы ее покрытой лаком картиной. Однако, как бы там ни было, главное, что я иду действительно по своей дороге, чувствуя где-то внутри глобальную правильность происходящего. Иногда впадаю в депрессию, застопорившись с сюжетом, иногда едва ли не силой заставляю себя сесть за стол и работать, потому что писательство — это настоящий ежедневный труд, а не вдохновенное порхание.

А могла бы быть рыбой, плавать кругами в аквариуме, позволяя водяным струям щекотать нежное, покрытое блестящими чешуйками брюшко. Или покорять неизведанные пространства, штурмовать неприступные вершины. Или сидеть над бумагами в юридической конторе, ища лазейки в очередном нормативно-правовом документе.

Ведь судьба иногда очень не зря берет все в собственные руки, а обстоятельства бывают мудрее людей.

И это правда.

РОМАН СЕНЧИН

прозаик

В детстве, как все мальчишки, зачитывался приключенческими романами Стивенсона, Верна, Скотта, пока не познакомился с неоклассической прозой Распутина, это потрясение предопределило повествовательную манеру, с которой Роман через много лет стал лауреатом главных литературных премий России. Счастье, считает Роман, это воспоминания, от которых становится тепло на душе.

ВЕТРЯНКА

● ● ●

По штатному расписанию на заставе должно было служить пятьдесят бойцов, но такого их количества наверняка никогда не бывало. Чтобы охранять границу и обеспечивать жизнедеятельность этого обитаемого пятачка среди озер и болот, хватало двадцати человек. С трудом, с напрягом было достаточно и пятнадцати. Но в тот ноябрь нас оставалось всего девять.

«Нас оставалось только девять из пятидесьти ребя-ат», — напевали мы, переиначив советскую песню о войне, напевали без всякого стеба — тоскливо и обреченно.

Не сужу про всю Карелию, но в глубине сортавальской земли ноябрь — самый жуткий месяц в году. Непригодный для жизни.

После золотого сентября и дождливого, но теплого октября начинается черт знает что. Снег, тут же дождь, морозы, от которых березы трещат и лопаются, а через два часа — почти жарко... Воздух состоит из влаги, и когда температура в районе нуля, дышать еще можно, а если морозно — воздух стекленеет в буквальном смысле: висящая в нем влага превращается в крупицы льда и режет горло, легкие... Спасались, натягивая на нос воротник свитера или обматываясь шарфом; правда, очень быстро и воротник, и шарф намокали, и дышать становилось трудно. Не дышишь, а хлюпаешь.

Наверное, выходить из натопленного сухого жилища на пять минут за дровами в такую погоду даже приятно, а вот часами торчать на улице — постепенная гибель.

Нашей девятке приходилось нести службу день и ночь. Опять же в буквальном смысле... Посчитайте: на сутки положено двое часовых — попеременно охраняют территорию заставы, заступая каждые четыре часа; нужно двое дежурных по заставе — сидеть на связи, наблюдать за пультом системы охраны границы; четыре человека необходимы для нарядов по флангам — двое проверяют утром левый фланг вверенного заставе участка контрольно-следовой полосы и забора из колючей проволоки, а двое — правый; вечером они меняются...

Восемь человек на нарядах. На самых-самых необходимых нарядах. О секретах, обходах тылов, работе по очистке пограничных знаков и просек мы давно забыли; отдельного дежурного по связи и сигнализации у нас, кажется, никогда и не было, его обязанности возлагались на дежурного по заставе...

Но кроме этих нарядов есть еще и другие, обеспечивающие существование бойцов. Нужны кочегары, гужбанщики (это те, кто кормит свиней, коров, лошадей), нужно пилить дрова, чтобы обогревать здание... Повар нужен.

Поварила у нас жена хомута (прапорщика) Лидия Александровна. Когда было электричество, она справлялась, но свет часто вырубали, и тогда приходилось топить печь на кухне, а для этого ей требовался помощник... Пилили дрова циркуляркой. Это был не станок (говорят, теперь появились даже ручные циркулярки), а именно пила — огромный диск закреплен меж двух железных труб, оканчивающихся с одной стороны подвешенным грузом, а с другой обмотанной изолентой ручкой. Трубы, а вместе с ними диск, поднимали, подсовывали бревно, а потом опускали и начинали пилить...

Опасная, конечно, конструкция, но она позволяла расправляться с любой толщины лесинами. Правда, требовались люди — вытащить эту лесину из завала, донести до циркулярки, двигать вперед по мере отпиливания чурок. В любом случае необходимо минимум трое для этого наряда: один на пиле, двое возятся с бревном и чурками.

Когда я прибыл на заставу, огромный, высоченный дровяник был полон чурками и уже наколотыми поленьями, но вот прошел неполный год, и — почти пусто. А настоящая зима еще не началась.

— Уголь надо завозить, — говорили парни, оглядывая завалы толстенных лесин неподалеку от циркулярки.

— Печи для дров приспособлены, — отвечал грустно прапорщик. — Начнем углем топить — испортим.

— Ну, на зиму-то хватит. А потом — весна. А осенью мы дембельнемся.

Прапор усмехался:

— Вы-то дембельнетесь, а нам здесь... как до Китая раком... Так! — Он сбрасывал с себя тоску. — Сальников, заводи бульдозер, будем растаскивать эти баррикады. Не замерзать же, действительно...

Массового труда давно не было; там, сям копошился один, редко двое бойцов. Кто-то очищал от снежной каши плац, кто-то подшаманивал вечно ломающийся заставской «УАЗ» по прозвищу Череп, кто-то тащил в ведре жидкие помои свиньям.

Три свиньи были худющие, подпрыгивали, завидев человека, в своем загоне метра на полтора вверх, не хрюкали, а рычали. Были они очень похожи на псов. А псы передохли... Последний — Амур — упал прямо в наряде в начале ноября.

К нам приезжала целая комиссия, проверяла, что это случилось со служебными собаками. Подозревали, что мы их травим, морим голодом, пугали ответственностью, дисбатом, но потом пришли к выводу: собаки не выдержали нагрузок.

Теперь мы топтали фланги без собак.

— Мы, получается, крепче, — ворчали. — А не боятся, что мы так же?

— Я, когда в армию шел, боялся дедовщины всякой или что куда-нибудь в горячую точку пошлют. Не думал вот так подыхать — постепенно и каждый день...

— Ну есть же наказание: сгнить в нарядах.

Да, силы иссякали. Почти не удавалось спать восемь часов без перерыва, — если не было наряда, то случалась сработка.

Сработка — это смысл существования любой заставы. Сработка — значит, что-то случилось, и нужно бросаться в оружейку за автоматом, хватать у дежурного магазины с боевыми патронами, заскакивать в кузов грузовика, в «уазик» и мчаться одним в заслон, другим к месту сработки. Искать нарушителя границы, ловить, встать на его пути...

На нашей заставе сработки происходили из-за лопнувшей от старости колючей проволоки на заборе, тянущемся вдоль КСП, какого-нибудь замыкания, перепада напряжения в блоках... Иногда забор пытались преодолеть лоси, медведи, росомахи, лисы... И тогда на табло в дежурном помещении зажигался номер участка, где произошла эта попытка (или замыкание, обрыв), а по помещениям, территории разливался выворачивающий душу вой сирены...

Раньше в любое время суток бежали за оружием, заскакивали в машины с удовольствием, чувствуя себя защитниками Родины. А теперь дежурный по заставе скорей убавлял громкость сирены и шел в канцелярию докладывать дежурному офицеру. Дежурный офицер, матерясь и проклиная все на свете, сам решал, отправлять ли и заслон и тревожную группу или достаточно только тревожной, которая проверит, что там случилось, починит систему, чтоб не сиренила...

Посылать в заслон — растягиваться вдоль просеки на пути потенциального перебежчика в чужую страну — было просто некого.

Но даже короткого взвоя сирены ночью хватало, чтобы надолго отбить сон — лежали и прислушивались, разрастется она, заполняя все уголки, и дежурный заорет: «Застава, в ружье!» — или обойдется... Да и холод не давал уснуть: не спасало и несколько одеял. Дрова расходовали экономно, к тому же они были сырыми, горели плохо. Плеснешь солярки, вроде вспыхнут, а через десять минут снова только дымят...

Спали все в одном кубрике из четырех, чтобы было теплее. Но какое тут тепло, если на улице под минус двадцать, дует ветер и батареи чуть теплые?..

А в восемь утра — наряды по охране ГГ (государственной границы). В любое время года, в любую погоду, была ли ночью одна сработка или их было двадцать, бодр ли ты или еле стоишь на ногах, спускайся в дежурку, снаряжайся и — в комнату приказов, где офицер искренне-торжественно или вымученно-торжественно объявляет:

— Приказываю выступить на охрану государственной границы... Вид наряда — дозор. Задача — не допустить нарушения государственной границы... Маршрут... — И еще минуты две разных деталей.

Когда офицер, после слова — «вопросы?» — умолкает, старший наряда молодцевато должен отчеканить:

— Вопросов нет, приказ ясен. Есть выступить на охрану государственной границы...

Сказать, что не можешь, что устал, в этот момент и в голову не приходит. Как-то все механически: приказ, ответ — «приказ ясен»...

Выходишь в сопровождении дежурного на улицу, в будке-разряжалке пристегиваешь к «калашу» магазин и — вперед. Если на правый фланг: десять камушков до стыка с участком соседней заставы, десять — обратно, если на левый: семь туда, семь обратно, но там больше сопок, а низменности — настоящее болото; КСП — тоненький слой земли — лежит на подстилке из бревен...

Раза два-три в неделю пройтись, это, наверное, полезно. Но почти каждый день, тем более увешанным ракетницей, подсумком с боеприпасами, трубкой связи, профилем, увесистым фонарем ФАСом, с автоматом-веслом, — убийственно. К тому же — погода. Утром выходишь по холодку на лыжах, но спустя двадцать минут — проглянет солнце, дунет парной ветерок — снег превращается в лужи. Снимаешь лыжи, несешь их под мышкой (оставлять войсковое имущество строго запрещено). Через сотню метров валенки раскисают, их не могут спасти никакие галоши... Мучение, в общем, пытка.

Еще и со жратвой беда — перловка да пшено, томатная паста вместо мяса... Хлебовозка часто не может пробиться по разбитым дорогам, а когда пробивается — ничего почти не привозит. «С провизией перебои», — сообщает сопровождающий хлебовозку сверхсрочник. И что ему ответить — он-то не виноват.

Но хуже, чем голод — живот солдат набьет хоть чем, — была нехватка курева.

Раньше сигареты исправно привозила автолавка, и вспоминать о ядовитом «Памире» из довольствия не приходилось. Но сначала автолавка стала привозить сигареты дорогие — «Бонд», какие-то индийские, — так что много купить не получалось, а потом и они пропали... Быстро выкурили запас «Памира», хранящийся на заставе, следом и окурки из урн в летней и зимней курилках...

Между бетонных плит пола в тамбуре кочегарки была щель. В эту щель поколение за поколением бойцов бросали чинарики — тамбур пользовался популярностью: туда заскакивали в морозы погреться и перекурить часовые, там отлынивали от работ и прятались от дождя... В общем, окурков скопилось много. И мы палочками и проволокой с обезьяньим упорством пытались достать их. Когда удавалось, выкрашивали полуистлевший табак на газету, смешивали со всяким мелким мусором из карманов, делали цигарку и пускали по кругу. После каждой затяжки надсадно кашляли и задыхались, но на какое-то время становилось легче.

Да, на какое-то время. Жизнь заметно выходила из нас, восемнадцатилетних-девятнадцатилетних пацанов. Пацанов по годам, а на вид немощных стариков... Давно не звучали перед отбоем песни под гитару и гогот над анекдотами, байки, воспоминания о гражданке... Офицеры тоже бродили угрюмые и вялые, понимая, что в таких условиях, при таком графике службы требовать от нас дисциплины, соблюдения распорядка дня невозможно. Просмотр программы «Время» стал необязателен, чистка оружия проводилась от силы раз в неделю, подворотнички были черные, пряжки ремней — тусклые... Почти каждый боевой расчет начзаставы завершал так:

— После ужина свободным от нарядов — отбой.

Некоторые бойцы и ужинать не шли, предпочитая побольше поспать.

Я завидовал тем, кто ронял голову на подушку и тут же начинал сопеть и храпеть. Я от усталости засыпал долго. Лежал и думал, как бы выбраться из той жопы, в которую угодил. Ведь действительно — можно упасть где-нибудь на фланге и не встать. Но в наряде по флангу хоть напарник есть — поможет, вызовет машину с заставы, а если во время колонки — наряда часового... Присядешь к стене и застынешь — час-другой тебя не хватятся. Выйдет дежурный звать на смену, а ты окоченевший...

На улучшение нашего положения надеяться не приходилось. Погода такая будет здесь до апреля, хавчик вряд ли станут привозить лучше, питательней и вкусней (мы мечтали о том моменте, когда начальство созреет зарезать хоть одну тощую свинью), с куревом по всей стране напряженка... А главное, что, как говорят, пополнения из отряда ждать не стоит. Нынешний призыв идет туго, новобранцев — запахов — процентов тридцать от того количества, какое нужно, чтобы после учебки разбросать по десятку на заставы. Молодых фазанов — бойцов весеннего призыва — к нам прислали двух, старых фазанов трое, и в марте-мае они уйдут на дембель... Кто останется? Кто будет служить?

Лезли в голову всякие идеи, как отдохнуть от лямки нарядов: руку сломать, типа случайно выстрелить себе в ладонь во время разряжания автомата, циркуляркой чиркнуть по голени... Это все казалось в тот момент вполне разумным, боль не пугала. Пугало разбирательство: начнут выяснять, допрашивать, еще и другие пострадают — дежурный по заставе, который обязан следить, как отстегивают магазин от автомата, снимают с предохранителя, демонстрируют затворную часть... Прапора затаскают за такую циркулярку... Офицеров обязательно взгреют за чэпэ. Хоть и не любят у нас офицеров, но подставлять их начальству — это западло. И мне как потом дослуживать с клеймом калича или оленя?.. Зачмырят, и не посмотрят, что я на втором году службы...

А может, в Финляндию кинуться? Застава у нас расположена удобно для этого — за системой. Путь до границы свободный, каких-то метров пятьсот. Уйти часовым — и туда. Проверяют часовых теперь редко: дежурный офицер спит в канцелярии, дежурный по заставе дремлет на пульте... Рассказать финнам, как у нас здесь, загибаемся просто-напросто... Но ведь выдадут. С финнами у нас хорошие отношения — говорят, на КПП местных с обеих сторон пропускают запросто. Попил чайку у финской или карельской родни и — обратно. Наверняка при таком порядке легче через КПП просочиться, чем форсировать систему, бежать к заветной черте, разделяющей два государства... Да, граница, по существу, открылась, а мы здесь вынуждены подыхать.

Однажды проснулся среди ночи. Нет, не то чтобы проснулся, это было в таком полусне... В полусне я стал почесывать тело и лопал какие-то пузырьки на коже... Приятный зуд, успокаивающее лопанье...

— Ромка, вставай, — голос дежурного по заставе, — в наряд.

Я безропотно — какой смысл роптать? — сел на кровати, принялся натягивать влажноватые штаны, привычно кряхтя от ломоты, нытья неотдохнувшего тела.

— Блин, чего у тебя с рожей! — отскочил дежурный. — В прыщах вся...

Вспомнилось ночное чесание, я задрал вшивник, нательную рубаху и увидел на животе, груди красные язвочки и пузырьки...

— Ветрянка! — И дежурный, сержант Саня Гурьянов, командир моего отделения, в котором было три человека вместо двенадцати, побежал к дежурному офицеру.

Первым делом меня перевели в соседний кубрик, дали бутылек зеленки и кусок ваты: «Намажь эти хреновины, а то на всю жизнь останутся». Был отдан приказ со мной не общаться... Распространение ветрянки могло привести к полному краху охраны границы на нашем участке... В наряд вместо меня отправился зампобою лейтенант Пикшин.

Пришел начальник заставы, издалека посмотрел на меня.

— И где ты умудрился ее найти? — спросил чуть не плача.

— Не могу знать, товарищ старший лейтенант.

Я и сам недоумевал. Чужих на заставе не было недели две; когда приезжала хлебовозка, я находился в наряде... Никто не болел ветрянкой в последние месяцы; дети офицеров тоже были здоровы, да я их и не видел уже несколько дней — они гуляли с другой стороны здания... Короче, в прямом смысле надуло болезнь.

После обеда меня увезли на станцию Ихала, посадили в поезд. Пассажиры сторонились меня, с опаской поглядывали на мою в зеленых веснушках рожу, а мне было хорошо. После почти года жизни на одном месте, после многих недель каждодневного изнурительного труда, я сидел и ничего не делал. А за окном текли деревья, домики, озера. Протек в низине под насыпью городок со смешным названием Лахденпохья. Скоро будет другой городок со смешным названием Куокканиеми (раньше в свободное время мы пытались изучать географию тех мест, где проходит наша служба, так что я кое-что знал). А потом — город Сортавала, и там госпиталь, где меня ждут.

Будет какое-то лечение, но меня оно не пугало. Все что угодно — какие угодно уколы, горькие лекарства, карантины — вместо того, что было в последние недели...

Конечно, чувствовал вину перед ребятами. Они там, а я качу на поезде. Но ведь я не специально заболел, не кошу от службы. Они должны понять, да и поняли: вон как Саня метнулся к офицеру докладывать, что у меня ветрянка. Не погнал вниз снаряжаться в наряд.

Три дня я провел в отдельной палате. Впервые за год службы — один. У меня было свое пространство, свой туалет, я мог спать, сколько хочу. Попросил медсестру принести какие-нибудь книги. Все равно какие. На заставе была библиотека, но на чтение не оставалось сил.

Потом меня стали вызывать на построение, выводили добывать асфальт — очищать плац от снега, давали еще разную работу. Солдат и в госпитале должен быть занят делом. Но это не напрягало, чувствовал я себя нормально, потрудиться час-другой было даже приятно.

Вернулся на заставу и поразился многолюдью, бурной жизни. По территории летали незнакомые бойцы, весело визжала циркулярка. В дежурке пахло мылом, линолеум взлетки сверкал... Прежде чем пойти доложиться дежурному офицеру, я спросил Саню Гурьянова:

— Что тут стряслось у вас? Откуда столько пацанов?

Саня довольно заулыбался:

— А эт тебя надо благодарить. Твою ветрянку... Вадик, — так мы между собой называли начальника, — когда докладывал о тебе, объявил коменданту участка, что служить попросту некому, у троих еще подозрение на ветрянку... Ну, это он приврал — никто не заболел больше. И, короче, на другой день, как тебя отправили, въезжает шишига, а в ней восемь гавриков. Трое нашего призыва и пятеро фазанов молодых. Из отряда. Собрали в клубе, в хозроте лишних и сюда. Двое из комендантской роты даже. Сначала воротили морды, а теперь вроде прижились... В пятницу хлебовозка была, привезли две туши говяжьи. Черные, сухие, видать, из энзэ. Но ничо — Лиди Санна кормит мяском не в обиду.

Комендантских через несколько дней вернули в отряд, еще одного, водилу, перебросили на другую заставу. Но оставшиеся все равно здорово разбавили плотность нарядов. И по вечерам в курилке снова зазвучали песни «Уезжают в родные края погранцы-молодцы, дембеля», «А ты опять сегодня не пришла», слышался гогот над шутками. Даже в качалку стали заходить — тягали гири, штангу... В общем, жизнь наладилась.

ВАЛЕРИЙ БОЧКОВ

художник-график, прозаик, путешественник

Гражданин мира — родился в Латвии, в разные периоды жизни жил и работал в Москве и Амстердаме, в США и Германии. Валерий в первую очередь известный художник — после окончания художественно-графического факультета работал иллюстратором крупных журналов и издательств. Но, по словам художника, когда он вполне высказался языком живописи, он начал писать жизнь художественным словом. Олимп большой литературы Валерий покорил за 10 лет — начав писать в 2004-м и получив «Русскую премию» в номинации «Крупная проза» в 2014-м. Счастье, по мнению Валерия, остро ощущается в мгновения постижения законов жизни и вопиющей красоты природы.

ПЯТЬ КВАРТИР НА ФРУНЗЕНСКОЙ НАБЕРЕЖНОЙ

* * *

—Не-е, без названия нехорошо... — Дубицкий прищурил глаз, разглядывая следующую картину. — Нехорошо.

На метровом листе картона в черно-лиловом хаосе парило нечто похожее одновременно на гигантскую бабочку и реактивный истребитель. Я тоже прищурился и скептически пожал плечами. Марк Ротко, Пикассо, Леже, Джексон Поллок не называли своих картин.

— Ну ты ж художник! — Дубицкий повернулся ко мне. — Нельзя без названия!

Он уже успел где-то загореть, его розовый нос казался лакированным, а волосы и брови выгорели в белое — он напоминал немца-солдата из советского кино про войну: тощий, белобрысый, такие на губной гармошке играют «Ах майн либер Августин», а во время атаки страшно трусят и под конец непременно сдаются в плен.

Я подошел к распахнутому окну. В пятницу, два дня назад, когда я ехал в Шереметьево, в Москве вдруг повалил мохнатый рождественский снег. Тут, в Вашингтоне, стояла тридцатиградусная жара, повсюду с каким-то остервенением цвела вишня, город точно утопал в мыльной пене. Было начало апреля.

— Давай назовем... — он поскреб рыжую щетину. — Назовем это... «Падший ангел». Как, а?

«Пошло, банально и претенциозно», — подумал я, но не сказал ничего. Мы были друзьями детства, мы не виделись почти четырнадцать лет. К тому же я остановился у него.

— По-английски звучит вообще блестяще! — он произнес что-то по-американски картаво, наверное, про ангела. — Как твой английский, кстати?

Я сделал неопределенный жест — я окончил немецкую спецшколу, но выяснилось, что в Америке по-немецки не говорят даже люди с фамилиями Шульц и Мюллер.

— А это что за хреновина? — он хохотнул, вытаскивая из папки другую работу. — Да они все со штампами!

На обратной стороне каждой из моих семнадцати графических работ стоял чернильный штамп Министерства культуры СССР с обидным текстом: «Культурной ценности не представляет. Вывоз разрешен».

— Для таможни... — сухо пояснил я. — Без штампа нельзя.

— Так это ж твои картины? Ну и дичь...

Рассказывать про канитель с Минкультом не хотелось — очереди, куча формуляров, конфеты Рае, цветы Наташе... Я пожал плечами. Дубицкий уехал в девятнадцать, нас вместе принимали в пионеры на Красной площади, вместе мы учились пить портвейн, вместе косили от армии, когда сразу после школы провалились в институт. Теперь он изображал из себя американца, и это действовало на нервы.

Мы вышли на балкон. Он ловко распечатал пачку солдатского «Кэмела» без фильтра, мы закурили. Божественно пахнуло вирджинским табаком. С восьмого этажа открывалась внушительная панорама — далеко, за синеватой дымкой крыш, за изумрудными садами, серебрился Потомак, на том берегу, в жарком мареве, поднимались какие-то расплывчатые небоскребы. На крыше одного я разобрал слово «Боинг».

— А это что? — я сплюнул табачную крошку и показал пальцем на белую стелу вдали.

— Монумент Вашингтону, Джорджу... — ответил он и тоже сплюнул. — А вон тот, типа Парфенона, — это Линкольну. А вон — Капитолий. Мы туда пойдем, там супер. Вишня везде цветет и пивом торгуют. Красота!

— Давай сначала с галереями разберемся.

— Не нервничай. С галереями разберемся. Я ж сказал — я знаю человека, он позвонит, договорится, — он хлопнул меня по плечу. — Пристроим твои шедевры!

Я разглядывал низкорослые дома с черепичными крышами, уютные подстриженные садики, кое-где бирюзово сияли бассейны с зонтиками и шезлонгами. Было по-дачному тихо, пахло летней пылью и земляничным мылом. Америка мне представлялась совсем иначе, пейзаж больше напоминал Европу, хотя там я тоже не был. Если не считать Болгарии.

Наша память обладает завидным качеством, она мастерски ретуширует минувшую реальность, превращая ее в улучшенную копию самой себя — ни морщин, ни острых углов, ни горечи, ни разочарований — сплошной зефир в шоколаде. Мой друг увлеченно предавался воспоминаниям из нашей юности. Версия моей памяти выглядела как черно-белая экранизация тех же событий.

— А помнишь... — восторженно начал он очередную историю. — Помнишь...

— Володь, — сухо перебил его я. — У нас туалетной бумаги нет в магазинах.

Он удивленно заморгал белыми ресницами — ну вылитый Фриц.

— У нас в магазинах вообще ничего нет. Соль. Пачки соли по семь копеек.

— При чем тут соль?

— При том! Я за визой стоял почти сутки. В феврале. На улице. За билетами ездил отмечаться почти неделю. Понимаешь?

— В смысле?

— Каждое утро в шесть у касс «Аэрофлота». На Фрунзенской...

— О, я помню! Они у Крымского моста...

Я махнул рукой и ловким щелчком послал окурок вниз.

— Ты что?! — прошептал Дубицкий в ужасе. — Нас сейчас арестуют!

Каждое утро я ездил в эти проклятые кассы, где какой-то бодрый тип в мохнатой волчьей шапке проводил переклички. Вытащив мятую бумагу с фамилиями, тип забирался на постамент колонны соседнего подъезда. Толпа хмуро обступала его.

— Трегубов! — сипло выкрикивал тип, плюясь паром в морозный воздух.

— Тут!

— Слуцкер!

— Здесь!

— Егорова! — после паузы громче. — Егорова! Где Егорова?

— Да нету ее! — злорадно рычала толпа. — Вычеркивай!

И тип вычеркивал. Потом толпа расходилась. До следующего утра, до следующей переклички. В списке было человек триста, кассы за день обслуживали не больше сорока. Над Москвой-рекой полз седой туман, гранит парапета серебрился мохнатым инеем, желтые фонари светили себе под ноги, редкие машины едва ползли по скользкой набережной. На колонне подъезда белела бумажка: «Продам трехкомнатную квартиру в этом доме за две тысячи долларов». Наступало последнее десятилетие века, «перестройка» Горбачева входила в суицидную фазу, от «гласности» всех рвало — кровь, грязь и ложь коммунистов оказалась гораздо чудовищней, чем об этом кричали диссиденты. По улице Горького, переименованной в Тверскую, бродили бездомные собаки. Народ сплотился в лютой ненависти к государству и друг другу, всех накрыло ощущение полного краха. Катастрофа казалась неизбежной. Рубли превратились в бумагу, вклады в сберкассах за одну ночь перешли в разряд мусора, все пытались раздобыть валюту — за триста долларов можно было купить новые «Жигули». Чего они стоят на самом деле, эти доллары, никто толком не знал, но на сотню московская семья из трех человек запросто могла прожить месяц.

Галерея находилась в Джорджтауне, встречу назначили на утро, на одиннадцать. Мы долго кружили по узким улочкам, наконец запарковались. Я вытащил из багажника тяжеленную дерматиновую папку с работами, крякнув, как бурлак, натянул лямку на плечо. Последний раз я таскал эту папку в институтские годы, на занятия по рисунку.

— Самый богатый район города, — Дубицкий сделал гордый жест плавной рукой, точно Джорджтаун принадлежал ему. — Я тут университет кончал.

Готические башни университета с коваными флюгерами выглядывали из-за черепичных крыш. Пустынная улочка плавно текла под уклон, казалось, там нас ожидает море. Пахло жасмином и свежим кофе. На чугунной скамейке с гербом дремал рыжий кот в кокетливом ошейнике. Прохожих не было.

В галерее нас встретил плотный бритый господин с ухоженными усами и с бриллиантом в ухе. Он напоминал циркового борца в отставке. Мы устроились в низких креслах, ногастая девица с ласковыми глазами лани принесла на серебряном подносе кофе. Мы закурили. Дубицкий вальяжно о чем-то говорил, отставной циркач лукаво щурился, я не понимал ни слова и пытался ногой задвинуть дерматиновую папку за кресло.

— Он говорит — у тебя женское имя, — Дубицкий, смеясь, перешел на русский.

— Умник... — я, дотянувшись, придушил окурок в пепельнице.

Мой отец, военный летчик, назвал меня в честь Чкалова. Я хотел об этом сказать, но, поглядев на бриллиант в ухе циркача, передумал. Хмуро сказал:

— Ладно, хорош трепаться, давай работы показывать.

Картины расставили вдоль беленой стены. Циркач молча шагал взад и вперед, осторожно поглаживая усы. Позвал лань. Та появилась, издала несколько восторженных междометий, Дубицкий подмигнул мне, выставив из-за спины большой палец. Мое сердце ухало на всю галерею.

— Есть два варианта, — переводил Дубицкий. — Он устраивает твою выставку, берет на себя рекламу, работу с прессой, фуршет, трали-вали... Выручку делите пополам.

Я сухо сглотнул и кивнул.

— Или вариант номер два... — Он о чем-то спросил циркача, тот поморщился и коротко ответил. — Или второй вариант: он покупает у тебя все работы оптом. За десять тысяч долларов.

Я растерялся, хотел повторить последнюю фразу, но цифра застряла у меня в горле. Закашлявшись, я дернул воротник рубашки. Пуговица зацокала по мрамору пола. Где-то за стеной настырно тявкала мелкая собачонка.

— Спокойно, спокойно... — Дубицкий искоса взглянул на меня, потом искренне улыбнулся циркачу. — Валера, спокойно. Все супер.

Остаток дня прошел как первый день в раю, моя душа пела. Я абсолютно всерьез боялся сойти с ума от счастья — и дело было не в десяти тысячах, точнее, не только в них, — меня признали как художника! Признали в Америке! Да, у меня были выставки в Москве, мои иллюстрации публиковали московские журналы, да, я рисовал обложки к книгам. Но это там, в России.

Дубицкий заразился моим куражом. Мы куролесили по городу, угощали туристок из Дании ледяным шипучим вином, фотографировались на ступенях Капитолия. Горланили с уличными музыкантами песню «Хэй, Джуд». Дубицкий едва не упал в фонтан, я на спор ходил на руках перед зданием ЦРУ и нас чуть не арестовали неулыбчивые полицейские.

Ужинали мы в ресторане с колоннами на крыше Кеннеди-центра. После десерта устроились на открытой террасе с видом на Потомак. Я отхлебывал терпкий коньяк, солнце неспешно заваливалось за лиловые холмы, в застывшей реке отражались персиковые облака. По стеклянной глади тихо скользили яхты, на палубах в полосатых шезлонгах сидели люди и что-то лениво пили. Над ними беззвучно проносились чайки с розовыми от заката крыльями. Я улыбался как блаженный, — Господи, Господи, не дай мне проснуться, мой милосердный Боже! Не дай мне проснуться...

По соседству гуляла компания представительных англичан в белых рубашках, с одним, породистым, с лицом педанта в золотых очках, Дубицкий завел бойкую беседу. Официанты принесли свечи, ловко расставили по столам, по стальному парапету балкона. Сразу стало темно. В сиреневом небе проступила перламутровая луна, внизу зашелестели невидимые машины, звук шин напоминал прибой. Где-то звучала классическая музыка. День кончился, и мы плавно втекли в ночь.

— Валер, — Дубицкий толкнул меня локтем. — Вот тут человек хочет с тобой познакомиться.

Я удивленно повернулся, пожал холодную узкую ладонь, представился. Имя свое произнес почему-то с иностранным акцентом. Англичанин ответил длинной фразой из которой я понял, что его зовут Эндрю.

— Он хочет посмотреть твои картины, — перевел Дубицкий, прикуривая сигарету.

— Зачем? — испугался я. — Откуда он вообще...

— Я ему сказал, что ты художник. Из Москвы...

— Зачем? Все продано!

Англичанин сдержанно улыбался, длинное лицо с аристократическими залысинами казалось слишком бледным, словно напудренным, в стеклах очков плясали отражения свечных огней. Глаза, белесые, с черными точками зрачков, напоминали волчьи. У меня по спине побежали мурашки.

— Все продано! — по неясной причине я перешел на немецкий. — Все картину проданы.

— Я бы очень хотел взглянуть, — отозвался Эндрю на отличном немецком. — Владимир сказал, что вы еще не подписали контракт.

Метнув на Дубицкого недобрый взгляд, я неопределенно пожал плечами. Англичанин, не давая мне опомниться, продолжил:

— Я вхожу в совет директоров Эдинбургского фестиваля искусств. Нас очень интересует искусство постсоветской России. Я был бы весьма признателен за возможность взглянуть на ваши работы. Завтра возможно? Послезавтра я возвращаюсь в Эдинбург.

Я закурил, подумал и обреченно кивнул.

— Хорошо. Завтра в полдень.

Эндрю появился ровно в двенадцать. Длинный и сухой, в белоснежной рубахе, с той же улыбкой на бледном английском лице. Дубицкий работал, я встретил гостя в прихожей, жестом пригласил в комнату. Он оглядел потолок комнаты, отказался от чая, не глядя в окно, похвалил вид. Я вытащил дерматиновую папку, плюхнул на журнальный стол. Раскрыл. Дальнейшее развивалось с предсказуемостью заурядного кошмара.

Англичанин взял в руки первый лист. Долго разглядывал — с минуту, после взял другой. Потом третий, четвертый. Все это молча, чуть сутулясь. Я сухо сглотнул, сипло сказал:

— Эта называется «Падший ангел»...

Англичанин рассеянно взглянул на меня и снова уставился в картину. Какой черт дернул меня за язык — я чувствовал себя полным идиотом. Провинциальным невежественным дураком. Эндрю отложил «Ангела», взял следующую работу. Просмотрев все, аккуратно закрыл папку. Достал из кармана платок и тщательно, один за другим, вытер худые пальцы.

— Местная галерея собирается купить все ваши работы... — он говорил на классическом немецком с мягким британским акцентом. — Но тем не менее я, от лица совета директоров Эдинбургского фестиваля искусств, хочу сделать вам предложение...

Он говорил, а мне казалось, что я знаю наперед каждую его фразу, что я все это уже слышал, все это однажды пережил. Страшно хотелось пить. Я кивал, пытаясь улыбаться, ладони вспотели, я незаметно вытер их о джинсы.

Потом он ушел. Я достал из морозильника початую бутылку «Столичной», налил полный стакан и залпом выпил. На столе лежала визитка и какие-то еще бумаги, оставленные англичанином. Я нашел сигареты, руки у меня тряслись. Опасливо приблизившись к столу, взял визитку. На дорогом картоне под тисненым рыцарским гербом готическими буквами было выдавлено золотом «Сэр Эндрю Мак-Хорн».

Вечером мы основательно набрались, меня подкосило нервное напряжение, Дубицкий напился за компанию. Алкоголь обострил чувство неминуемой катастрофы. Мы сидели за кухонным столом и допивали какой-то липкий ликер. Стрелки часов показывали два часа ночи.

— Вова... — я вытер губы пальцами и задумался.

— Ну что? — запоздало отозвался он.

— Ты веришь в нечистую силу?

Он моргнул белыми ресницами и простодушно икнул.

— Что?

— Ну... — я не знал какими словами объяснить ему мое ощущение инфернального тупика и при этом не показаться чокнутым. — Знаешь, у Дюрера есть гравюра «Рыцарь, дьявол и смерть». Так вот там дьявол искушает рыцаря...

— Кто? — спросил он и снова икнул.

В три ночи нам удалось раздобыть упаковку пива на бензозаправке, и мы снова вернулись на кухню. У Дубицкого открылось второе дыхание. Даже сидя его шатало, он щурил глаз, но явно не мог поймать меня в фокус. При этом говорил громко и убедительно. По крайней мере мне так казалось.

— Деньги! — он смял пустую жестянку из-под пива и швырнул в угол. — Что такое деньги? Тебя приглашают на самый знаменитый культурный форум

Европы... Ты это понимаешь, мать твою?!

Я приложил холодную банку с пивом ко лбу.

— Европы! — Дубицкий саданул кулаком в стол, встал и снова грузно сел. — А он, понимаешь, деньги...

Я виновато покачал головой.

— Так ты предлагаешь... ехать? — с трудом выговорил я.

— Предлагаю?! — Дубицкий демонически захохотал. — Я настаиваю! Я требую! В Шотландию! В Эдинбург!

Он снова вскочил и горячим ленинским жестом выкинул вперед руку. При этом сбил со стены обрамленный плакат с прошлогодней выставки Пикассо. По кафелю зазвенело битое стекло.

— Шотландия! Эдинбург... — его баритон приобрел романтическую ноту. — Колыбель цивилизации... Рыцарские замки. Вересковые поля. Мужчины в юбках играют на волынках...

— Володя, — беспомощно перебил его я. — За десять тысяч я могу купить пять квартир на Фрунзенской. Понимаешь? Пять!

Он задумался. Долго и мучительно тер лицо руками. Потом поднял на меня красные глаза.

— Пять? А зачем тебе пять квартир на Фрунзенской?

Четыре месяца спустя я был в Эдинбурге. Моя персональная выставка проходила в отеле «Корона Скандинавии», на открытии струнный квартет играл Моцарта и Вивальди. Официанты во фраках разносили шампанское, дамы в узких платьях с голыми спинами хвалили мои картины, я улыбался и с достоинством целовал их тощие руки. Интервью с моей фотографией опубликовал журнал «Шотландец», на выставку привели даже какого-то дельца из «Сотбис». Успех превзошел ожидания сэра Эндрю и уж тем более мои — мы продали почти все картины. Денег я заработал много, но квартиры на Фрунзенской покупать не стал. «Падшего ангела» приобрел местный лорд, картина и сейчас висит в его замке. Бывая в Эдинбурге, я непременно навещаю его, мы пьем чай у камина, он что-то рассказывает, но из-за его шотландского акцента я не понимаю и половины. Впрочем, это и неважно.

Сегодня, спустя двадцать пять лет, эти квартиры стоят чертову уйму денег — каждая миллиона полтора долларов, но я ни разу не пожалел об упущенном барыше. Более того — я благодарен фатуму, судьбе, своему ангелу-хранителю, лукаво принимавшему обличье то моего непутевого друга, то чопорного англичанина, и хочу сказать им спасибо. Спасибо вам! Все было прекрасно, просто великолепно. Я вас люблю и не жалею ни о чем.

ГАЛИНА ЛИФШИЦ-АРТЕМЬЕВА

писатель, лингвист, психолог (логотерапевт)

С раннего детства знала, что жизнь моя будет посвящена Слову, а, следовательно, и Смыслу. Только Слово дает силы не останавливаться. И только Словом можно излечить отчаявшегося. В любой ситуации заложен глубокий смысл, никогда не поздно найти его и пойти совершенно новым путем и в творчестве, и в переживаниях. Самые верные мои спутники — книги. Те, что наполняли мою жизнь, делая из меня человека. И те, что живут во мне и рвутся наружу.

СО-БЫТИЕ

• • •

То, что случилось тем давним летом, я называю со-бытием.

Встречи, эпизоды, происшествия, случаи — их много в каждой человеческой жизни. А вот со-бытий — раз, два, и закончен счет. Ведь со-бытие — это появление в бытии человека незримого спутника, который оказывается рядом в особый момент, направляя течение жизни в другое русло. Зачем и почему — есть ли смысл спрашивать? Достаточно довериться и — плыть.

Мне было восемь лет, и поехали мы с тетей, добрым ангелом моей маленькой жизни, на пару недель на дачу к ее подруге, Тамаре Николаевне. Двадцать минут на электричке от центра Москвы, а потом широкой тропой сквозь светящуюся березовую рощу к дачному поселку с высоченными мачтовыми соснами, с белками, снующими по рыжим стволам, с клумбами, заросшими дивно пахнущими цветами, с гамаками, раскладушками, вынесенными на солнышко, — настоящая дорога к счастью. Огромным счастьем казалось все: и чувство переполненности жизнью, от которого я летом быстрее росла, и предвкушение игр и болтовни с Ташей, внучкой Тамары Николаевны, и ожидание встречи с мальвами, дивными цветами выше меня ростом, которые благоухали на обширной солнечной поляне у просторного двухэтажного дома с огромными окнами.

С Ташкой мы дружили с младенчества, встречаясь, правда, не особенно часто, в основном во время каникул. Объединяла нас неуемная фантазия. Мы могли целыми днями, с утра до вечера, разыгрывать сценки из придуманной нами жизни про средневековых рыцарей, прекрасных дам, про инопланетян, захвативших планету, про сыщиков и преступников. В играх мы перемещались в безграничном пространстве наших грез совершенно свободно и непринужденно, забывая о реальности напрочь. Взрослые нам не мешали, прерывая наши самозабвенные диалоги лишь на время обеда. И еще два раза в неделю к Таше из Москвы приезжала учительница английского: языком полагалось заниматься непрерывно, иначе за каникулы все забывалось. Так считала Тамара Николаевна. А ее слово было закон. Я знала, что все это полная ерунда: ничего за каникулы не забывается и никуда из головы не девается. У меня никогда не было никаких репетиторов, что я считала проявлением особой доброты и веры в меня своей тети, заменившей мне родителей.

Как я сейчас понимаю, дело было не в доброте, а в отсутствии денег на дополнительные занятия, а то бы и мои каникулы оказались безнадежно испорчены. Так что — не в деньгах счастье, а в их отсутствии. Временами.

Летом меня всегда сопровождало чувство влюбленности в жизнь. Мне хотелось смотреть, запоминать и с каждым вдохом впитывать в себя буйную окружающую красоту. Я любила утром просыпаться в маленькой гостевой комнатке, отведенной мне, и смотреть в окно на деревья, тянущиеся ветками и листвой навстречу вернувшемуся солнцу, слушать, как переговариваются птицы, придумывать новые миры, в которые мы с Ташкой попадем сразу после завтрака. Ташка стучала в стенку, мы вместе скатывались по лестнице умываться и завтракать, потому что нельзя было упускать ни минуты грядущего счастья. За поляной с мальвами находилось наше заветное место, где мы импровизировали, понимая друг друга с полуслова. Мальвы казались мне живыми. Они смотрели на нас, когда мы углублялись в заросли. Их розовые, белые, лиловые, темно-бордовые, оранжевые цветы сулили райскую жизнь, которая когда-то обязательно настанет. Мы и не догадывались, что именно тогда находились в раю детства.

Тамара Николаевна была вдовой наркома, то есть — народного комиссара, как во времена диктатуры пролетариата называли руководителей министерств. Потом перешли на менее тревожащее наименование — министр. Но Томочкин муж до нового названия своей должности не дожил. Он был чрезвычайно порядочным человеком, и высшие силы, наблюдающие за поведением разумных существ на планете Земля, подарили ему невиданную для того времени роскошь: он умер своей смертью, безболезненной, непостыдной, мирной, во время сна. Просто — уснул и не проснулся. Мог бы, конечно, еще жить да жить, нестарый был совсем человек, пятьдесят восемь лет всего. Но близкие, скорбя, одновременно и радовались за него и за себя: столь ценимый ими отец семейства не разделил участь многих своих коллег: не был арестован, осужден, предан позору, расстрелян. Для подобного исхода в те времена требовалось действительно особое везение и какая-то высшая защита. В итоге Томочка благополучно зажила высокопоставленной вдовой. За ней оставили огромную квартиру на улице Горького, министерскую дачу, возможность лечиться в кремлевской клинике и пользоваться разными распределителями. Она ничем этим не кичилась, достойно приняла приближение старости, седые волосы подбирала в пучок, носила скромные неприметные костюмчики, была тихой и незаметной, хотя сила в ней чувствовалась, заставляя с ней считаться. У Томочки имелся единственный сын, ученый, на тот момент завершавший докторскую. Родители одарили его странным именем — Милен. Я в глубине души считала это имя девчачьим и совершенно не подходящим Ташиному папе: высокому, сильному, мужественному, громогласному. Но оказалось, что имя ребенку родители дали из любви к вождям мировой революции и расшифровывалось оно «Маркс и Ленин». Все звали Ташиного отца Леня, Леонид. И только его мама любовно обращалась к нему «Милен», никогда не сокращая и не переиначивая это экзотическое имя. Милен, кстати, женился на девушке по имени Виктория, что прямо предсказывало победу идей Маркса и Ленина. Поэтому Тамара Николаевна была поначалу очень воодушевлена этим браком. Однако к десятилетию союза Милена и Виктории, родителей моей подруги Таши, в отношениях свекрови и невестки наметился некоторый разлад, о чем Тома очень любила поговорить со своей школьной подругой, моей тетей Танечкой, Танюсей, как я ее называла.

К моменту со-бытия мы уже гостили у Томочки неделю. День, как и все предыдущие дни, был ясным и солнечным, только далеко, на горизонте, наливались чернотой тяжелые тучи, но их запросто мог разогнать ветер. Мы только что пообедали. К Таше приехала англичанка. Они поднялись наверх, в Ташину комнату, а Томочка, Танюся и я остались за огромным овальным обеденным столом. Подруги пили чай, долго-долго, чашку за чашкой, говоря обо всем на свете. Темы возникали ниоткуда, непонятно почему, словно кружева плелись из разноцветных ниточек.

Я обожала слушать взрослые разговоры: в них было много непонятного, и я чувствовала себя в безопасности, потому что это совершенно меня не касалось. Под эти разговоры хорошо мечталось, и время ожидания Ташки пробегало незаметно, и можно было через распахнутые настежь окна любоваться мальвами, соснами с рыжими стволами, по которым, разыгравшись, сновали иногда белки.

— Тань, она мне говорит: «Тамара Николаевна, давайте размениваться, я хочу жить своей семьей», как будто я не приняла ее в СВОЮ семью! — горько посетовала Томочка.

— А Милен? — вздохнула Танюся.

— Милен все считает ерундой. Он вечно занят, ему не до того.

— Может, и правда не принимать близко к сердцу?

— Как же не принимать — квартиру она, видите ли, хочет разменять, в которую ее любезно приняли! И что — за Ташей она смотреть будет? Ведь ребенок на мне все эти годы. Мать постоянно то на собрании, то на совещании, то в командировке. Что это за своя семья у них, когда люди вместе не бывают?

— Да пусть живут, как хотят, взрослые уже давно, — посоветовала Танюся.

— Хотелось бы верить, что взрослые, — махнула рукой Томочка.

Она посмотрела в мою сторону и словно очнулась. Видимо, вспомнила, что при ребенке нельзя говорить о делах семейных.

— А гроза, видимо, все-таки будет, — глянув в окно, перевела Ташкина бабушка тему разговора. — Птицы другие песни запели.

— Да, в воздухе пахнет грозой, — согласилась Танюся. — Душно стало, парит.

— Окна бы надо закрыть, — произнесла Тамара Николаевна, не поднимаясь из-за стола. — Но подождем еще, а то задохнемся в четырех стенах с закрытыми окнами.

Она посмотрела на меня, словно решая, достаточно ли ловко она ушла от прежней темы, и спросила, кивнув в сторону поляны за окном:

— А ты знаешь, как называются эти цветы?

— Конечно, — с готовностью отозвалась я. — Мальвы.

— А еще как? — требовательно глядя на меня, допытывалась Тамара Николаевна.

У наших взрослых была в те времена манера внезапно спрашивать детей о чем-то, что дети по умолчанию обязаны были знать. Например, играет по радио музыка. И вдруг — быстрый взгляд в мою сторону: «А ну-ка, что это играют? Кто композитор?» И если не знаешь или называешь не того композитора, все возмущаются: «Как же так? Ты уже должна знать! Это Шопен! Разве можно Шопена с кем-то спутать?»

К вопросу о другом названии моих любимых цветов я готова не была и честно призналась, что не знаю.

— Штокроза! — торжественно объявила Томочка. — Шток — это палка, или трость, по-немецки. Получается — роза на палке. Видишь, какие они высокие? Под два метра! И как разрослись! Запомнишь? Мальва — штокроза!

— Конечно! — кивнула я. — Легко запомнить!

— Запомнишь, запомнишь, — внимательно глядя на меня повторила Томочка. — Я вот тоже все-все помню. И как учили нас в детстве, как мы уроки зубрили, помнишь, Тань? И все, что потом было... Вот, помню, как на Галином месте Сталин сидел. Юбилей Николая Ивановича отмечали. И где все это? Одни тени остались. Словно сон. Спала — видела. А проснулась — пустота. Только тени былого...

— И тех не осталось, — возразила Танюся. — Но жизнь продолжается.

Они обе вздохнули, разом. А я в этот момент увидела, как вниз по стволу сосны непривычно медленно двигается белка. Ярко-рыжая, она все-таки не сливалась с рыжим цветом ствола. Она словно светилась, горела, будто была и не белкой вовсе, а маленьким солнцем. Голоса Томочки и Танюси отдалились. Я перестала слышать, о чем они говорят. Я во все глаза смотрела на белку. Она вдруг отделилась от ствола и — дико в это поверить — поплыла в сторону нашего распахнутого настежь окна. Я завороженно вглядывалась в плывущую белку, понимая, что это, конечно, никакой не пушистый зверек. В нашу сторону, светясь и переливаясь, тихо-тихо плыло светило. Маленькое, чуть больше апельсина, оно выглядело как солнышко с картинки, но почему-то внушало парализующий страх.

«Так не бывает, — подумала я. — Мне кажется».

Мне захотелось изо всех сил дунуть в сторону шара, чтобы он рассыпался в воздухе. Но я почему-то этого не сделала. И не закричала: «Посмотрите! Что это?», хотя обычно так и поступала, когда видела что-то непонятное. Не отводя глаз, я смотрела на шар. Он уже вплыл в комнату. И тут его заметили Томочка и Танюся. Они тоже застыли, оборвав разговор на полуслове. Я краем глаза увидела, как Танюся чуть подняла указательный палец. Она всегда так делала в театре или в консерватории, когда хотела, чтобы мы вели себя тихо. Этот малозаметный жест обозначал жесткий приказ: «Молчать и не двигаться!» Но я и так бы молчала. Убежать... Ах, если бы только я могла убежать! Видимо, не одна я была обездвижена при виде плывущего к нам сияющего шара. Старшие сидели, не шевелясь.

Шар проплыл мимо Тамары Николаевны (она сидела ближе всех к окну, через которое он влетел) и направился ко мне. Я учуяла запах шара. Он пах свежестью грозы. «Жаль, Ташка этого не увидит! — пришла в голову лихая мысль. — Вот не повезло ей из-за этого дурацкого английского!»

Шар тем временем завис напротив меня. Я думала, прилично ли так пристально на него смотреть, не лучше ли опустить глаза. Тепла от него не шло, и он казался жидким, полупрозрачным, хотя шарообразная форма не нарушалась. Не знаю, сколько времени мы вглядывались друг в друга. Скорее всего, пару секунд, если мерить время обычными мерками. Но порой время растягивается до ощущения бесконечности. Наконец, шар поплыл в сторону Танюси и, ускорив движение, вылетел в другое окно.

Мы все еще сидели, оцепенев, не шевелясь, не произнося ни слова. И тут я услышала голос Тамары Николаевны, хотя губы ее не шевелились:

— Боже святый, Боже крепкий, Боже бессмертный, помилуй нас!

Никогда прежде, ни от кого и нигде я не слышала этих слов. Они поразили меня своей силой. И почти одновременно с Танюсиной стороны донеслось:

— Господи! Ничто нас не минует!

Так она сокрушалась всегда, когда у меня поднималась температура или заболевал кто-то из близких. Я услышала ее родной голос, ее привычные слова, хотя сама видела: она не произнесла ни слова.

— Что такое «Боже святый, Боже крепкий, Боже бессмертный»? — спросила я. По-настоящему, громко спросила.

И тут все будто очнулись.

Танюся ринулась закрывать окна. А Томочка стала мелко крестить область сердца.

— Что такое «Боже святый»? — повторила я.

— Откуда ты это взяла? — осторожно произнесла Томочка.

— От вас услышала! — отчаянно воскликнула я.

— От меня? Но я слова не произнесла! — Тамара Николаевна казалась ошарашенной. Такого смятения на ее лице я никогда не видела.

— Но вы же сказали! Внутри себя! — настаивала я. — А Танюся сказала: «Господи, ничто нас не минует!»

— Этого нам только не хватало! — с отчаянием воскликнула Томочка.

Но она сумела мгновенно мобилизовать всю отточенную годами дисциплину и добавила своим обычным «просветительским» голосом, которым недавно повествовала о другом названии цветов на поляне:

— Ты услышала слова молитвы.

— Но Бога нет! — повторила я то, чему нас упорно, изо дня в день учили в школе.

— А молитвы — есть, — с силой произнесла Тамара Николаевна. И замолчала.

Мне нечего было возразить. Я впервые в жизни услышала молитву и ощутила ее непостижимую мощь.

— Шаровая молния! Невероятно! И это нас не миновало! — Танюся наконец закрыла все окна и, подойдя ко мне, обняла меня за плечи. Я обрадовалась ее близости и теплу.

— Могло быть и хуже! — встряхнула седой головой Томочка. — У нас дома при первом приближении грозы все окна закрывали. А мы тут расселись, как в кино.

— И не говори, — поддержала Танюся. — Вот нам кино и устроили. Но кому рассказать — не поверят. Я закричать хотела: «Галя, не двигайся!», а слова вымолвить не могла.

— Чудо, что все так обошлось! — недоверчиво проговорила Томочка.

Издалека послышались раскаты грома. Ясный день померк. Гроза стремительно приближалась.

Со второго этажа спустились Ташка с англичанкой. Мы, героические свидетели пришествия Огненного Шара, принялись наперебой рассказывать, что тут у нас случилось, пока они занимались. Ташка неимоверно завидовала. Англичанка ужасалась и рассказывала жуткие случаи про шаровую молнию и причиненный ею урон. От нее мы узнали про огромный, два метра в поперечнике, огненный шар, влетевший в церковь небольшой деревушки английского графства Девон. Шар давно канувшего в Лету XVII века вел себя не так мирно, как наш недавний гость. Тот шар-великан стал метаться между стенами храма, выбил несколько громадных камней из стен и могучие дубовые деревянные балки, разбил скамейки, окна, потом разделился надвое. Один из них разбил окно и вылетел наружу, а второй, побушевав и убив при этом несколько человек, исчез где-то под потолком. Смертельно испуганные прихожане решили, что их постигла кара Господня за то, что два не особо рьяных посетителя резались в карты во время службы.

Нет, наш шар вел себя совершенно иначе! Он никого не собирался наказывать. Да и за что? Сидели себе тихо двое взрослых и ребенок, говорили неспешно. Хотя кто его знает. Мало ли что шару в голову бы взбрело. Нам не дано предугадать, кому и за что достанется в следующий миг.

Обсудив происшествие со всех сторон, отыскав в недрах памяти разнообразные варианты возможного поворота событий в случае дурного настроя нашего солнечного шара, все с новой силой взялись пить чай с пряниками и пастилой. Дождь лил как из ведра. За окнами из-за потоков воды не было видно ни сосен, ни мальв. Мы будто плыли по морским волнам на корабле. И мне ужасно захотелось спать. Я попросилась уйти к себе в комнату, улеглась, уснула и проспала до утра. А утром снова солнышко смотрело в окно и пели птички. Будто вчерашняя гроза во сне привиделась.

Ташка все оставшееся нам на даче совместное время расспрашивала меня о том, что я думала и чувствовала, когда поняла, что к нам летит не белка, а что-то совсем фантастическое. Я старательно повторяла свой рассказ, пока мне это окончательно не надоело. Взрослые про шаровую молнию больше не вспоминали. Во всяком случае, при нас. Тогда было принято беречь детские нервы. Да и зачем говорить лишнее? Было — и прошло. Хотя...

...Хотя огненный шар оставил мне на память свой дар. Я до сих пор отчетливо слышу, что произносит внутренний голос человека. Я даже могу вступить с ним в мысленный диалог, если очень этого захочу. Признаюсь, я вовсю пользовалась этим в школе, в тот самый момент, когда в гнетущей тишине раздавались слова учителя:

— Так... К доске пойдет...

Услышав внутренний голос педагога, произносящий мою фамилию, я мысленно внушала: «Нет, зачем? Она недавно отвечала»... И меня никогда не вызывали к доске, когда я этого не хотела!

На экзаменах я всегда вытаскивала свой заветный билет. Стоило мне подумать о ком-то, человек объявлялся. Я знала, можно ли доверять человеку и из чего он состоит. Это не спасало от боли. Как не спасает от боли и не удивляет умение видеть и слышать, хотя ведь и этот великий дар не каждому дается. Да! Это не спасает от боли, но придает жизни особую остроту. И так иногда хочется ошибиться! Сказать себе: «Знаешь, давай будем считать, что на этот раз ты не так все услышала. Или не так поняла. Плюнь и забудь. Человек может поменяться к лучшему, когда почувствует твое тепло и любовь».

Что происходит, когда не слушаешь себя, это уже совсем другая история, сияющая всеми цветами радуги, заставляющая плакать и смеяться.

А еще — с той поры я поняла, что жизнь наполнена огромным, неведомым человеку до поры смыслом, что она ждет от тебя упрямства и воли отыскать этот смысл, таящийся в каждом миге. Главное — не опускать глаза и не оставлять стараний.

ВИКТОРИЯ ТОКАРЕВА

прозаик

Существует понятие «феномен Виктории Токаревой». Он связан с потрясающей популярностью автора: ее проза интересна мужчинам и женщинам, домохозяйкам и филологам. Каждая книга Виктории Самойловны — абсолютный бестселлер. Так было в советские годы, когда ее рассказы вырезали из журналов, чтобы сохранить на память, так было в 90-е годы, на которые пришелся издательский бум писателя, так продолжается и сейчас. С чем это связано? Конечно, с талантом: она пишет только о самом важном честно, правдиво, с добрым юмором и оптимизмом. Феллини сказал о таланте Токаревой: «Какое доброе дарование! Она воспринимает жизнь не как испытание, а как благо».

ЗОЛОТОЙ КЛЮЧИК

• • •

Сейчас, с высоты возраста, я понимаю, что основное мое предназначение — литература. Но тогда я училась во ВГИКе. Мы все мечтали «выйти в производство». И я тоже мечтала быть автором поставленного сценария. Мне казалось: здесь настоящая слава.

Будучи студенткой, я нередко ездила на «Мосфильм», предлагала заявки на сценарий, но редактор Грибанов вежливо все отвергал. Он был галантный, хорошо воспитанный мужчина. А когда редактором оказывалась женщина, она отказывала по-хамски. Например, я спрашивала:

— Почему не подходит? Мало страниц?

— Страниц хватает. Мозгов мало.

Я даже помню фамилию этой «деликатной» редакторши, но не хочу говорить.

Но вот в журнале «Молодая гвардия» выходит мой рассказ «День без вранья». Спустя неделю мне позвонил Грибанов и попросил приехать на «Мосфильм». Третий этаж, кабинет 24.

Я целый час рисовала стрелки на верхнем веке, как у Нефертити. Была такая мода. И опоздала, естественно. Грибанов нервничал. Когда я вошла, обрадовался, не скрывая.

— У вас паспорт с собой? — спросил он.

Паспорт я потеряла, но сознаться не решилась. Боялась себе навредить.

— Я его дома забыла, — сказала я.

— А наизусть помните?

— Что наизусть?

— Данные паспорта.

— Помню.

— Тогда обойдемся без паспорта.

Я не понимала, в чем дело, спросила:

— А зачем паспорт?

— Будем заключать с вами договор.

Позже я узнала, что Грибанову было приказано: не отпускать меня без договора, иначе другие объединения переманят, перекупят. Поэтому Грибанов начал с места в карьер. Он вытащил бланк договора. Его следовало заполнить.

Вошел директор Шестого объединения Данильянц — пожилой армянин с опытным умным лицом.

Он произнес какие-то общие фразы, типа: мы очень рады, мы надеемся... Потом стал задумчиво смотреть в окно. В этот момент он соображал своими хитрыми армянскими мозгами, на сколько можно меня обдурить. Я студентка, не в курсе сценарных расценок, почему бы и не обдурить? Он назвал сумму: ниже низшего предела, занизил на треть.

Я обомлела. Сумма показалась мне астрономически огромной. Нереальной. Стоимость машины «Победа».

Я подписала договор. И поехала на дачу. Там ждала меня моя семья: муж и маленькая дочка.

Я показала мужу договор. Муж нахмурился. Четыре тысячи — это его двухлетний заработок. Он должен корячиться два года, чтобы заработать такие деньги, при этом не пить и не есть.

Когда деньги поступают в семью — это достаток. Но обеспечивать достаток должен мужчина, а не женщина. В том, что деньги зарабатывает жена, есть некое нарушение баланса. Муж как бы перестаёт быть хозяином и не может командовать. Может, конечно, но его не будут слушать. Главным становится держатель денег. А кто держатель — тот и хамит. Я это заметила в других семьях.

Мы только начинали нашу жизнь. Вместе спали, пропитываясь теплом друг друга, любили свою маленькую дочку больше всего на свете. Я не собиралась хамить. Главное, чтобы был достаток, а кто его обеспечивает — не все ли равно.

Мой муж был умный, красивый, из хорошей семьи. Мне нравилось на него смотреть и его слушать. Но все равно его позиция пошатнулась.

На Западе инженер — обеспеченный человек. А у нас положение инженера — ниже низшего. Такая досталась страна и такое время.

Муж посмотрел договор и отложил его на подоконник.

— Я хочу помыть голову. Полей мне воды, — попросила я.

Он согрел в ведре воду, стал поливать из ковша. Я стояла над тазом, согнувшись, раздетая до пояса. Меня бил озноб. Спина мелко дрожала, как у собаки.

— Тебе холодно? — спросил муж.

— Нет.

— А почему ты дрожишь?

— Не знаю.

Это был шок счастья. Мне удалось прорваться в производство. У меня будет фильм. Теперь мы с Симоновым из одного сословия. Не на равных, конечно, но все равно: он писатель и я писатель.

Большая радость — это тоже стресс, со знаком плюс. И организм реагирует адекватно. Видимо, происходит выброс адреналина.

Меня трясло. Начиналась новая жизнь. Пусть она начнется с чистой головой.

Я замотала голову полотенцем.

Мы с мужем вышли на улицу, сели на деревянное крыльцо. Сидели молча, наслаждались покоем. Муж был грустный.

Я вступала в новую жизнь, как будто приземлилась на другую планету. Там интересно, там таланты, другая степень свободы. Там меня отберут, и он останется без меня.

А мне ничего не страшно. Я, как Буратино, прорывалась к двери в каморке у папы Карло. Золотой ключик был зажат у меня в кулаке.

АЛЕКСЕЙ МАКУШИНСКИЙ

прозаик, поэт, эссеист, историк литературы

Вся моя жизнь — это поиски некоего сокровища. Мне кажется, что искусство — это, прежде всего, приближение к какой-то правде, к какому-то идеальному тексту, какой-то в условиях земного бытия невоплотимой красоте... Во всяком случае, к чему-то, чего мы никогда не достигаем и что, парадоксальным образом, всегда уже нам «дано», всегда уже есть, в нас и вокруг нас. О счастье поиска и недостижимости идеала мои книги.

ОСТЕРГО

• • •

Р анней весною 1994 года, как раз закончив мой первый роман, решил я поехать сперва в Гамбург, оттуда — если получится, если машина до него дотащится — в Копенгаген. Я жил тогда в Эйхштетте, баварском крошечном католическом городишке, писал, то есть должен был писать, то есть скорее не писал диссертацию, получал стипендию, тоже крошечную, подстать городишке, и машина была у меня уже к тому времени почти историческая, с тех пор исчезнувшая с дорог и улиц Европы — «Фольксваген Гольф», маленький, красненький и двухдверный, очень любивший ломаться в самый неподходящий момент, впоследствии, через год после этой поездки, погибший на автостраде «Мюнхен—Нюрнберг» (А9, как официально она именуется), одной из самых загруженных, безумных и мучительных автострад, по каким вообще приходилось мне ездить.

В тот раз я с удовольствием свернул с нее на А3, потом, возле Вюрцбурга, на А7, уже прямиком ведущую в Гамбург, через Фульду, Кассель, Геттинген и Ганновер. За Ганновером начинается тот плоский северный ландшафт, который всегда был мне милее — роднее — южногерманских гор и холмов, с их узкими, замыкающими взгляд и душу долинами. В Ганновере, гласит немецкая пословица, ты утром видишь, кто идет к тебе из Гамбурга ужинать... К позднему ужину в Гамбург я и приехал; через пару дней отправился дальше на север, уже не по автостраде — убивающей всякий ландшафт, и гористый, и плоский, — но по чудесным дорогам, аллеям, обсаженным в то время года еще голыми, топырившими на ветру свои ветки деревьями, на Гузум (*Husum*), город Теодора Шторма, и еще дальше на север, к датской границе, на *Dagebüll*. Все более плоским и северным становится здесь ландшафт, по-немецки называемый *Marschland*, бескрайняя низменность с бродящими над ней облаками, пересекаемая сложной системой насыпей, защищающих ее от моря и наводнений — первая, вторая и третья линия обороны (обо всем этом можно, в самом деле, прочитать у Теодора Шторма) — на каковых насыпях, всегда и, кажется, в любое время года — сочно-зеленых, всегда и в любое, кажется, время года пасутся овцы; они же, как объясняли мне местные люди, не просто так себе пасутся на этих насыпях, но пощипывая сочно-зеленую траву, на них растущую, своим пощипыванием траву оную укрепляют (не спрашивайте меня, каким образом...), а это, в свою очередь, укрепляет саму насыпь, линию обороны от морской, в иные дни и времена года — враждебно-буйной стихии. Будь моя воля, бродил бы и бродил бы по этим насыпям, под этими облаками; никогда не уезжал бы оттуда.

В Дагебюлле я оставил машину на огромной и пустынной парковке; на пароме переплыл на остров Амрум, где машины запрещены и где я прожил три дня в очень сельской гостинице с соломенной крышей — там все крыши такие, — в совершенно наивной, как выяснилось впоследствии, надежде, что удастся мне, в островном одиночестве, начать некий второй роман, уже давно мною задуманный (сколько мучений эта второй роман мне доставит впоследствии, я еще и подозревать, конечно, не мог...). Во время отлива можно пешком дойти до соседнего острова (*Föhr*) по обнажившемуся вязкому дну, в складках которого любители фауны и флоры ищут свои редкие ракушки, свои вонючие водоросли; можно ничего этого не делать, а просто бродить по бескрайним дюнам, с морской, открытой ветрам стороны острова, по дощатым гатям и между кустиками колкой серой травы, глядя на вновь и вновь, за одним холмиком и за другим изгибом тропинки открывающийся водный простор.

Как только я пересек датскую границу, машина стала шалить, бастовать, барахлить; похоже, она не вынесла, так я думал, трехдневного моего отсутствия; просто, может быть, соскучилась стоять на парковке, в полном одиночестве, на морском неумолчном ветру. Я все-таки еще ехал, сначала просто вдоль линии берега и все дальше на север, до прелестного, кирпично-булыжного городка Рибе, затем повернул — по карте: направо — на Колдинг, на Одензе и на Нюборг. На карте Дания маленькая; в действительности в ней уже чувствуется огромный северный простор, как если бы все то пространство, по-прежнему очень плоское и, как правило, очень пустое, которое ты видишь из окна машины, было только началом еще какого-то другого пространства, огромнейшего, пустыннейшего, уже окончательно необитаемого, уже никакого отношения не имеющего к человеку, его судьбе, его — ломающейся — машине. Еще не достроен был знаменитый мост между Нюборгом и Корзером, так называемый Большой Бельтский мост, самый длинный в Европе; с парома я видел, как он строился, этот мост; и это было зрелище удивительное, навсегда оставшееся в памяти, пилоны, ванты, вдруг обрывающийся настил — и затем уже только пилоны, громады этих бетонных пилонов, восстающих из серой воды как некие мифологические существа, каждое само по себе, в своем божественном одиночестве. В скандинавской мифологии, как известно было некоторым любознательным подросткам, чтение Старшей и Младшей Эдды предпочитавшим решению ненавистных задачек, ненавистной математичкой заданных на дом, было, помимо Одина, еще двенадцать богов, заучить имена которых в двенадцать лет не представляло никакого труда: Тор, Бальдр, Хеймдалль, Локи, Фрейр... нет, теперь уже не могу их всех вспомнить, и стоя в тот солнечный день на пароме, под ветром скальдов, тоже, увы, не мог. От Корзера до Копенгагена уже совсем близко, раз — и доехал.

В Копенгагене был — и есть — у меня знакомый философ, Йенс-Петер К., философ — в современном смысле этого слова, конечно, то есть историк и преподаватель философии, не претендующий, похоже, на оригинальность (что, в общем, грустно...), классический скандинавский блондин, с прозрачными, глубоко посаженными, меланхолическими глазами, Йенс-Петер, с которым, в бытность его в Эйхштетте ассистентом, сошлись мы, я полагаю, потому что поразил я его своим знаньем, чьим тезкой он является — Йенса-Петера Якобсена, понятное дело, прекрасного датского писателя, главный (из двух) роман которого («Нильс Люне») Райнер Мария Рильке, например, называл чуть ли не любимой своей книгой (наряду с Библией, ни много ни мало), о чем в юности прочитал я в его, рильковских, «Письмах молодому поэту», после чего разыскал, разумеется, Якобсена, сперва в русском, потом, в Германии, в знаменитом немецком переводе, каковые переводы и читал с немалым наслаждением и немалой для себя пользой. Все это я Йенсу-Петеру и рассказал, глядя в его прозрачные, скандинавские, меланхолические глаза, — после чего, к обоюдному, смею полагать, удовольствию и с немалой, опять-таки, пользою для меня, профана в этих материях, случалось, рассуждали мы с ним, за чашкой кофе в кафетерии, об экзистенциализме и герменевтике, о Максе Шелере и о Ясперсе, заодно уж и о более мне понятных предметах, о том же Якобсене, его двух романах, его влиянии на Рильке, на Томаса Манна, покуда тезка великого автора не отбыл, наконец, на их общий магический север. Он, кажется, всерьез не верил, что я приеду, приглашая меня при случае погостить у него в Копенгагене; сумел, впрочем, скрыть свое удивление, когда я действительно позвонил с сообщением, что — еду, что — скоро буду.

Я доехал, действительно, хотя по самому Копенгагену ехать было уже страшновато — на каждом светофоре, едва я отпускал газ, мотор глох, и негодующие водители гудели мне, протестуя. По городу же кружил я довольно долго — навигаторов еще не было и в заводе, — прежде чем добрался, создав несколько аварийных ситуаций, до Йенс-Петеровой квартиры, примечательной не столько тем, что вся она (включая кухню, тем более включая уборную) завалена была книгами (ничего другого я от философа и не ожидал), и даже не беспорядком, в ней самодержавно царившим (от холостяка тоже не ждешь ведь другого), сколько тем, что располагалась на двух этажах — из, собственно, квартиры (заваленной книгами) скрипучая лестница вела на чердак, где оборудована была гостевая комната (заваленная книгами тоже) с пыльной тахтою и круглым волшебным окошком, из которого видны были мачты парусников, видна была гавань... Копенгаген, в моем первом к нему приближении, показался мне похожим на Петербург, прямые улицы, как будто прочерченные той же самой, у Петра взаймы — или Петром взаймы — взятой линейкой, вода и снова вода, дворцы, каналы и гавань, запах моря, северный свет. Да, Петербург, я думал, но Петербург все же благополучный, без того как бы добавочного измерения, той метафизической перспективы, которая в северной нашей столице так отчетливо проступает за прекрасной поверхностью, без достоевских преступных дворов, без провалов в бездну и в вечность, без блоковского темного морока за углом и за поворотом...

Был день рождения королевы, как выяснилось. Королева Маргрете Вторая (к тому времени уже двадцать два года как королевствовавшая; она и до сих пор королевствует) по такому случаю с балкона своей резиденции обращалась к ликующему народу. Народ стоял на площади, и королева обращалась к нему. Был караул в высоких мохнатых шапках, были дети на плечах у родителей, размахивавшие маленькими датскими флагами, была военная музыка. Да здравствует Дания! — провозгласила королева. Ура! — закричал народ. Да здравствует Дания! — опять провозгласила королева. Ура! — опять закричал народ. Да здравствует Дания! — в третий раз объявила королева. Ура! — в третий раз ответил народ. Хорошо, наверное, быть подданным просвещенного монарха, просвещенной монархини. Монархиня удалилась; потом опять вышла; поклонилась ликующим подданным; кому-то отдельно кивнула; кому-то отдельно улыбнулась; еще кому-то, продолжая улыбаться, отдельно помахала рукою; удалилась опять. Она, получается, была знакома с теми, кому кивала, кому улыбалась? А почему бы, я думал, и не могло у нее быть знакомых на этой площади? Страна маленькая, всего-то шесть миллионов жителей, из них — миллион жителей Копенгагена. Невозможно знать в лицо миллион человек. А все же было что-то трогательно домашнее во всей этой сцене. Вот мой народ, вот стоит фру Йохансен, а вот герре Петерсен. То же и в отношении народа к Ее Величеству. Вот наша гавань, вот наш музей, вот наш самый длинный в Европе мост, а вот наша королева, вон там, на балконе... Что нужно для единения нации? Все знают, какое пирожное ест в этот день — хочется написать: изволит есть — изволит вкушать — Ее Величество; все дети и большая часть взрослых едят в этот день такое же; верноподданные взрослые, верноподданные дети. Я тоже его, понятное дело, попробовал, в своем качестве любознательного путешественника. Пирожное как пирожное;

в меру сладкое; с королевским гербом, глазурью выведенным на поверхности.

А вечером я снова шел через эту четырьмя одинаковыми дворцами образованную королевскую площадь — *Amalienborg* — и там не было никого, на этой площади, лежавшей передо мною булыжной и мерцающей гладью, пустым и чистым пространством; вообще никого, кроме все тех же часовых, в тех же мохнатых шапках, так же стоявших навытяжку перед каждым из четырех дворцов. Один из этих часовых оказался эскимосом — из Гренландии, датской, как известно, колонии. Стоял он так же неподвижно, так же — всерьез, как все остальные, а все-таки выглядел еще комичнее, чем все прочие, со своим детским, плоским лицом. Два часовых пошли вдруг, чеканя шаг, навстречу друг другу, поменялись местами, застыли. То был театр не для меня, единственного их зрителя, но честный, бессмысленный, бескорыстный театр для себя (я подумал), смешной и ничтожный, как все ритуалы.

В первой же мастерской, куда на другой день я заехал, мне сообщили, очень вежливо и спокойно, даже, пожалуй, радостно, на чистом английском, что это — карбюратор, *You understand? carburator*, ничего страшного, *it's not so bad*, приходите так недельки через две, мы с удовольствием все починим. Как через две недельки? через какие еще две недельки? Я через три дня уезжаю. Ах, в самом деле? Ну, ничего страшного, *take it easy, it's not so bad*, поезжайте вот по такому адресу, там большая мастерская, они все сделают, до свиданья. А, карбюратор! *carburator,* вы понимаете? говорит мне в большой мастерской улыбающийся и чем-то очень довольный механик, вы же понимаете, *carburator*? Да понимать-то я понимаю, говорю я, уже чуя недоброе. Нет, я просто так спрашиваю, отвечает механик, а то у вас в Германии это называется каким-то странным словом, а *strange word, Ver-ga-ser*, или что-то такое. Да, *Vergaser*, только я не немец... А номер у машины немецкий. Номер-то немецкий, но я не немец, я русский. Ну, ничего страшного, *it's not so bad*, а приходите-ка этак недельки через две-три... ах, надо раньше? ничего страшного, *take it easy*, а вот поезжайте-ка по такому адресу, там маленькая мастерская, работы у них — кот наплакал, скажите, что я вас прислал. Хорошо, еду и в маленькую, причем мотор глохнет на каждом перекрестке и перед каждым, соответственно, светофором под яростные, или насмешливые, гудки всех прочих водителей. О, говорит улыбающийся механик, замечательно, *how nice*, эта машина — бомба, *this car is a bomb*, она может в любую минуту взорваться, но вы не расстраивайтесь, это карбюратор, вон, смотрите, из него бензин вытекает, *take it easy*, недельки так через три... Что? в Германии вам бы сразу все починили? так то в Германии, вы, немцы, известное дело... Ах, вы не немец? вы русский? *It's not so bad*, постарайтесь все-таки доехать до Германии, хоть до Любека, что тут ехать, плевое дело. Да как же ехать, если машина может взорваться? Ну да, может взорваться. А может и не взорваться. Поезжайте осторожненько, потихоньку, полегоньку, резко не тормозите. Главное, *take it easy*.

Пускай взорвусь я, сказал я себе, но в Гельсингер, место действия «Гамлета», я все-таки съезжу, будь что будет, мне уже все равно. И если осторожный Йенс-Петер не поедет со мною, то пускай и не едет, доеду как-нибудь сам, потихоньку и полегоньку, резко не тормозя. Все идет сплошным потоком в жизни, важное мешается с пустяками, как мешаются и мысли у нас в голове, мысль о Гамлете, мысль о сломавшемся «Гольфе». Ну, глохнет же, глохнет мотор на любом светофоре, а все-таки я увижу, вот сейчас, «Эльсинорских террас парапет», все-таки, вот сейчас, попробую представить себе, что вон за той портьерой прятался несчастный Полоний... Террасы там есть, парапета я не нашел. В самый замок, впрочем, меня не пустили — я приехал слишком поздно (все из-за карбюратора). Но сама дорога все же — была, шла вдоль моря — вдоль зунда, серым блеском отливавшего на апрельском солнце — и в городке, Гельсинге-ре, обнаружилась своя собственная гавань, лодки, в ней качавшиеся, стукавшие друг о дружку бор-тами, скрипевшие своими канатами, обнаружи-лись узкие булыжные улички, затем опять — море, какие-то большие камни, и на другом берегу — уже Швеция, уже Гельсинборг, совсем близко, и снова мачты, опять корабли. И больше всего хотелось мне, конечно, переплыть через зунд на пароме и по шведскому берегу поехать просто дальше, все дальше и дальше на север, в неведомые, пустын-ные, мифологические пространства.

Ни о чем подобном и речи быть не могло, надо было как-нибудь суметь без аварии в Копенгаген вернуться. И конечно, я был рассеян, расстроен. Что ему Гекуба, что он Гекубе? Что мне Гамлет, если машина моя не едет? Суета сует наша жизнь, и человек — квинтэссенция праха... То есть она, по-вторяю, ехала, эта машина; она отказывалась сто-ять с включенным мотором; подлейшим образом глох мотор сей, едва я переставал нажимать на газ. По-немецки же карбюратор и в самом деле зовется *Vergaser* — не столько странное, сколько страшное слово: vergasen, превращать в газ, имеет, увы, еще и совсем другое, чудовищное, значение — убивать газом, — значение, о котором не хочется думать, о котором все-таки думаем мы (все идет, еще раз, сплошным потоком и в жизни, и в мыслях...) на об-ратном пути из Гельсингера в столицу. А ничего нельзя сделать, по-немецки карбюратор называл-ся так с тех самых, уже давних, пор, как Николаус Отто изобрел двигатель внутреннего сгорания; и никто, конечно, не стал его переименовывать после войны. Сколько слов в немецком языке пришлось бы вообще поменять, чтобы избавить-ся от воспоминаний о нацизме? Что датский ко-роль во время немецкой оккупации надел желтую звезду, это, кстати, благочестивая легенда; а вот что Кристиан Десятый (дедушка Маргреты Вто-рой — и самый высокий король в истории Дании; рост его равнялся одному метру девяноста девяти сантиметрам) вообще вел себя достойнейшим образом, каждое утро без оружия и охраны совершал конную прогулку по улицам своей покоренной, но не сломленной столицы, показывая благодарным подданным, что еще он есть и Дания не погибла, — исторический факт, засвидетельствованный многократно; когда же красный нацистский флаг повесили над Кристиансборгом, местным парламентом, приказал немецкому генералу немедленно его снять, заметив, что если приказание выполнено не будет, то флаг этот снимет датский солдат — на что генерал, понятное дело, ответил, что солдата сразу застрелят, на что король, в свою очередь, объявил, что — вряд ли, поскольку этим солдатом будет он сам, Кристиан Десятый. Флаг сняли, и это, как я прочитал в путеводителе, не легенда, а быль. А с другой стороны, я думал, все эти прекрасные жесты были возможны лишь милостью победителей. В Польше и в России монстры вели себя по-другому; в датчанах видели все же арийцев, собратьев по скандинавской мифологии, сопочитателей Тора и Одина.

Возобновив, теперь уже вдвоем, автомобильную одиссею, по второму кругу (ада), в надежде (не сбывшейся), что Йенсу-Петеру удастся уговорить соотечественников отложить свое спокойствие в сторону, оставить свое *take it easy* и починить, наконец, злосчастный мой карбюратор, пустились мы, как некогда, в путаные философические рассуждения (так уж, похоже, надоело нам обоим говорить и думать о карбюраторе), причем не, прошу заметить, о Кьеркегоре. А почему, собственно, мы должны были говорить о Кьеркегоре? А потому, с неподдельной горечью ответил Йенс-Петер, что всякий, кто приезжает в Копенгаген, считает своим долгом говорить с ним, Йенсом-Петером, о Кьеркегоре, так что он, Йенс-Петер, прямо-таки благодарен мне, чуть ли не первому из приезжих, кто о Кьеркегоре с ним говорить не пытается. Лучше уж, в самом деле, о карбюраторе... А я никогда ничего не мог понять в Кьеркегоре;

еще в прекрасную пору советской юности, когда все хиппи с Тверского бульвара, все прелестницы с Чистых прудов исключительно о Кьеркегоре и рассуждали, безнадежно терялся в их рассуждениях, искал прибежища у Бергсона, в крайнем случае отбивался Бердяевым. Зато Йенс-Петер, в благодарность, видимо, за безкьеркегорность нашей с ним карбюраторной одиссеи, принялся, по пути из третьей мастерской в четвертую мастерскую — где снова, с северным упорным спокойствием, посоветовали нам, во-первых, *take it easy*, во-вторых, прийти через две с половиной недели, а раньше никак не получится, *it's not so bad* — пересказывать мне, любознательному, хотя и не профессиональному слушателю, как раз сочиняемую им статью о понятиях бытия и зрения, или видения (с ударением на «и»), *das Sein und das Sehen* (мы говорили, разумеется, по-немецки). Получалось так, или так я понял Йенса-Петера, в той мере, в какой вообще мог понять его, отвлекаемый автомобильными мыслями и при общем моем невежестве в философических туманных материях, — как-то, значит, так у него получалось, что для древних быть значило — быть видимым, то есть быть вообще видимым, войти в область видимости, открытости, не-закрытости, истины, алетейи (алетейя, истина, буквально и переводится как — не-закрытость, поведал мне Йенс-Петер, ссылаясь на Гейдеггера). Для средневековой же философии, узнал я, когда мотор наш заглох на очередном светофоре, быть тоже значило — быть видимым, но не просто и вообще видимым, а быть видимым — Богом. Ты есть, потому что Бог тебя видит, и я тоже есмь, поскольку Бог видит меня. А вот для философии новой, или так, еще раз, понял я Йенса-Петера по пути из четвертой мастерской в пятую, уже последнюю, уже окончательно безнадежную мастерскую, для новой, или так понял я, философии, с ее решительным разделением мира на субъект и объект, этот последний (объект) снова есть, поскольку он зрим и видим (субъектом; *esse est percipi*), субъект же есть, поскольку он — видит, поскольку, в своей противопоставленности объекту, он этот объект — видит, наблюдает, изучает, созерцает, разбирает, переделывает, создает заново; бытие — это видение; *Sein ist Sehen*. С такими рассуждениями невозможно ни согласиться, ни не согласиться; можно только принять их к сведению, попытаться продолжить, продумать, когда-нибудь возвратиться к ним... лет через двадцать.

Дальше события развивались так. Йенс-Петер, очевидно решивший меня спровадить — в глубине, похоже, души испугавшийся, что я и в самом деле проторчу у него две недели, хотя я вовсе не собирался этого делать, — начал бурно звонить по телефону, одному знакомому, другому и третьему, третий, в свою очередь, стал звонить, уже за кадром, четвертому, тот — пятому, пока не обнаружился среди всех этих знакомых некто по имени Остерго — что же это за имя такое? а это не имя, это фамилия, имени, сказали мне, у него нет, то есть оно, наверное, есть, но никто его не знает, этого имени, все называют Остерго по фамилии, именно — Остерго; вот этот-то Остерго, как выяснилось — механик, механик, впрочем, вовсе не автомобильный, но — авиационный, специалист по «Боингам» и мастер на все руки, вызвался — если, конечно, получится — сыграть в моей истории благодарную роль ангела-спасителя. Чудеса случаются и в будни дни; но все-таки в воскресенье происходить им, я полагаю, привычнее. По воскресеньям Копенгаген пустынен, скучен, как все европейские города. Я должен был ждать таинственного Остерго на вымершей, совершенно безлюдной — ни одного человека, кажется, так и не появилось на ней — улице, с одинаковыми, плоскими, желтыми, вытянутыми, какими-то казарменными домами, облитыми, с одной стороны, весенним, еще не жарким солнцем, с другой — погруженными в синюю, колеблемую ветром тень. Таинственный Остерго оказался пузатым дядькой лет под пятьдесят, с одним из тех лиц, которые вызывают воспоминания о чурбане и топоре, с грубо высеченным носом, наскоро сработанным подбородком, насечками примитивных морщин. Он мрачно выслушал мою трагическую историю, после чего перестал обращать на меня внимание, заглянул в мотор, вздохнул, переоделся в синий, в масляных пятнах, комбинезон с надписью *SAS* — и сделался катастрофически похож на Карлсона, того самого, который живет на крыше. Тот ведь тоже летал... А моя машина не полетит? Не полетит, ответил он мрачно. Улыбаться явно он не умел, *take it easy* не говорил. Сердито сопел, пыхтел во всю мощь; стирал пот с низкого, в топорных морщинах, лба; извлек, наконец, из дебрей мотора ту самую роковую деталь, из-за которой все беды и были.

Меня всегда поражало в технике несоответствие причины и следствия. Мотор глохнет, как только я отпускаю газ, перед каждым светофором возникает ситуация, с позволенья сказать, аварийная, вообще машина — бомба и в любую минуту может взорваться — а все дело, оказывается, в какой-то резинке, отстающей от какой-то маленькой железной штучки, двумя болтиками и двумя гайками привинченной к какой-то другой железной штучке, побольше. Вот эту деталь и следовало заменить. А взять ее было, конечно, негде, в воскресенье тем более. Но в воскресенье чудесам случаться сподручнее. Я ее просто сделаю, объявил Остерго (как субъект новой философии, разбирающий и заново создающий объект; этого он не сказал...); да, сейчас поеду домой и деталь эту просто сделаю, повторил Остерго, с видом уже мрачнейшим, философичнейшим; жди меня здесь, только смотри — не отходи никуда.

Я, конечно, его не послушался; из одной скучной улицы свернул в другую, не менее скучную, вдруг вышел на канал, почти венецианский, с биением волн в каменный фундамент кирпичной церкви, и на канал другой, широкий, с кирпичными стенами каких-то старинных складов.

Я пытался представить себе, как ходил по этим улицам, смотрел на эту серую воду, слышал этот крик чаек — Йенс-Петер Якобсен, прекрасный писатель, так рано умерший от чахотки (как в девятнадцатом веке все они умирали...), автор «Нильса Люне», романа, который несколько раз читал я по-русски и по-немецки, который снова перечитал перед поездкой в Данию, — и как ходил по этим улицам, вдоль этих каналов сам Нильс Люне, трагический герой этого единственного в своем роде «романа воспитания», понемногу перетекающего в «роман поражения», в роман о поражении, крушении, утраченных иллюзиях и не осуществившихся надеждах, — как он шел здесь — или где-то здесь — ночью, в начале книги (место незабываемое...), только что впервые влюбившись — или поняв, что влюбился, — на ходу застегивая перчатку и вместе с тем сознавая, что еще никогда в жизни перчатку так не застегивал, так тщательно, с такой уверенностью в себе, с таким ощущением значительности всего, что он делает... Это одна из тех (небольших по объему) книг, которые хочется опять и опять перечитывать, потому что после каждого перечитывания мы остаемся с чувством, что не поняли в ней чего-то, не дочитали, не дочитались в ней до самого главного — чувство, мне кажется, происходящее от того, что удельный вес каждого места, каждого описания и каждой сцены здесь чуть больше, чем обычно бывает в прозе, даже в великой прозе, что удельный вес этот приближается к поэтическому, не потому приближается, что в книге есть места, условно и ужасно говоря, «поэтические» (они, конечно, есть, их даже довольно много, и в них бывает, увы, некая декадентская выспренность, всерьез принять которую уже не легко) — а, как раз наоборот, потому, что эта проза в высочайшей степени выполняет пушкинское (автору наверняка неведомое) требование мысли и мысли; именно мысль, иными словами и парадоксальным образом, создает здесь ощущение сжатости, напряжение стиля и концентрацию слога, родственные поэзии. Что не исключает, конечно же, меланхолии. Есть особенная меланхолия позднего девятнадцатого века, позднего мира, осознающего свое увядание, свою усталость, меланхолия мира, в котором все еще по видимости в порядке, но в котором уже нет иллюзий, мира, которому еще только предстоит самому себе ужаснуться... Эти мысли могли, конечно, увести меня далеко; я вовремя опомнился; вовремя возвратился.

Остерго тоже прибыл вовремя, через два часа ровно; в своем синем комбинезоне по-прежнему похож был на Карлсона. Не слетал ли он в родной Стокгольм за спасительною деталью, резинкой и железякой? Я все-таки не решился задать ему этот, для меня важнейший, вопрос... Прошло двадцать лет, и никаких шансов нет у меня когда-нибудь снова встретиться с этим толстым ангелом в промасленном комбинезоне. А как хотелось бы! Тогда я не думал об этом. Тогда мне хотелось, чтобы он улыбнулся. Мне больше хотелось, чтобы он улыбнулся, чем чтобы он уже починил, наконец, злосчастный мой карбюратор. Плевать, в конце концов, на карбюратор, я думал. Ну, в самом крайнем случае, просто брошу машину в Дании, вернусь в Баварию поездом или найду попутку, какая разница? Усилия мои не имели успеха... Его собственный успех произвел, однако, столь мне желанное действие. Когда выяснилось, что деталь приходится машине по вкусу, мотор заводится и, главное, при отпускании газа не глохнет, тогда, наконец, подобие улыбки появилось на его грубых губах, тогда даже — мельком — он посмотрел на меня и произнес, не без торжественности: старые машины, большие проблемы! *Old cars, big problems...* Садись, проедемся, я поведу. Он, видимо, чувствовал себя за штурвалом самолета, не за рулем машины. И вообще не пристало ангелу, Карлсону соблюдать правила дорожного движения. Он привык летать, с пропеллером или без, ему ли думать о светофорах? Мы и летели, по улицам, потом по автостраде, в воскресенье, на счастье наше, тоже не перегруженной, потом мы вдруг тормозили, под возмущенные гудки других водителей и прочих машин, потом опять разгонялись, потом опять тормозили... Машина, может быть, теперь не взорвется, но переживем ли мы эту ангельски-авиационную манеру езды? Денег он не взял. Вот фонарь, произнес он — и снова не без торжественности. Возьми его, он тебе пригодится. Что значит — нет? У меня два фонаря, сообщил он, предъявляя мне оба. Мне второй фонарь не нужен, а тебе пригодится. Если мотор будет глохнуть, посветишь вот здесь, подкрутишь вот эту гайку... Что значит, не сумеешь? Это даже ты сумеешь, *even you*, вот здесь посветишь, а вот здесь подкрутишь, вот так. Главное — не позволяй этим немцам менять весь карбюратор целиком, пускай деталь мою заменят, а карбюратор в порядке. А то знаем мы этих немцев, им лишь бы денег содрать. Денег — нет, денег он — не возьмет. Не почему, а просто не возьмет он никаких денег. Уже не мельком, но в упор и внимательно посмотрел он, наконец, на меня. *Take it easy*, сказал он.

Я поехал другим путем в Германию, паромом из Редбю в Путтгарден; я помню толпы туристов, набрасывавшихся на беспошлинные товары, которые можно было тогда купить на этом пароме, в остервенении жадности хватавших виски, коньяк и «Мальборо» (не пачками, понятное дело, а блоками), какие-то датские морские паштеты в банках и тюбиках (Йенс-Петер тоже имел привычку на завтрак поедать что-то остро пахнущее морем и водорослями, выдавливаемое из тюбика на сухой ломкий хлебец), и еще какие-то паштеты другие, в тюбиках и банках других. Между тем море светило всем своим блеском вокруг нас, все переливалось, все искрилось под северным солнцем, и я чувствовал себя, стоя на палубе, одновременно частицей этого сиянья и блеска, этой всеобщей зримости, этой своими зеркалами, своими искрами играющей алетейи, и чувствовал себя увиденным, вместе с этим миром и морем — кем-то, я, конечно, не мог бы сказать кем именно, и в то же время чувствовал себя тем, кто — видит, тем философским субъектом, без которого и в самом деле не существует, может быть, ни этих волн, ни этого неба.

АННА МАТВЕЕВА

прозаик, журналист, редактор

В детстве я мечтала (недолго) стать космонавтом, а потом (довольно долго) — оперной певицей. Ни то, ни другое не сбылось, удалось разве что встать с космонавтом рядом, когда вручалась премия «Большая Книга»: Алексей Леонов лично утешал меня, обойденную наградой, и я это никогда не забуду. А опера всегда где-то рядом — до сих пор снится, что я стою на сцене и надо петь. Сочинительство — космос и музыка разом, и слава Богу, что детские мечты сбылись таким причудливым образом. Впрочем, они всегда сбываются причудливо, по крайней мере, так происходит у меня. И слава Богу!

ХОТЕЛ

* * *

Как летела, не помню — кажется, спала и во сне отмахивалась от мокрого сэндвича, какие с недавних пор дают вместо обеда на борту. И там же, не просыпаясь, принимала таблетки по схеме — антибиотик, пробиотик, иммуностимулирующее и противовирусное, что-то от кашля и насморка, витамин C, в общем, все, что выписала мне позавчера докторша из поликлиники — трогательная тощая девочка в бумажном наморднике (в моей сумке таких целая пачка). Я позвонила в поликлинику, промучившись три дня свирепым гриппом.

— Лидия Григорьевна до вечера придет, — по-домашнему сказали в регистратуре, и громко чихнули в знак подтверждения. Грипп хозяйничал в городе, как еще один сити-менеджер. А мне послезавтра улетать.

Лидия Григорьевна явилась к пяти часам. Лица не увидать — наполовину скрытое бумажной повязкой, наполовину — стрекозьими очками. На голове — пушистая шапочка, поверх истасканных сапог — голубые, в цвет весеннего неба, бахилы. Носится, бедненькая, по вызовам с утра до вечера, света белого не видит, неба весеннего не видит...

Я делала все, что велела докторша — открывала рот, задерживала дыхание, поворачивалась, дышала ртом, одевалась, ложилась.

— Лететь в таком состоянии нельзя, — заявила Лидия Григорьевна, воинственно шелестя рецептурными бланками.

— Но мне в Париж... Вот вы бы на моем месте... — я сказала это, и тут же раскаялась, потому что докторша вдруг вспыхнула изнутри, вся наполнилась ярко-розовым светом, который проникал даже сквозь очки и повязку.

— В Парииииж... — Лидия Григорьевна тянула это слово, как дети тянут на спор единственную ноту, подпрыгивая и дрожа всем телом на последних секундах. — В Париж я бы даже с аппендицитом, но вот вам не рекомендую! Да, в легких чисто, но температура держится, и вообще, вы слабенькая, видно же. Ладно, — сжалилась докторша, поправляя на голове шапку, — выпишу вам лечение по полной программе. У вас ведь еще один день? Отлежитесь, поправитесь, и полетите в Парииииж...

В аэропорт со мной поехала мама — как всегда.

— По-моему, это большая ошибка, — сказала я маме.

— Возможно, — ответила она, — но я бы на твоем месте тоже полетела.

Когда я получила отметку в посадочном талоне и оглянулась на прощанье, мама смотрела на меня уже не так спокойно, как минуту назад. Но нельзя же бегать через Рубикон туда-сюда.

Последнее, что я помню отчетливо — очередь на досмотр. Передо мной стоял мужчина в короткой, узкой ему рубашке — когда он поднял руки в кабине, рубашка задралась, предъявив круглый, волосатый живот. Дальше воспоминания были смазанными, как фотоэтюды девяностых — вот я сижу перед выходом на посадку в Кольцово, и почти сразу же — пристегиваю ремень безопасности на время взлета, а потом оказываюсь в Шереметьеве, нахожу очередной выход на посадку и снова пристегиваю как будто бы тот же самый ремень. «Все туалетные комнаты оборудованы детекторами лжи», — так говорит в моей голове стюардесса про детекторы дыма. Не помню, как летела до Парижа, кто сидел со мной рядом, но последнюю порцию таблеток, кажется, проглотила в полусне, когда командир корабля объявил посадку в аэропорту Шарль де Голль.

Впервые я приехала в Париж в 1995 году, в составе туристической группы. Чтобы сэкономить «на проживании», пригласила с собой полузнакомую молодую женщину с видимыми золотыми коронками на зубах и одной невидимой — но очень большой! — короной на голове. Мы разругались с ней первым же парижским вечером. «Хочешь с кем-нибудь поссориться, позови с собой в дорогу», — так говорила моя бабушка, но в 1995 году я ее, конечно же, не слушала. Поселили нашу группу в изножье Монмартра, в скромнейшем отеле неподалеку от станции метро Anvers. Заведение наскребло на две «звездочки», хотя вторую, скорее всего, дали из милости. Бурая занавеска в душевой кабине, пыль на прикроватных тумбочках, узкая спиральная лестничка, по которой я втаскивала наверх громыхающий чемодан... Денег у меня почти не было, приходилось выбирать между обедом и музеем, ужином и подарком для мамы, поэтому я там, в первом своем Париже ела исключительно завтраки — распиленный напополам багет с вареньем царапал горло хрустящей корочкой, приходилось налегать на кофе с молоком и ядреный апельсиновый сок из пакета, а круассан я заворачивала в салфетку и уносила с собой, на обед. Из той же экономии (не только потому что это выглядело дикостью) отказалась от похода в аквапарк, непонятно с какой целью включенного в программу пребывания. Милая семья из Питера — пожилые родители и двадцатилетний сын, довольно редкое в среде туристов сочетание — очень расстроились, узнав, что я не приму участия в общем веселье. Полненькая мама решила, будто у меня нет купальника — и настойчиво предлагала мне свой запасной, пока сын не возмутился:

— Мама, ты сравни, какой размер у тебя и какой — у Ани!

Тут уже возмутился папа, со слезами на глазах прочитав сыну лекцию, начинавшуюся словами: «Всегда помни, сынок, о том, какая у тебя красивая мать...». Я под шумок сбежала из лобби (впервые услышала это слово в тот самый день) на улицу, поднялась пешком на холм и гуляла до самого вечера, стерев ноги в кровь и заблудившись. С трудом нашла дорогу к своей улице (как любой приезжий, я присваивала Париж по мелочам, но неуклонно). Вечером в коридорах отельчика густо пахло хлоркой и мокрыми полотенцами. Почему-то я это хорошо запомнила — может, оттого, что к этому запаху добавилась уверенность в том, что я никогда больше не вернусь в Париж: иного тогда ничто не предвещало. (И еще я запомнила, как сердился глава той семьи во время экскурсий, когда все любовались Парижем — обиженным голосом повторял, что Ленинград ничем не хуже...)

Потом я жила в Париже в самых разных отелях. Останавливалась в напыщенных пятизвездниках с видом на Лувр или башню, в апартаментах, упрятанных в глубине торговой галереи на Елисейских полях, ночевала в странном трехкомнатном номере на улице Тильзит и не менее странном двухэтажном помещении на улице Монпарнас. Карта города, приди мне в голову воткнуть в нее булавки, дабы отметить постой за последние двадцать лет, ощетинится не хуже дикобраза. Крошечный занорыш на Левом берегу, где меня встретили сразу двое — портье с подбитым глазом и полудохлая мышь. *Chambre de bonne* в Батиньоле, у вокзала Пон-Кардине, — туалет там был общим на три комнаты, посреди каморки стояла душевая кабина, а умываться надо было над кухонной раковиной... В холодильнике мои предшественники оставили гигантский салатный огурец, формой и одиночеством отсылавший к Фрейду, а за стеной буянили пьяные китайцы, празднуя свой редкий выходной. Гостиничные хоромы у Пале-Руаяль разительно контрастировали с этим жильем — там было тихо, просторно, уютно, лишь самую малость припахивало погребом, зато имелось целых два окна, выходивших во внутренний дворик с кашпо и статуями. В номере арт-отельчика близ Бастилии не было кровати, ее заменял матрас в японском стиле — и еще там было так холодно, что у меня замерзал нос во сне, и вскоре я стала ложиться спать с двумя пластиковыми бутылками, наполненными горячей водой из-под крана. Одна бутылка лежала в ногах, как собачка у надгробной королевы, вторая — под подушкой, но обе одинаково гремели, булькали и, к сожалению, остывали к утру как покойники. В отеле с видом на башню меня попытались обсчитать, в резиденции на Сент-Оноре я узнала дурные новости, а в комнате рядом с аукционным домом на Ришелье-Друо была самой счастливой в мире, и до сих пор могу вызвать на пару секунд солнечный блик того недельного счастья — ну или хотя бы вспомнить, каким оно было, я извиняюсь, упоительным.

Куда булавка воткнется сегодня, я знала лишь примерно — поездку организовали французские коллеги, всех участников мероприятия должны были встретить в аэропорту и развезти по отелям, как почту. Приблизительный адрес — Левый берег, неподалеку от Люксембургского сада. «Люкса», как я называла его следом за всеми чужаками, которые предъявляют права на Париж, пытаясь «пометить» его путем множества примерок. Занятие сколь приятное, столь же и бесполезное.

Мы с гриппом вылезли из самолета последними. Я снимала бумажный намордник только для того, чтобы глотнуть на секунду воздуха или предъявить свое лицо сотрудникам пограничной службы. И, конечно же, я сняла его, увидев женщину с нужной табличкой в толпе встречающих. Рядом стоял пожилой мужчина растерянного вида — он был одет в очень новые вещи, и чемодан его был явно куплен по поводу поездки.

— Это ваш коллега из N. — сказала женщина. — Вы не возражаете, если мы дождемся еще одного рейса, через час? Там прилетят другие участники, и мы поедем в Париж всеми вместе, — женщина была француженкой и говорила по-русски хорошо, но неуверенно, как будто шла по льду на высоких каблуках.

Человеческое тщеславие непобедимо: даже грипп этой заразе нипочем. Да пока вы ждете этот рейс, я сто раз доеду до Люкса на эруэре! И вообще, мне этот город как родной.

Француженка помахала на прощанье, а коллега из N. подошел к ней еще ближе, чтобы не потеряться.

Спустя каких-то двадцать минут мы встретились снова — более того, я бежала к ним навстречу, как к родным, готовая ждать рейс, ехать всем вместе в автобусе и терпеть всяческие лишения, лишь бы не возвращаться к вокзалу RER. Я даже угостила коллегу из N. отвратительным кофе из автомата, пока француженка отлучилась куда-то по делам. Судя по всему, это был первый в жизни кофейный автомат в жизни моего коллеги из N., потому что использованный стаканчик он лихо запихнул в то отделение, куда падают купленные бутылки с колой и пакетики с чипсами.

— Pas mal! — веселился ставший свидетелем этой сцены парижанин, пока мой коллега удалялся прочь гордой походкой.

Двадцать минут назад на вокзале RER в аэропорту нашли очередной пакет — гипотетическую бомбу, — и теперь полиция спешно эвакуировала публику, разгоняя толпу криками и энергичными жестами. Я даже не догадывалась о том, что умею бегать так быстро, будучи больной и «слабенькой».

Как любой мнительный и суеверный человек, я не раз подумала о том, что моя внезапная хворь вполне могла быть тем самым несчастьем, которое обычно помогает счастью. Представляла себе авиакатастрофу, внезапную смерть таксиста на трассе и еще с десяток разных картинок в качестве «знака» и «предупреждения». Увы, суеверия во мне оказалось все-таки меньше, чем легкомыслия и желания в очередной раз увидеть Эйфелеву башню...

Тем временем в нашем терминале высадился новый десант коллег — добрая половина побежала в курительную комнату поспешно, как в туалет. Остальные послушно ждали возвращения курильщиков и сортировки по автобусам. Я вновь надела маску, потому что опасалась заразить попутчиков — а они довольно громко обсуждали, кому идут такие маски, а кому — не очень.

В автобусе, прямо за мной, сидел коллега из Москвы, обладавший комплексом мнимого парижанина — он громко называл достопримечательности по имени, словно устраивая им перекличку, швырял названия улиц, как гранаты, и пичкал спутников историческими анекдотами. За окном, как во сне, мелькали парк Берси, слоновье здание министерства экономики, Лионский вокзал... Москвич не унимался, словесный поток укачивал, как будто мы не пересекали Сену по мосту, а плыли по ней в шаткой барже. Институт арабского мира, мост Турнель, Сен-Жермен и Сен-Мишель... Здесь и там, тут и повсюду вертикальные буквы — HOTEL, HOTEL, HOTEL. Печальное русское «хотел» сменяется легким французским «лотель», где звучат игривое лото, вожделенный аукционный лот и неожиданно горячая — пусть и только на письме — телесность.

Первую порцию высаживают в отеле на улице Суффло (москвич по-прежнему неистовствует и, к несчастью, едет дальше). Вторую отвозят к площади Мобер, где когда-то сжигали ведьм, а теперь торгуют сыром и овощами. Третья группа (в числе которой — мы с гриппом, коллега из N. и москвич-парижанин) отправляется в полупустом автобусе обратно к Пантеону — наш «хотел» находится ровно посередине между ним и Люксом. Две звезды, в меру приветливый портье, лифт, конечно, узкий, но чемодан отправлять отдельным рейсом все-таки не придется — если вжаться в угол, мы поместимся оба. Комната небольшая, обставлена в стиле семидесятых, когда, по всей видимости, отель и открывался.

Я позвонила домой, а потом проглотила лекарственный коктейль, плотно закрыла шторы и легла в постель. Грипп лежал со мной рядом, горячий и ненавистный спутник, здесь же валялись таблетки, программа завтрашних мероприятий, талоны на питание и гонорар в запечатанном конверте.

Проснулась в семь часов местного утра от странного ощущения — сухого и жгучего холода в груди. Похоже на то, как если бы к телу приложили тяжелый пакет со льдом, но лежит он не снаружи, а внутри, под кожей. Чувство это было насколько новым, настолько же и неприятным, и еще неприятнее оказалось думать о том, что мое знаменитое здоровье (а я действительно почти ничем в своей жизни, тьфу-тьфу, всерьез не болела) дало серьезный сбой. Зато температуры, кажется, не было — вообще никакой.

По лесенке спустилась вниз, где прямо у входа, в холле, были накрыты столики для завтрака. За одним уже восседал московский коллега — разминаясь перед сегодняшним мероприятием, читал лекцию для всех желающих и нежелающих. Тема — особый путь России. Еду подавала смуглая женщина с мягким, добрым лицом. Когда кому-то из гостей не хватило круассанов, женщина махнула рукой портье, и тот сбегал в булочную.

Завтрак — мое любимое время в целом дне, тем более — завтрак в Париже, но сегодня проклятый холод в груди не давал различить вкус еды и аромат кофе: жевала круассан, как пластилин, пила кофе, как воду. Вставая из-за стола, почувствовала дурноту и слабость, чуть не упала, но коллеги этого не заметили — люди нашей профессии поглощены в первую очередь собой, во вторую — особым предназначением России. Вот и слава Богу, не надо мне такой известности. В нашей семье разговоры о болезнях не поважались, и я с детства считала, что воспитанный человек должен переживать свою хворь скрытно, без вульгарных подробностей. Мама ни себе, ни своим подругам-пенсионеркам не разрешает описывать по телефону симптомы и поминать всуе давление — сразу безжалостно прощается и вешает трубку.

Я вернулась в комнату. Слышимость в отеле была идеальная — за стенами сморкались, откашливались, включали телевизоры, говорили по скайпу с родиной, любили друг друга и весь мир в придачу. Лед в груди горел синим (так казалось) пламенем. До начала мероприятия, ради которого мы с гриппом прилетели в Париж, оставалось всего два часа. Главное — продержаться, а потом я разберусь и с холодом в груди, и со всем остальным...

Коллеги собрались внизу, чтобы идти всем вместе. Я с трудом успевала за их бодрым шагом, при ходьбе меня слегка сносило в сторону. Даже с Парижем толком не поздоровалась — не погладила ни камушка, ни парковочного столбика. Хуже того — я почти не узнавала Парижа, так, маячило что-то размытое, серенькое... И Пантеона почему-то не видно, куда он делся?

Холод перекинулся на плечи, я дрожала и мерзла, как в той комнате, где приходилось спать в компании пластиковых бутылок. У входа в здание столкнулась со старой знакомой — и еле успела увернуться от поцелуев. Не одна только радость от встречи передается воздушно-капельным путем.

За полчаса до начала выяснилось, что пол в здании очень неровный — и что я вот-вот свалюсь если не влево, то вправо. Как будто идешь на самый верх Пизанской башни — и горишь при этом ледяным огнем... Коллеги занимали места в зале, за сценой откашливались первые ораторы, а я нашла тихий угол за колонной — и позвонила знакомой врачице в родной город. Врачица долгое время трудилась на «Скорой помощи» и была хорошим телефонным диагностом. Я перечислила симптомы, и врачица сказала:

— Пневмония. Легкие отказывают. Срочно вызываем «Скорую»!

— Но у меня выступление! Обязательства!

— А жить хотим? — поинтересовалась врачица. Я кивнула, не думая о том, что кивок мой в России не виден. И пошла искать знакомых, еще не скрывшихся в зале. Повезло — наткнулась на опоздавшего.

— Передайте, пожалуйста, организаторам, что я заболела и возвращаюсь в гостиницу. Вызову врача...

Он обещал, что все сделает, и даже сочувственно покачал головой, глядя, как я спускаюсь по лестнице. Было на что смотреть — я шаталась, как пьяное привидение, но, разумеется, коллеге даже в голову не пришло проводить меня или предложить какую-то помощь — в нашем деле каждый сам за себя, или за Россию, но не более того. Тем более у него тоже выступление! Обязательства!

Я кивнула знакомому французу, и он, кажется, что-то спросил у меня, но сил отвечать не было. На улице стало совсем плохо — Париж гремел на все лады, из ресторанов нестерпимо пахло едой, Пантеона по-прежнему не было, и дорогу к отелю я найти не могла — заблудилась. Не помню, сколько прошло времени, прежде чем синяя табличка с названием улицы не оказалась, наконец, правильной. Вот он, мой «хотел». Портье читает газету, наверху протяжно гудят пылесосы. В лифте — бледная физиономия, ключ от двери не попадает в скважину.

Дальше — звук падения, ковровое покрытие крупным планом, затемнение, титры: «Прошло пятнадцать минут». Чем хуже тебе пришлось, тем громче следует над этим смеяться впоследствии — других методов миновать засаду я пока что не освоила. Сознание вернулось в комнате, я лежала на кровати в пальто и ботинках, а рядом суетились милые смуглые горничные. Одна из них говорила по телефону, другая держала руку на моем лбу. Я потом только подумала, надо же, две чужие арабские женщины заботятся обо мне, как о родной... Впрочем, мне все та же бабушка еще в раннем детстве внушила, что нет плохих народов, а в каждом народе есть хорошие и плохие люди, и хороших всегда больше. Бабушка обязательно угощала меня при этом конфеткой, так что я в буквальном смысле слова проглатывала и усваивала ее мудрость.

Одна из горничных совала мне в руки стакан с водой — я отпила немного и вдруг начала рыдать.

Оплакивала все сразу — загубленную командировку, невиданный Париж, пропавший Пантеон, особый путь России, но прежде всего — маму, которая останется без дочери, и детей, которые вырастут без материнской ласки. Проклятый лед в груди захватил уже все тело целиком, даже нос горел, даже колени сводило судорогой. А тут еще этот обморок — врачица права, я умираю, вот прямо сейчас умру, в комнате чужого отеля, рядом с перепуганными горничными. От потрясений я забыла как английский, так и французский языки, ответить на расспросы не могла, но поняла, что горничные вызвали мне «Скорую» — «уржанс». И за секунду до того, как на улице взвыла сирена подъезжавшей машины, вспомнила — да ведь в Париже есть Маша! Почему я не додумалась позвонить ей сразу же, с утра?

С Машей мы знакомы со студенческих лет, в Париже она живет лет двадцать, у нас есть общая подруга и такая же точно общая симпатия к театру Комеди Франсез. Необременительное знакомство, ничего общего, как я полагала, с крепкой дружбой. Но когда ты умираешь в отеле, не до жиру — вот я и набрала Машин номер, а в комнату, тем временем, входили высокие люди в униформе, скорая парижская помощь.

На том конце провода брякали столовые приборы — судя по всему, Маша приступала к обеду.

— Выезжаю, — сказала она. — Позови кого-нибудь, запишу адрес.

Я сунула телефон горничной, та быстро и с облегчением залопотала по-французски. А трое в униформе приступили к делу. Здесь надо сказать, что во Франции на «Скорой помощи» работают не врачи, а саперы-пожарные. Это странно только на первый взгляд, на самом же деле идея вполне здравая и вообще замечательная. Молодые, красивые (все трое — как олимпийские боги), подготовленные ко всяческим неожиданностям «помпье» могут оказать первую помощь, оценить ситуацию и на себе, если потребуется, без всяких носилок, утащить больного в карету «Скорой помощи». Что, собственно, и сделали со мной — лежа в карете, я, наконец, перестала рыдать и с облегчением заметила в окне купол Пантеона. Такой вот «уржанс», если, конечно, есть силы смеяться. Маше по телефону сообщили новый адрес — госпиталь с уютным названием Кошан, станция метро Пор-Руаяль. Один из красавцев-помпье всю дорогу развлекал меня историями о том, как он ездил в Москву несколько лет назад. Судя по всему, Москва ему понравилась.

Маша уже сидела в приемном покое с бутербродом в руке, не успела пообедать, бедняжка! Мы простились с помпье, и Маша отвезла меня на каталке к дежурному врачу. Температура, давление, анализ крови — мадам, все в норме. Какие лекарства вы принимали? Я гордо озвучила полный список, и французский доктор поежился.

— Ждите, вас позовут, — сказал он, и меня вновь вывезли в коридор на каталке.

— Но как же этот лед в груди, — беспокоилась я, — а вдруг я умру, пока придет моя очередь?

— Не умрешь, — махнула рукой Маша. — Вон смотри, каких привозят.

В Кошан свозили болящих со всего Парижа — парня с ножевым ранением, наркоманку, которая все пыталась закурить, и каждый раз у нее деликатно вынимали из рук сигарету, бабульку с сильным пищевым расстройством... Мимо нас прошло и проехало на каталках столько человеческих страданий, что я вдруг почувствовала себя симулянткой. Температуры нет, давление в норме... Но ведь обморок, и этот треклятый лед! Маша укрыла меня поверх больничного одеяла сразу двумя пальто — своим и моим, но мне все равно было холодно.

— Какая ты красивая, — заметила я. Нарядное платье, шейный платок, прическа... Похоже, я испортила важное свидание. Может, поедешь? — я искренне пыталась отправить Машу восвояси, но она даже слышать об этом не желала.

— Пока не узнаю, что с тобой все в порядке, с места не сдвинусь.

— Но у тебя дети...

— Дети с бабушкой. Успокойся. Давай лучше подумаем, кого нужно предупредить, что ты здесь.

Я отдала подруге телефон, и она оставила на автоответчиках организаторов несколько сообщений. Мне никто не звонил — все заняты мероприятием, и это, в общем, нормально, разве что самую чуточку обидно. Все встало с ног на голову — вечно занятая Маша оказалась верным другом, а те, кто говорил с тобой на одном языке и рассуждал о вечных ценностях, наплевал на тебя с высоты Пантеона.

Врач принял нас только под вечер — прописал еще несколько анализов, кардиограмму и рентген, чтобы исключить эмболию. Я старательно объясняла, откуда начались «ледяные приступы» и как они распространялись по всему телу. Маша терпеливо переводила. Врач носил фамилию Дюма — это успокаивало, и я подумала, что, может, умру в какой-нибудь другой раз. У нас обеих разрядились телефоны, и милая женщина по имени Беатрис, волонтер-пенсионерка, показала, где хранятся зарядные устройства. Волонтеры преклонных лет — чудесное явление французских больниц. Наша Беатрис — с прямой спиной, прической, маникюром (и даже в бусиках!) — всю свою жизнь мечтала работать в медицине, но судьба и родители решили иначе. А на пенсии Беатрис вдруг вспомнила о давнем призвании — и хлопнула гештальтом, как дверью. Денег за свою работу она не получает, зато удовлетворения и благодарности — сколько угодно. Беатрис, как и другие волонтеры, служит своего рода буфером между пациентами, их родственниками и врачами — чтобы первые и вторые не мешали третьим бесконечными расспросами. Все это я выяснила между делом, пока мы томились от ожидания (в России давно бы приняли, ворчало подсознание). И вообще, несмотря на слабость и ледовое побоище в груди, я чувствовала себя прямо-таки неестественно оживленной. Слагала в уме сложные, регрессивные и разветвленные, как у классика, тексты — один другого запутаннее. Пытала Машу расспросами обо всем и ни о чем сразу, прыгала через темы, как через ступеньки... Моя бедная нарядная подруга с трудом приноравливалась к ходу (точнее, лету) этой судорожной беседы. К счастью, доктор Дюма принес, в конце концов, результаты обследования:

— Мадам, вы совершенно здоровы. Я не вижу ни пневмонии, ни эмболии.

— Но как же этот холод? Он не проходит.

Жгло и в самом деле уже так, как будто меня всю целиком обмазали вьетнамским бальзамом «звездочка», а сверху прилепили еще и горчичники.

Доктор Дюма пожал внушительными плечами. От него вкусно пахло кофе. Французская медицина высказалась по моему поводу вполне определенно.

Маша собрала вещи, и мы вышли из госпиталя. На улице было темно и шумно. Мне пришло сообщение от француза, с которым мы были чуть-чуть знакомы по работе — он писал, что очень беспокоится за меня и готов оказать любую помощь. Маша довела меня до отеля, уговорила портье сделать чай и только тогда ушла, пообещав позвонить завтра.

— Тебе надо хорошенько выспаться, — сказала подруга на прощанье.

Спать совершенно не хотелось. Я выпила чай, который мне принесли в номер (неслыханная услуга для двухзвездочного парижского отеля!). Приняла таблетки. За стенами шумели коллеги — в коридоре я столкнулась с парой женщин, которые вроде бы ехали со мной в одном автобусе.

В груди снимались с места льдины — и ходили под кожей целыми стаями. Я выключила свет и попыталась уснуть — бесполезно. Час ночи. Два. Пришли соседи сверху и принялись энергично сношаться прямо у меня над головой (женщина вопила уж слишком старательно, и я ей не поверила). Три часа. Я пыталась читать, отвечать на письма, смотреть кино. Под окном смолкли восторги последнего туриста. Четыре. Пять. Комната отеля сжалась и стала совсем маленькой, постель горела, как костер.

В половине шестого приехали мусорщики и загремели под окнами, в шесть я взяла телефон и сделала то, что следовало сделать давно: вбила в строку поисковика свои симптомы. Интернет долго не раздумывал — через секунду я уже читала статью под названием «Психопатология гипоталамического синдрома». Мой случай излагался здесь от начала и до конца, как в учебнике, — место нашлось и рыданиям, и чрезмерной разговорчивости, и пресловутому холоду в груди, которые оказались ничем иным, как сенсорными иллюзиями, физиологическими галлюцинациями... Прекрасное было имя у этого явления — шелестящее и трепещущее разом: сенестопатия. Итак, того, что я чувствовала, не существовало — вполне возможно, что при этом существовало то, чего я не чувствовала... Это был первый вопрос, куда менее интересный, чем другие — откуда взялась эта напасть и что с ней теперь делать?

В семь ровно позвонила мама.

— Всю ночь о тебе думаю, — сказала она. — У тебя все нормально?

— Почти, — сказала я. — Попроси, пожалуйста, Марка набрать меня прямо сейчас.

Марк — наш знакомый, психолог и психиатр, два в одном. Мама встревожилась, но не стала меня расспрашивать — сначала помоги, потом волнуйся, это правило в нашей семье соблюдается неукоснительно.

Моя очередная жертва, бедный разбуженный Марк позвонил через пять минут и, зевая, подтвердил диагноз.

— Ты прямо доктор Хаус, — сказал он.

— Доктор Хаус знал бы, что делать, а я не знаю. Как от этого избавиться?

— Надо разомкнуть эту цепочку, для начала — уснуть. Можно долго гулять в лесу, пройти курс расслабляющего массажа...

— Да кто мне будет в Париже делать расслабляющий массаж?! И леса здесь нет, только Люксембургский сад, но долго гулять я не смогу — падаю с ног... А спать не могу. Знаешь, на что это похоже (я говорила по телефону, не щадя роуминга своего)? Как если бы тело очень устало — ноги тяжелые, руки неподъемные, голова как чугун, но под всем этим бьется в экстазе сознание и пульсирует мозг...

— Дурная голова ногам покоя не дает... — сказал Марк. — Тогда найди таблетку атаракса.

Мы попрощались, и я снова влезла в почту — перечитала отправленные ночью письма и ужаснулась. Они были длинные, как рассказы, с кучей ненужных адресатам подробностей... Их писала не я, а эта пульсирующая ледяная штука с трепетным именем.

Найти в Париже атаракс (иле еще какой-нибудь транквилизатор, доступный в России) — намного сложнее, чем найти французский сыр в Екатеринбурге. Препараты отпускаются только по рецептам, гипердиагностикой галльские эскулапы не увлекаются. Наверняка какое-нибудь снотворное есть с собой у моих коллег — застенчивого мужчины из N., говорливого москвича, тех тетушек, что кивнули мне вечером на лестнице... Но не буду же я поднимать их ни свет ни заря! Да и стыдно признаваться в душевной хвори — это вам не благородная мигрень и не всем понятный кишечный грипп. А я до сегодняшней ночи проблем со сном не имела в принципе и снотворного с собой, конечно, не взяла.

Маша рассказывала мне, что уговорить аптекаря на продажу без рецепта в Париже невозможно — здесь даже адреса дежурных аптек меняются ежедневно и сообщаются по телефону только после того, как звонивший докажет свою вменяемость. В общем, я написала парижскому знакомому, что звонил давеча в госпиталь, — вдруг он поможет? И чтобы не томиться в ожидании ответа, оделась и пошла в Люксембургский сад.

День вставал серенький, точь-в-точь как парижские крыши. Посмотри налево — башня Монпарнас, посмотри налево — Пантеон, или наоборот. В Люксембургском дворце — выставка Фрагонара, вокруг фонтана Медичи толпятся холодные, как из склепа, стулья. Статуи королев разглядывают голые ветви деревьев. Под ногами — жухлая прошлогодняя травка, веточки, палочки, листики... Я вдруг вспомнила маленького сынишку своей подруги — когда ему исполнилось полтора года, он вдруг начал собирать на улице веточки и просить маму приделать их обратно к дереву. У нее это, разумеется, не получалось, и мальчик горько плакал... Эта история, прежде веселившая меня, вдруг показалась такой печальной, что я разрыдалась уже во второй раз за эти бессонные сутки.

Тут-то мне и позвонил мой заботливый француз — уж не знаю, каким способом он нашел нужное лекарство, был ли это сговорчивый аптекарь или знакомый наркодилер, только уже через час я запивала водой таблетку атаракса. И снова ложилась в опостылевшую постель, и снова не могла уснуть... Только через час вдруг почувствовала, что мое сознание как будто застегивают на замок-молнию и я отлетаю в крепкий, счастливый и неестественный сон.

Через три часа я заставила себя проснуться, приняла душ и пришла «на мероприятие». Пантеон был на месте, мои коллеги — тоже. Я отработала положенное — общалась с людьми, отвечала на вопросы, подписывала книги. Холод в груди потихоньку стихал, отступая. Приступ, как я теперь уже понимала, спровоцировал лекарственный коктейль вкупе с перелетами, гриппом и стрессом. («Ты хоть запомни, что принимала, — пошутила Маша. — Вдруг пригодится!»)

Следующим вечером мы с Машей встретились в Комеди Франсез. Давали «Ромео и Джульетту» — Джульетта прыгала на таком шатком балкончике, что у зрителей точно так же прыгало сердце.

— Да у ней там страховка! — успокаивала Маша.

Как летела обратно, помню очень хорошо. Нежно простилась с арабскими горничными, обняла портье, расцеловалась с Машей. Из аэропорта отправила благодарственное письмо парижанину.

В самолете до Москвы через проход от меня сидел еще один коллега (они все никак не заканчивались). Когда взлетали, он интимно перегнулся через проход и спросил:

— Про вас какие-то ужасы рассказывали, это правда? Что вас на «Скорой» увезли?

Я подтвердила, что да — чистая правда. Лед в груди почти растаял, и я чувствовала себя Каем, которого согрела Герда — а точнее, несколько парижан разного возраста, происхождения и социального статуса. Надо же, а мне всегда рассказывали о том, какие они холодные, равнодушные, расчетливые люди...

Коллега задумчиво сказал:

— А я ведь еще в Париже хотел спросить, чем вам можно помочь?

Он даже покачал головой досадливо, как бы осуждая самого себя. Но тут погасло световое табло «пристегните ремни» — и коллега поспешил в туалет, не оборудованный детекторами лжи.

НАТАЛЬЯ КАЛИНИНА | прозаик

Наталья с детства была погружена в мир книг, мечтая когда-нибудь написать свою собственную. Однажды, поняв, что проживает «не свою» жизнь вопреки настоящим желаниям, она не побоялась изменить судьбу и последовала за мечтой — стала писателем и переехала жить в другую страну. Наталья верит в знаки судьбы и прислушивается к ним. Ее девиз — следуй за мечтой и не сдавайся.

ПИСАТЕЛЬСТВО

• • •

В моей страсти к книгам «виноват» папа.

Однажды вечером, когда мне только исполнилось четыре года, он принес от соседей подержанную «Азбуку», и с тех пор вместо чтения на ночь сказок мы складывали слоги в слова и читали короткие фразы. А к пяти годам я уже самостоятельно читала не только сказки, но и дедушкины газеты и журнал «Здоровье».

В моей семье все любили книги, домашняя библиотека постоянно пополнялась дефицитными в те времена томами. А для меня лично чтение стало не просто любимым занятием, оно превратилось в страсть, потребность. В семейных альбомах сохранились фотографии с домашних праздников, на которых я нередко была «поймана» камерой читающей в каком-нибудь укромном месте. В качестве подарков мне обязательно дарили книги, которым я радовалась больше, чем игрушкам, и, как только получала, тут же уходила в тихий уголок и погружалась в новый чудесный мир. И потом еще долго, после того, как история заканчивалась, носила ее в себе, представляя себя на месте героев и додумывая им приключения...

Когда я научилась писать, сочинила первое стихотворение: маленькое, нескладное, наивно-торжественное — про «Букварь». Но сочинять мне так понравилось, что я попросила купить толстую тетрадь специально для первых творений.

Вначале это были стихи: про школу, дедушку Ленина, весну и прилетевших грачей. Потом — короткие, на страничку, рассказы.

Забавно то, что, будучи довольно стеснительным ребенком, я не стыдилась выставлять напоказ свои неумелые творения: читала вслух рассказы не только родителям, но и на уроках свободного чтения в школе перед всеми учениками.

И как-то так повелось с младших классов: написать что-то в классную стенгазету — Калинина. Придумать сценки для КВНов или переделать сказку для конкурса «Старая сказка на новый лад» — поручим опять Калининой. Я никогда не отказывалась, потому что мне нравилось писать, и нередко сама вызывалась в авторы.

Когда пришло время выбирать вуз, логичным казалось, что выбор падет на филологический факультет.

Но к тому времени моей любовью уже давно и прочно была химия.

Какое-то время я училась в классе с углубленным изучением химии, и когда перешла в другую школу, этот предмет мне давался лучше других. С химией у нас как-то сразу сложилось полное взаимопонимание и любовь.

Однако так же я любила и литературу.

Вуз уже был определен, а вот с выбором факультета возникли трудности: голоса разделились поровну между филологическим и химическим. Все решила случайность: мы с папой отправились покупать справочник для поступающих в вузы и на полке магазина увидели лишь один учебник — по химии.

Вопрос, какой факультет выбрать, решился сам собой благодаря той маленькой случайности.

Я легко поступила на биохим и отучилась пять лет с большим интересом.

Но еще на младших курсах начала писать первые романы — наивные, добрые и, конечно, про любовь. Я уходила в них, как в другой мир, путешествовала по чужим жизням, примеряя их на себя, зачастую награждала героев теми событиями и качествами, которых мне не хватало.

Одно другому не мешало — справляться с учебой на «отлично» и «ваять нетленку» даже во время сессий.

По вечерам на моем столе среди раскрытых конспектов по химии или биологии пряталась тайная толстая тетрадь, в которую я записывала очередную историю.

О моем хобби никто не знал.

И только на последнем курсе я открылась подруге и дала ей что-то почитать. Подруге мой первый роман, записанный в пяти общих тетрадях, блокнотах и на отдельных листочках, как ни странно, понравился. И она в шутку дала мне прозвище: «писательница (шеде)вральных произведений». В скобки часть слова мы взяли специально, иронизируя над тем, что все мои истории — «вральные», то есть выдуманные. Но, подшучивая надо мной, подруга верила, что тайное хобби когда-нибудь выльется во что-то серьезное.

После окончания университета я отказалась поступать в аспирантуру, как от меня ожидали, и не пошла работать по специальности, а устроилась в институт стоматологии.

Казалось, моя дальнейшая карьера уже никак не будет связана ни с полученным образованием, ни с хобби, потому что меня увлекла новая жизнь, показавшаяся такой интересной! На сочинительство не оставалось времени, хотя на первую зарплату я и купила собранный из старых деталей компьютер — в надежде, что когда-то напишу на нем новый роман. Но только и смогла сделать, что перепечатать из тетрадей пару старых историй, написанных еще в студенчестве.

В один из дней по дороге домой я купила вышедший в то время на русском языке роман Пауло Коэльо «Алхимик» и за вечер прочитала его.

Эта книга стала для меня откровением.

История Сантьяго, следовавшего за знаками, показалась такой близкой, потому что быть торговцем кукурузы мне точно не хотелось. У меня была мечта, только тогда я еще не была готова осуществить ее. Но после прочтения «Алхимика» возникла уверенность, что когда-нибудь я также увижу или услышу эти самые «знаки», которые дадут мне сигнал к действию.

Если писательство — мой путь, знаки обязательно появятся!

И тогда я, подобно Сантьяго, последую за ними.

Правда, на тот момент мне еще смутно представлялось, что дорога может оказаться неровной и на ней будет немало камней, споткнувшись о которые захочется сойти на более гладкий и надежный путь.

Тогда я думала лишь о знаках, которые позовут меня за собой.

И однажды они действительно появились.

Мне исполнилось двадцать семь лет, я работала в одной небольшой компании, куда перешла из крупной, ожидала повышения и почти полностью, в ущерб своему литературному хобби и личной жизни, отдавала себя работе.

Была ли я тогда счастлива?

Мне казалось, что да.

Но в какой-то момент я стала сомневаться в том, что иду по правильному пути, занимаюсь тем, чем мне действительно хотелось. Стоило раз задуматься и разложить все по полочкам, как результат оказался настолько не оптимистичным, что я... постаралась поскорее прогнать эти удручающие мысли.

И все же свое пагубное дело они сделали: активизировали сомнения, которые теперь просыпались по утрам вместе со мной, и нарастающую с каждым днем неудовлетворенность тем, что происходит (вернее, не происходит) в моей жизни.

Скоро я ушла из компании — в «никуда», поддавшись сумасшедшему решению наконец-то написать задуманную книгу!

И уехать хотя бы на неделю к морю.

Я работала над романом быстро — любимое дело, для которого наконец-то нашлось время, поглотило целиком, и меньше чем через два месяца я уже разослала рукопись по издательствам.

И уехала на отдых в Испанию.

На форумах для начинающих авторов «бывалые» делились опытом, из которого выходило, что ожидать ответа из издательства можно очень долго.

Также я узнала, что для публикации романа недостаточно того, чтобы он был хорошо и интересно написан — главное, чтобы еще и попадал в серию.

Моя история не относилась ни к одному конкретному жанру, а их смешение, как у меня, не приветствовалось. Роман не попадал ни в одну серию и по этой причине, и по той, что на тот момент, опять же согласно информации на форумах, мистических серий не было вообще.

Таким образом, я крупно промахнулась, но узнала об этом лишь после того, как отправила свою неформатную рукопись (ура, для нее нашлось хоть какое-то определение!) по издательствам.

И все же — какое счастье, что я об этом узнала так поздно!

Иначе бы не написала тот свой первый роман.

Но, видимо, в то лето звезды выстроились в особую линию или мне просто крупно повезло, потому что, вернувшись из поездки домой, я обнаружила в почте письмо из одного издательства.

Мою рукопись готовы были опубликовать!

Так был заключен первый договор, и я на радостях тут же принялась за работу над вторым романом.

И на эту рукопись был заключен договор, но издания пришлось ждать долго, больше года: пока формировалась новая серия, пока подошла моя очередь.

К тому времени в моей жизни тоже все круто изменилось: я успела переехать в другую страну, выйти замуж и, завертевшись в новых событиях, следующий роман писала уже не торопясь, но в полной уверенности, что его тоже издадут.

Тогда мне казалось, что две рукописи, принятые к публикации, — это уже серьезная гарантия того, что и последующие возьмут.

Когда я впервые взяла в руки изданную книгу, на обложке которой стояло мое имя, испытала непередаваемую гамму чувств. Помню, что по дороге с почты домой на ходу в нетерпении надорвала уголок бандероли и вытащила один экземпляр...

Я несла в одной руке посылку с разорванным краем, а в другой — книгу, и мне хотелось, чтобы весь мир в этот момент знал, что этот роман написала я!

Но когда дома я открыла наугад страницу, а затем, холодея от ужаса, лихорадочно пролистала еще несколько, на меня обрушилось такое сильное разочарование, что я швырнула книгу на стол и разрыдалась.

Это была моя — и не моя история.

Я узнавала сюжет, но совершенно не узнавала стиль. Роман был полностью переписан, многие важные эпизоды оказались вырезаны, отчего сюжет получился рваным, а история лишилась нужных объяснений. Из книги просто вырезали всю мистическую линию и щедро добавили любовных сцен, превратив мой мистический детектив с романтической линией в просто любовный роман.

Даже понимание того, что это было сделано из желания «втиснуть» сюжет в рамки серии, в которой издавались только любовные истории, не могло утешить, потому что это уже был не мой роман. Многие описания, метафоры и сравнения исчезли, а сцены, которые остались, оказались переписаны так, будто некто, прочитав книгу, по-своему пересказал ее. Персонажи неожиданно получили прозвища вроде: «Эй, крошка!» Главный герой вместо того, чтобы сбежать с лестницы, вдруг скатился с нее кубарем и как ни в чем не бывало продолжил путь.

И таких моментов оказалось много, слишком много!

Я смотрела на изуродованную книгу, на обложке которой стояло мое имя, и плакала, боясь уже того, что кто-то ее купит, прочитает и решит, что все *это* написала я.

Вот так вместо радости я получила разочарование — такое сильное, что у меня даже пропало желание продолжать работу над новым романом.

Но все же я его закончила и отправила в издательство.

Ответа не было долго — так долго, что я начала волноваться и, как оказалось, не напрасно: закрылась редакция, редакторы ушли в другое издательство, и мой роман оказался не нужен. Когда я написала редактору на новый адрес, получила ответ: рукопись не могут принять к публикации, так она не подходит ни под одну имеющуюся серию. А открывать новую под неизвестного автора никто, конечно, не будет. Мне посоветовали, если я чего-то хочу добиться, писать романы под уже имеющиеся серии, а не экспериментировать с жанрами и совершенно забыть о мистике, которая «не будет продаваться».

А еще лучше, если я напишу «модную» книгу!

В моде тогда был гламур: романы-откровения о жизни на Рублевке пестрели обложками на стендах магазинов и занимали высокие позиции в рейтингах.

Вот такой выбор: или писать о том, что в тренде, и тогда, может, появится шанс на издание, или оставаться верной своим интересам, но при этом потерять всякую надежду на публикации...

Что делать, я не знала.

Сказать по предложенной теме мне было совершенно нечего, да и не вызывала она у меня интереса.

Получается — все, никаких шансов?

— Наташа, в России что, всего лишь одно издательство? — спросил с иронией муж.

И на смену отчаянию вдруг пришло упрямство: а он ведь прав!

Я продолжу поиски и буду писать о том, что мне интересно, без боязни экспериментировать.

Мне вспомнился «Алхимик». Вот они — первые камни!

Их просто нужно преодолеть, и тогда опять откроется гладкая дорога...

И, в полной уверенности, что вскоре мне повезет, — ведь подобно Сантьяго я не испугалась, не отступила, а продолжила путь, — я принялась за рассылку рукописи по издательствам. Уверенности на этот раз придавали и изданные книги.

Но, увы, я снова заблуждалась: две публикации не дают гарантии того, что к новой рукописи отнесутся с особым отношением. Отказы посыпались сразу: роман отвергали уже на основании того, что он не подходит ни под одну серию. «Мистика не интересует, рукописи, написанные в смешанном жанре, не рассматриваются», и если действие происходит за границей, а не в России, как в моем романе, тоже плохо.

По тому, как быстро посыпались отказы, можно было понять, что рукопись даже не открывали, но от этого легче не становилось.

Из двух издательств даже отказали по два раза...

Каждый такой ответ больно бил по самолюбию, я уныло вычеркивала из тетради адреса издательств, из которых получила отказ, и постепенно приходила в отчаяние, видя, что список тех, кто мне еще не ответил, а, следовательно, на кого еще можно надеяться, стремительно уменьшается.

Плохим днем у меня считался тот, в который приходило до восьми отказов, удачным — если в почту не падало ни одного письма.

Редактор оказался прав.

А я ошиблась, жестоко ошиблась, потому что поверила сказочной истории от Пауло Коэльо и пошла не по тому пути!

Отказы отчаянно сигналили: пора опомниться и свернуть на другую дорогу! И все же я почему-то карабкалась и карабкалась на те камни, которые неприступными скалами возникали на дороге, в надежде, что за ними окажется опять дорога.

Я бы сдалась, если бы не вера в меня и мою мечту единственного человека — мужа.

В какой-то момент отказы перестали быть болезненными. На предложение одного издательства полностью вырезать из романа мистику, перенести место действия в Россию и изменить объем рукописи — уже я ответила отказом, решив про себя, что этот роман останется таким, каким я его написала, пусть и не изданным.

Может, когда-нибудь придет и его время...

И, словно в награду за все переживания, вскоре пришло вдохнувшее надежду предложение издать сборник моих историй из блога, который я начала вести в первый год эмиграции. Тогда зарождалась новая мода — публиковать сборники историй, написанных известными блогерами. К известным я не относилась, читателей моей странички было не так уж много, но издательство заинтересовал мой свежий опыт эмиграции и юмор, с которым я относилась ко всяким казусам.

И хоть мой роман их не заинтересовал, я согласилась на сборник и с удовольствием погрузилась в работу — взялась приводить в порядок и редактировать свои записи.

Пусть это было не то, к чему я стремилась, но я надеялась в дальнейшем предложить этому издательству другой роман, над которым уже начала работу. Мистики в нем было не так много, действие происходило в России, но это не значило, что я сдалась и «предала» мистику. Это был роман, который я задумала уже давно, но все откладывала работу над ним, считая, что еще не готова «пережить» эту историю.

Но в тот момент, когда работала над сборником историй, поняла, что могу взяться за задуманное.

Маленькая победа окрылила меня: пусть свет увидит пока не роман, а лишь сборник анекдотов из блога, все же это я посчитала за шаг вперед.

Со дня рассылки рукописи отвергнутого романа прошло восемь месяцев.

Отказами ответили практически все издательства, некоторые, как я уже упомянула, дважды. Ответа не было только из «Эксмо», но я и не надеялась на то, что мой роман там могут взять: рукопись совершенно не соответствовала требованиям, изложенным на сайте. И, судя по тому, что мне не ответили даже отказом, «неформатную» рукопись скорей всего, удалили в корзину...

«Эксмо» было моей мечтой, но на что я могла рассчитывать, отправив противоречащую четко указанным требованиям рукопись?

Я уже смирилась с тем, что, отвергнутая всеми, она никогда не будет опубликована, постаралась о ней забыть и просто погрузилась в работу над новой книгой.

Это была грустная история сильной любви, закончившейся трагедией, но дававшая надежду. Мистики в сюжете почти не предвиделось... ну, может, совсем чуть-чуть...

Я надеялась, что с этим романом смогу предпринять новые попытки опубликоваться — и в первую очередь предложу его тому издательству, которое готовило к публикации сборник историй из блога.

Но за три дня до нового года в семь утра раздался звонок от мамы, которая взволнованно сообщила о звонке из одного издательства, заинтересовавшегося моей первой, отвергнутой почти всеми, рукописью. Она продиктовала мне адрес редактора и попросила срочно ему написать.

Это было нечто невероятное, мне подумалось, что я продолжаю спать и вижу счастливый сон (сколько раз во сне видела, что мои рукописи публикуют!).

И не только потому, что кто-то пожелал взять для публикации «бесперспективный» роман, но и потому, что этим издательством было «Эксмо»!

Рукопись брали — при условии, что у меня есть еще книги (или я их скоро напишу).

К этому моменту я как раз закончила работу над новой.

Обе книги — сборник историй из блога, получивший название «Азбука испанских будней», и «отказной» роман — вышли в свет в один день в разных издательствах.

Новый роман — «Ушедшее в однажды», впоследствии сменивший название на «Малиновый запах надежды», — лежал в издательстве «Эксмо» на рассмотрении.

Я волновалась, будет ли он принят, и вскоре получила письмо, в котором четко и по пунктам было изложено, какие изменения в сюжете желательны. Я внесла нужные исправления, хоть сюжет в итоге и претерпел существенные изменения, отправила рукопись и принялась опять ждать.

На этот раз ожидание затянулось на несколько месяцев.

На мой вопрос о судьбе рукописи меня попросили выслать те, которые уже были опубликованы (срок договора с первым издательством на них уже истек).

Я сделала это и добавила, что заканчиваю работу еще над одним романом.

И снова потянулось ожидание.

Но в то время это было уже другое ожидание: я ждала ребенка.

И вот, спустя две недели после рождения сына, пришел долгожданный ответ: рукописи берут к публикации!

Более того, мне предложили то, о чем я даже мечтать не смела: авторскую серию с продвижением.

Но наполнять ее нужно было часто и регулярно. Небывалую радость сменил страх: справлюсь ли я?

Меня полностью занимал новорожденный малыш, которому я требовалась 24 часа в сутки, бабушек-дедушек рядом не было, рассчитывать я могла только на свои силы и помощь мужа. Когда бы мне удавалось выкраивать время для работы, если у меня его не было даже на пятиминутные чайные паузы?..

Но я рассудила, что такой шанс выпадает в жизни лишь один раз, — и согласилась.

Это было напряженное время: писать приходилось чаще всего по ночам в перерывах между кормлениями. Я закрывалась в детской комнате, на коленях у меня лежал ноутбук, на одной руке — сын, и таким образом я писала...

В шесть утра будила мужа, отдавала ему ребенка и уходила отдыхать на два часа.

Еще можно было работать в то время, когда муж увозил сына на прогулку. Я сдавала новую рукопись в срок и тут же принималась за следующую.

Когда ребенку исполнилось полгода, открылась серия, которая получила название «Тайные знаки судьбы» — это был знак и для меня.

Мы с малышом полетели в Москву, чтобы участвовать в кампании продвижения моих книг.

Этот месяц оказался также напряженным: дни были расписаны все до минуты — без выходных.

Но это было очень интересное время: постоянные встречи, новые знакомства, интересные беседы. Это было то, что меня встряхнуло, вывело из рутины. Происходящее все еще продолжало казаться диковинным сном...

Но больше всего меня потрясло то, сколько людей и как серьезно работало над тем, чтобы книги вышли в лучшем виде, в срок и были представлены покупателям!

Видя все это, я понимала, что не могу, просто не могу подвести команду, не сдав очередную книгу в срок или не выполнив своих обязательств.

К тому же мне очень повезло с редактором — Екатериной. Насколько же это важно — полное взаимопонимание с редактором! Найти такого равносильно тому, как встретить свою «половинку апельсина». Мнению Екатерины я доверяла даже больше, чем своему, зная, что она не пропустит неточностей, нелогичностей, необъясненных моментов. Вскоре после отправки рукописи я получала список замечаний, по которым нужно было доработать сюжет. Иногда вопросы заставляли меня долго ломать голову над ответами, изменять какие-то линии сюжета и финал, но они всегда оказывались по существу.

Работая так, я постоянно чему-то училась.

И постепенно приучила себя во время правки текста смотреть на него еще и глазами редактора: какие замечания могут возникнуть у Екатерины? И если мне кажется, что тот или иной момент в рукописи спорный — меняю его.

Все, казалось, складывалось идеально: профессиональная команда, ставшая мне семьей, выходящие одна за другой книги, хорошие тиражи, сообщения от читателей, которые, к моему удивлению и радости, стали приходить.

Но... в какой-то момент я просто перестала получать удовольствие от работы.

Более того, мысль, что нужно сесть за компьютер и написать часть текста, стала невыносимой, а приближение сроков сдачи рукописи вызывало панику и слезы.

Сын пошел в детский сад, у меня появилось время, но... полностью исчезло желание писать. Я переживала страшное: практически ненависть к любимому когда-то делу, бессилие от понимания, что перегорела, и полное нежелание как-то эту ситуацию разрешить. Никогда не думала, что такое может случиться, ведь я так боролась за свою мечту, так желала, чтобы издательства ожидали моих книг!

И вот, когда моя мечта исполнилась в самом лучше виде, я... поняла, что любимое занятие не просто не доставляет удовольствия, оно вызывает у меня отторжение.

Самым правильным решением было бы, конечно, написать в издательство, попросить небольшой перерыв или больше времени на каждую книгу, но, как ни странно, такое простое решение мне почему-то не приходило в голову.

Вернее, я отвергала его как невозможное.

Почему?

Потому что всегда была ответственным человеком: мне казалось, что мир рухнет, если я не выполню какое-то обязательство, если подведу кого-то. Умри, но сделай — по такому правилу я жила, считая, что других не существует.

И вот наступил момент — и я почувствовала, что «умерла» как писатель.

В моей голове больше не рождались сюжеты, мне стало не интересно, что случится с героями, я не переживала за них, не проживала истории, эмоционально стала сухой, как хворост, а слова складывала в предложения лишь по привычке, на «голой технике».

За последнюю написанную книгу мне было так стыдно, что я даже не желала ее выхода...

Продолжать так больше было нельзя, и единственное решение, которое пришло мне в голову, — уйти из писательства.

— Тебе не жалко затраченных усилий? — спросил муж, когда я объявила ему о своем решении.

— Жалко, — ответила я, подумав опять о том, что усилия затрачены были не только мои и его, но также и всех тех людей, которые работали над серией.

А потом расплакалась — от бессилия и чувства вины...

— Я не могу писать, если текст не вызывает у меня никаких эмоций! Я должна проживать каждую строчку, а не просто набирать ее на клавиатуре, понимаешь? Этого больше нет. Я эмоционально умерла. Какой же это писатель, если ему самому не интересно, что станет с героями? Или даже их представить не может? Я написала лишь абзац — и все, поняла, что дальше дело не двинется! У меня нет ни героев, ни интриги, вокруг которой будет вертеться сюжет!

— Попробуй написать этот роман не для издательства, а для себя, — сказал муж. — Так, как ты это делала раньше.

— В этом и вся беда: я уже забыла, что это такое — писать «для себя». И, думаю, ничего с этим поделать уже нельзя...

— Внести в сюжет то, что у тебя всегда вызывало положительные эмоции. Ты любишь Испанию, так перенеси действие туда. Не можешь что-то выдумать? Так опиши то, что видишь или видела. Наполни текст всем тем, что когда-то вызывало у тебя эмоции, от воспоминаний о местах, где мы были, до музыки, которая тебя всегда помогала.

— А идея? Идея? У меня ее нет!

— Ты каждый день проходишь мимо руин фабрики. Они не вызывают у тебя желания заглянуть внутрь? — спросил муж. — Эти развалины такие вдохновляющие...

Я призналась, что заглянуть на заброшенную фабрику мне было бы и правда интересно, но... вряд ли это меня вдохновит.

Тем же вечером он принес домой несколько снимков фабрики: снял по дороге домой, когда забирал сына из сада. Без всяких комментариев загрузил их в мой компьютер и потом заметил:

— Кстати, в местной библиотеке открылась выставка старых фотографий: история нашего поселка в снимках. Может, прогуляешься? Увидишь, какой фабрика была в свои лучшие времена. И каким тогда был поселок. Тебе это понравится. Иди, прогуляйся.

Я вышла на улицу.

Проходя мимо разрушенной фабрики, я впервые задержалась у проржавевших ворот, заглянула на территорию и... невольно содрогнулась от прошедшего по спине холодка. Темное нутро заброшенного цеха пугало и странно притягивало.

Осмелилась бы я прогуляться по цехам, представься вдруг такая возможность?..

Фабрика отталкивала и одновременно манила.

Я развернулась и поскорее пошла прочь — в сторону библиотеки, в которой частенько работала.

На следующее утро, открыв ноутбук, я увидела приклеенный на клавиатуре стикер, на котором почерком мужа было написано: «Дорога к мечте — это любовь. Иди по ней! Не сдавайся, продолжай. Работай с любовью. Я помогу тебе».

В тот же день я написала подруге-переводчице, попросив разрешения использовать в новом романе одну историю, показавшуюся мне мистической, а также рассказать об особенностях профессии.

А вечером решился вопрос и с главным героем.

В гости к нам пришел друг мужа, увлечением которого была музыка, и в разговоре мне пришла идея сделать главного героя музыкантом. У меня было правило — не использовать прототипы, и на этот раз я не собиралась отступать от него, только включила в повествование одну историю, случившуюся с моей подругой в детстве, да дала героям профессии музыканта и переводчицы. Во всем остальном это была полностью выдуманная история.

Муж оказался прав: наполняя сюжет реальными деталями, которые мне были дороги, я работала почти с удовольствием.

Но, закончив рукопись, я испытала опустошение даже более сильное, чем раньше. В этом романе я выложилась до капли, все, что еще могла сказать, — вложила в него.

Ни о никакой другой истории не могло быть и речи.

Я вновь объявила мужу, что этот роман — уж точно последний, потому что я иссякла. И никакие уловки больше не сработают, потому что ничто не сможет меня вновь «зажечь».

Мне вряд ли поможет даже хороший отдых.

Муж только попросил не писать письмо в издательство до тех пор, пока мы не вернемся из отпуска. Я согласилась, потому что одна лишь мысль о том, чтобы опять сесть за ноутбук и что-то написать, пусть даже короткое письмо, вызывала неприязнь.

И уже на отдыхе стали происходить те вещи, которые вначале удивили, потом насторожили, затем разбудили любопытство и хорошенько встряхнули. Я могла бы представить себе что угодно, но только не то, что мистика, которая для меня всегда существовала лишь в воображении, со страниц книг выплеснется в реальную жизнь!

Мои герои встречались с разными необъяснимыми явлениями, я же в своей жизни — практически никогда, если не считать вещих снов и моей святой веры в «знаки».

Я слышала раньше, что случаи воплощения написанного в жизнь не так уж редки: то одна коллега-писательница рассказывала небольшой эпизод, то другая. Со мной такого раньше не происходило, но правило не описывать в книгах знакомых возникло из опасений не «напророчить» случайно кому-нибудь книжных приключений.

И вот, когда мы оказались на отдыхе в небольшом приморском поселке, моя только что законченная история удивительным образом начала воплощаться в жизнь. Будто некто прочитал еще не опубликованную книгу и перенес события, объекты, предметы и даже людей в реальность, организовав персонально для меня «живое кино»!

Началось с того, что меня повсюду стало преследовать имя главного героя.

Но это была такая мелочь, которой я не придала значения. Дальше события стали развиваться по нарастающей!

Следующим сюрпризом оказалось то, что отель, который мы забронировали заранее, располагался рядом с улицей, носившей название выдуманного поселка, в котором происходило действие моего романа. Мы с мужем придумали это название, обыграв его в сюжете, и специально проверили по поисковику, имеются ли подобные наименования.

Не было.

Однако же первое, на что я обратила внимание, когда мы вышли из машины рядом с отелем, — табличка на стене здания, на которой значилось «проезд Сан Рок». Поселок в моей книге именовался Санрок, отличие состояло лишь в слитном написании.

Через пару дней раздался звонок на телефон мужа: это был знакомый, посоветовавший мне взять в герои музыканта. Звонил он с радостным известием: желал познакомить нас с девушкой, с которой недавно удивительным образом познакомился. Пережив когда-то неудачный роман, приятель во всеуслышание заявил, что с серьезными отношениями покончено. И вот — он жаждет представить нам девушку, с которой у него «все серьезно».

— Вы должны узнать историю нашего знакомства! Уверен, когда Наташа ее услышит, захочет включить ее в новый роман! — радостно прокричал он в трубку.

Заинтригованные, мы договорились встретиться сразу же после нашего возвращения из отпуска.

Следующее совпадение не заставило нас ждать и произошло во время поездки по окрестностям.

В одном из поселков муж вдруг удивленно воскликнул и позвал меня:

— Смотри! Это же дом из твоего романа!

Я подошла поближе — и обомлела, увидев перед собой домик с трехступенчатым крылечком, с вьющимся по беленому фасаду плющом и синей именной табличкой возле двери. «Villa Pepita» — было написано на табличке.

«Вилла Пепита».

Точно такой же домик — беленый, с трехступенчатым крыльцом и вьющимся по стенам плющом — я и описала в романе. Но самое главное, на «моем» домике возле двери также находилась синяя табличка с надписью *Villa Pepita*.

Помню, название я меняла четыре раза, пока не остановилась на этом, подсказанном мужем...

— Какая странная череда совпадений, — проговорил он.

Я не знала, что на это ответить.

Признаться, что начинаю чувствовать себя героиней моего последнего романа? В книге она видела улицы, здания, людей, события во снах, а затем встречала все это в реальности. Я же, в отличие от нее, все это придумала!

Однако чувства — удивление, замешательство, страх и любопытство — были теми же, которые пережила моя героиня.

— Это становится интересным, — прокомментировал муж. — Прямо сюжет для твоей новой книги!

— Я об этом уже написала, — пробормотала я. — И потом: на этом все совпадения, может, и закончатся.

Не закончились: следующее случилось в тот день, когда мы вернулись домой. Вечером, включив компьютер, зашла по привычке на страницу одной из любимых групп — и первое, что увидела, было объявление о поиске нового барабанщика. Раньше за ударными в группе сидела девушка, и я позаимствовала эту идею — девушка-барабанщица в мужском коллективе. По сюжету в конце романа красотку-стерву выгоняют из музыкальной группы и на ее место начинают поиски нового ударника...

Признаться, на этот раз я уже не так удивилась.

Мне казалось, эта череда совпадений похожа на цепочку следов — следов-знаков, пытающихся вывести меня из темного ущелья на светлую дорогу.

Я приняла игру, невольно в нее включилась, хоть еще и не представляла себе, куда все это может меня завести.

Но мое любопытство было разбужено.

Да и пожаловаться на эмоциональное опустошение я уже не могла.

Наш приятель, как и обещал, представил нам свою девушку и рассказал историю их встречи.

Она и правда была бы хороша для книжного сюжета, если бы... если бы я уже не описала ее в этой сбывающейся книге!

Будто напророчила все — вплоть до мелочей.

«Есть что-то в тебе... ведьминское!» — то ли восхищенно, то ли испуганно сказал приятель.

Я лишь развела руками и подумала, что уж на этом наверняка все и остановится.

Чего еще можно было ожидать? Появления дедушки, который бы оказался моим потерянным родственником? Так и это произошло: ко мне в один из дней на улице подошел пожилой сеньор и завязал со мной разговор. И хотя он, конечно, не был моим родственником, то, что он рассказал, имело кое-какое отношение к моей книге. Во-первых, его звали так же, как пожилого сеньора из моей истории, и его родителей, как оказалось, тоже. Его семья воевала в гражданскую войну на стороне республиканцев. А на прощание сеньор сказал мне фразу, очень похожую на ту, которую я написала в книге: «Я назвал дочь Аной Марией, соединив в ее имени имена моей матери и супруги». Мой герой в финале произносит нечто подобное!..

Но, оказывается, еще не все карты мне были показаны.

Апогея история достигла несколько дней спустя, когда поздним вечером я сидела и разговаривала в чате со своей подругой — писательницей Юлией Набоковой. Разговоры наши обычно вертелись вокруг книг, персонажей и сюжетов. Только на этот раз я рассказывала Юле историю с воплощением книжного сюжета в реальную жизнь.

— Остается, Наташа, тебе только главного героя из романа в жизни встретить, — пошутила Юля. — Кстати, с тобой еще ни разу такого не происходило?

Я ответила, что нет.

Мы попрощались. Я открыла файл, присланный Юлей — рукопись ее нового романа, надела наушники и включила местную радиоволну с музыкой.

Во время работы над последней рукописью в поисках вдохновения часто слушала испанское радио. Честно говоря, я надеялась найти группу, музыка которой очаровала бы меня так же, как мою героиню. Но, увы, хоть мне и нравились многие исполнители, под чью музыку я и писала, среди них не было того, что я желала найти...

И вдруг — в тот момент, когда я уже собралась выключить компьютер, по радио зазвучала песня, которая меня остановила.

Это было именно то, что я искала, — голос, слова, музыка!

Как зачарованная, я прослушала песню до конца и только потом спохватилась, что не узнала ни названия, ни имени исполнителя.

Действуя, как моя героиня, я вбила в поисковик запомнившуюся строку из песни — и тут же получила ответ. Песню исполнял неизвестный мне, но известный в стране певец и композитор Диего Мартин. Увидев его фотографию и прочитав короткую биографическую справку под ней, я испытала потрясение, хоть уже успела за такой короткий срок привыкнуть к совпадениям. Это был именно тот образ, который я представляла себе, описывая героя, его типаж, прическу, стиль одежды, цвет глаз, возраст...

Я просмотрела, несмотря на поздний час, несколько видеоклипов. А днем отправилась по магазинам и разыскала все вышедшие у этого певца диски.

Следующую ночь провела в наушниках, слушая песню за песней и... «наблюдая» сцену, в которой красивая молодая девушка, испанка, рассматривала себя в зеркале. Я «чувствовала» то, что переживала в тот момент эта незнакомка — горечь, ревность и... сильную любовь, смешанную с не менее обжигающей ненавистью к одному человеку.

Откуда-то пришло имя девушки — Лаура, и тогда я поняла, кто она и кто тот человек, к которому она испытывала такие смешанные чувства.

Моя недавно написанная история, у которой не планировалось продолжения, вдруг стала обрастать новыми подробностями. Я торопливо записывала все, что приходило в голову. А Лаура, будто найдя наконец-то в моем лице того, кто бы мог ее выслушать, обрушивала на меня одно признание за другим. Одна песня сменяла другую, и вместе с ними — эпизоды чередовались, как видеоклипы, в которых знакомые и пока еще незнакомые мне герои любили, страдали, расставались и вновь встречались...

Опомнилась я лишь в четыре утра, когда все диски были прослушаны не по одному разу, а в моем компьютере появился новый файл с несколькими листами торопливых записей.

И следующий день, а затем и ночь я провела за компьютером в наушниках.

Истории полились на меня таким потоком, что я едва поспевала их записывать. И пусть новый роман выходил излишне романтичным, основной акцент делался не на мистическую интригу, а на отношения между героями, — это было не важно. Главное, я писала с таким вдохновением, о котором уже и не помышляла!

А вскоре из издательства пришла новость: выход книг приостанавливают, потому что собираются открыть новую серию в чудесном оформлении, в которой будет два автора. Со своей будущей напарницей Татьяной я уже была знакома, читала ее книги с большим интересом и находила их очень талантливыми. Подобные изменения давали много преимуществ. Теперь можно было сделать паузу и следующей книге уделить больше времени.

Но мне уже и не хотелось отдыха!

Я снова видела путь, а за спиной остались препятствия.

И я писала, как одержимая, полностью растворившись в новой истории под музыку, которая в те дни стала для меня лучшим советчиком.

В один из дней я разыскала музыканта Диего Мартина в Сети и написала ему, чтобы просто поблагодарить за вдохновение.

И он ответил!

Завязалась переписка, и в одном из сообщений я кратко рассказала о недавней истории с совпадениями, случившейся со мной, и какую роль в ней сыграл он.

«Для меня это честь — побыть твоим "персонажем"», — в шутку ответил мне Диего.

С этого момента началась наша странная дружба, которая длится уже пять лет.

Странная, потому что мы можем не писать друг другу очень долго, видеться лишь раз в год, договариваться созвониться в ближайшем будущем — и не выполнять обещания, а потом долго извиняться, ссылаясь на занятость. Но при этом в моменты моих сомнений или упадка духа, когда мне нужен совет или просто чтобы кто-то приободрил, он неожиданно, будто почувствовав, появляется с какой-нибудь фразой, которая ставит все на свои места и заставляет по-другому взглянуть на ситуацию. Когда мне нужна помощь для новой книги, он всегда, несмотря на сильную занятость, готов помочь. Он черпает вдохновение в книгах, я — в музыке, нас обоих интересуют темы прошлых воплощений и жизни «после», мы оба верим в неслучайность совпадений и «запрограммированность» событий. Мои книги издаются в серии под говорящим названием «Знаки судьбы», он же, не зная об этом, назвал свой будущий диск «Знаки...».

И как-то так вышло, что Диего вошел в тот тесный круг людей, которые сопровождают меня в «книжном» пути и оказывают всяческую поддержку. Их всего пять, помимо родителей: муж, близкая подруга, писательница и редактор Екатерина, писательница и сценаристка Юля Набокова и музыкант Диего Мартин.

И я верю, что не пропаду, не собьюсь с пути, пока эти люди будут со мной рядом и будут меня всячески поддерживать, а то и (что тоже случается) конструктивно критиковать.

Я могла бы поставить уже точку в этом длинном рассказе, но все же не могу не рассказать, о том, что пережила еще один выбор — книги или другое занятие.

И затем — тяжелую ситуацию, которая тем не менее расставила все по местам.

Случилось это не так давно, чуть больше года назад.

Кризис еще раньше коснулся книжного рынка, что выразилось в падении тиражей и — как следствие — авторских гонораров. Ситуация рисовалась не в самых радужных тонах: то и дело до меня доходили новости, что тот или иной талантливый автор оставил профессию и ушел в другую область. Каждый такой уход мною воспринимался достаточно болезненно. Во-первых, это были авторы, книги которых я очень любила. А во-вторых, это были мои знакомые, с которыми мы вместе начинали.

Ситуация не могла не коснуться меня, и вопрос — продолжать ли идти по пути, с которого сошли уже многие (и, как я видела, успешно реализовали себя в других проектах), или тоже свернуть, — обязательно бы возник.

У меня было куда уходить.

Я работала в известной каталонской компании, в Департаменте международных отношений.

Работа была хоть и стрессовой, но интересной, коллектив — теплым, я постоянно знакомилась с новыми людьми, узнавала что-то новое. Специфика работы подразумевала также командировки по стране и в Россию.

Но главное — у меня была регулярная зарплата, значительно превышающая нестабильный авторский заработок, на который прожить было нельзя.

Я продолжала писать книги, хотя, конечно, уже не могла отводить им столько времени, как раньше.

Может, в такой ситуации я бы вполне благополучно просуществовала еще долго, если бы не возникла острая необходимость выбора.

К сожалению, проблемы со здоровьем начались у меня еще до того, как я устроилась в офис. Я посещала врачей, но они не находили ничего серьезного, списывали все на усталость, пониженный гемоглобин и стресс. Я послушно пила витамины и железо, следила за питанием, пыталась выспаться, ходила в бассейн и на массаж. Все это приносило лишь временное облегчение.

И вот настал тот тяжелый момент, когда стало ясно: что-то придется оставить.

Я уже отписалась от интересных курсов, отказалась от перспективы попробовать себя в качестве сценаристки для одного проекта, муж взял на себя большую часть домашних обязанностей, и все же ситуация дошла до выбора — писать книги или работать в офисе.

На две работы меня уже не хватало.

На одной чаше весов была мечта, которая, увы, прокормить не могла, на другой — материальное благополучие.

И то и другое отнимало много времени и сил.

Так вышло, что я, несмотря на уговоры Юли и ее всяческие ободряющие слова и примеры, несмотря на просьбу Екатерины взять тайм-аут и хорошенько подумать, несмотря на поддержку Диего сделала выбор в пользу офисной работы.

Незадолго до Нового года отправила в издательство последний роман, а после новогодних праздников вышла на работу.

Но мое физическое состояние стало резко ухудшаться с каждым днем. Я перестала спать из-за болей, у меня были проблемы с координацией, я боялась упасть во время ходьбы, потому что это уже случалось. Мне было страшно, потому что мое тело отказывало меня слушаться.

В один из дней меня прямо из офиса увезли в госпиталь, потому что мне внезапно стало плохо во время утреннего совещания.

Напуганный муж тут же примчался в госпиталь, где я находилась в ожидании срочных обследований. Кардиограмма, сканирование головного мозга, осмотр у одного врача, затем — у другого, срочно вызванного в отделение «скорой помощи» невролога, ожидание результатов, консультация уже с другим неврологом и, наконец, разговор с ними обеими.

— Мы сейчас не можем точно сказать, что с ней. Нужны дополнительные исследования, — сказала моему мужу молодая девушка-невролог, переглянувшись со своей коллегой такого же возраста. — Мы должны исключить... ммм... — девушка замялась. — Должны исключить опухоль головного мозга.

— Даже так? — равнодушно спросила я, почему-то не испугавшись.

Мне тогда и правда было все равно, какой диагноз поставят, хотелось только одного — ясности, наконец-то ясности!

А ее как раз и не было.

— Мы проконсультируемся еще в одном месте, — ответил докторам муж и, выйдя из кабинета, связался с моей подругой, работающей в одном институте Барселоны. Она уже была в курсе ситуации, более того, первой забила тревогу, однажды осторожно заметив:

— Наташ, ты только не пугайся, но твои симптомы похожи на симптомы наших пациентов.

Я знала о ее институте лишь то, что он занимается заболеваниями нервной системы, что там разработан свой метод лечения и что туда со всего света едут люди с такими непонятными мне заболеваниями как синдром Арнольда-Киари и сирингомиелия.

Подруга рассказывала порой о чудесах, которые происходили с пациентами после операции по методу этого института, но при этом добавляла:

— И все же — пусть у тебя окажется не «наше» заболевание. Не дай бог!

Несколько дней в ожидании результатов МРТ я провела в какой-то прострации: все эмоции и страхи отключились. Меня по-прежнему не пугал диагноз, который мне могли бы поставить, хотелось только одного — ясности.

Мы не стали ожидать, когда подойдет моя очередь на МРТ через социальную медицину, сделали исследование через институт — чтобы побыстрей узнать результаты.

Через пару дней меня разбудила звонком подруга, которая радостно прокричала в трубку:

— Калинина, у тебя не опухоль, как мы все подозревали! И пусть ты «наша» пациентка, я этому теперь только рада! Все подробности — на консультации. Завтра в одиннадцать — как штык, ты и муж. Оба.

Я повесила трубку, сказала мужу:

— У меня не опухоль.

И расплакалась.

Меня наконец-то прорвало.

Я проплакала весь день, выплескивая пережитые страхи, плакала от облегчения и... просто так, потому что не могла уже остановиться...

На консультации мне наконец-то поставили диагноз — натяжение спинного мозга, вызванное заболеванием концевой нити, и подтвердили необходимость операции.

Мы без сомнений решились на нее.

Случайно или не случайно я попала в этот институт? Может, это действительно когда-то было запланировано? Потому что эта клиника, где мне наконец-то поставили диагноз и потом оказали помощь, была единственной в мире и находилась именно в Барселоне, куда меня «забросила» жизнь. И именно туда какое-то время назад пришла работать моя близкая подруга, с которой мы тоже познакомились при довольно забавных обстоятельствах...

Вечером я позвонила шефу, который ежедневно справлялся о моем здоровье, и сказала, что увольняюсь.

Мне нужно было взять долгую паузу и заняться собой. Все остальное отошло на дальний план.

После операции — в тот же день — я заметила первые улучшения.

Меня выписали.

Из Москвы срочно прилетела мама, и я наконец-то могла отдыхать столько, сколько хотела, и ни о чем не беспокоиться.

Даже мой пятилетний сын попимал: мне нужен отдых, и тщательно следил за тем, чтобы я случайно не наклонилась (что было запрещено) или не подняла что-то тяжелое. Он сам убирал за собой без лишних напоминаний игрушки и приносил мне в спальню рисунки с машинками и цветами...

Мама привезла мне чемодан книг, часть которых была подарена Юлей и Екатериной. И я полностью ушла в чтение.

Плохое зачастую случается в тот момент, когда ты выбираешь неверный путь, когда пора остановиться и что-то переосмыслить.

Этот последний случай повлек за собой много изменений.

Кто-то пожелал уйти из моего окружения без объяснений, как только узнал о болезни, кто-то, наоборот, — откликнулся с желанием помочь. Как мне ни больно было это осознать, но серьезные беды являют истинные лица тех, кто тебя окружает.

Потом я поблагодарила судьбу за этот урок, потому что со мной остались самые-самые близкие, любимые и действительно меня любящие.

За этот период изменилась я сама.

Это был год не только физического восстановления, но и переоценки ценностей, переосмысления задач и целей. Как пафосно это ни звучит. Я не боюсь теперь быть собой, знаю, что для меня действительно ценно, а что — второстепенно.

Здоровье и близкие люди — вот что для меня важнее всего.

Поняла, что нет смысла гнать «на износ», это никому не принесет пользы, и в первую очередь — мне самой.

Не нужно бояться делать паузы. Мир не остановится при этом.

И еще — нельзя предавать себя, полностью отказываться от любимого дела в пользу другого, более «правильного» и доходного.

Да и мечта не должна превращаться в слепую одержимость ею!

Все должно быть в гармонии.

Я понимаю это, но как осуществить на практике — пока не знаю. Когда-нибудь, верю, смогу постичь эту «премудрость» и, надеюсь, не через суровые испытания. А пока я... пока работаю над новым романом и получаю от этого настоящее удовольствие. Книги — это часть меня, мой путь, усеянный «знаками».

Он непростой и коварный.

Но когда я думаю свернуть с него, тут же получаю предупреждающие сигналы.

В один из кризисных моментов Диего прислал мне фразу, вычитанную им в какой-то книге: «Это не крах. Это испытание, через которое жизнь проверяет, на самом ли деле ты этого желаешь. И заслуживаешь ли».

С тех пор эта фраза — мой девиз.

Я могу лишь добавить, что исполнить мечту — это важно. Но куда важнее удержаться и не утратить желания следовать этой дорогой из-за сложностей и разочарований.

Исполненная мечта — это еще не пройденный путь.

Это дверь, за которой ожидает отнюдь не рай, а дорога со множеством препятствий. Но насколько длинным и интересным будет этот путь — зависит только от тебя и от твоего выбора правильных попутчиков.

БОРИС ЕВСЕЕВ

писатель, музыкант

Долго не мог понять, что важней:
скрипка со смычком или история
с неожиданным концом?
В семнадцать лет я поступил
в оркестр Музыкально-драматического
театра, где и случилась первая
проба пера — пришлось выручить
забывшего роль товарища, написав
ему новую, изрядно переделав
оригинал. Уже участь в Москве,
в знаменитом Гнесинском институте,
стал выводить на студенческую сцену
не Стравинского с Хачатуряном,
а собственных персонажей.
С тех пор главное для меня — театр
прозы. А в нем — ритм и мелодика
речи. Так и повелось: жизнь выводит
на сцену новых и новых актеров.
А я пишу для них новые роли...

КОРОТКАЯ НАДПИСЬ

• • •

В 1990 году, в первых числах марта, после краткого дружелюбного приветствия отец Александр неожиданно спросил:

— Что я могу сделать для вас, Борис?

В тот день я приехал в Новую Деревню, чтобы обсудить с опальным священником план еще одного, теперь уже осенне-зимнего цикла лекций о русской религиозной философии. Эти лекции — о Николае Бердяеве и Павле Флоренском, о Владимире Соловьеве и Сергии Булгакове, о князьях Трубецких и Николае Лосском — он, начиная с 1988 года, читал в одном из самых удивительных уголков Москвы: на Рогожке, во Дворце культуры завода автоматических линий, где я тогда руководил литобъединением.

Читал Александр Мень при огромном стечении народа — ярко, незабываемо.

Мартовский день, зимний, туманный, располагал скорей к печали, чем к веселью. Но отец Александр был необычайно радостен. С некоторой долей торжественности повторил он свой вопрос еще раз.

В церковном дворе было непривычно пусто: службы давно закончились, все разъехались или разошлись пешком по окрестным селам, густо облепившим окраины подмосковного городка Пушкино.

Я все утро ждал разговора об осенних лекциях и с налету стал говорить о том, что хорошо бы сделать небольшой обзор всего, ранее прочитанного.

Отец Александр лишь загадочно улыбнулся:

— С этим разберемся потом. Сейчас — другое.

Мы вошли в свежесрубленный, еще пахнущий сосновой смолой крохотный домик, где он принимал посетителей и наскоро перекусывал. Навстречу вышла неизменная Марья Витальевна, ласковая как дитя, гуттаперчево-сморщенная старушка.

Отец Александр отправил меня в комнату для отдыха, а сам прошел в закуток, где висел рукомойник, фыркая, умылся, потом с кем-то в коридоре переговорил, быстро вернулся — и тут же, словно продолжая прерванную мысль, стал рассказывать историю графа Уголино делла Герардеска, умершего вместе с сыновьями от голода.

«Божественная комедия» Данте, к которой он часто возвращался, зазвучала в скромной подмосковной халупке то по-русски, то по-итальянски...

Внезапно, неосторожно поведя рукой, отец Александр смолк, сквозь боль улыбнулся:

— Вчера колол дрова, повредил правую руку. А мне ведь в мае картошку сажать...

Количество дел, выполняемых отцом Александром, меня всегда поражало и слегка настораживало. Два-три раза, сразу после окончания лекций, я осторожно просил:

— Вам бы отдохнуть, отец Александр...

Но у него всегда находилось срочное дело: то поездка в онкологический центр, то встреча с приехавшими издалека паломниками, то переводы с английского, то изучение специальной богословской литературы.

Вот и сейчас, пересиливая боль, он стал рассказывать историю чудесным образом попавшего к нему креста, который лежал, поблескивая сапфирами и эмалью, здесь же, на столе.

Закончив историю креста, он неожиданно сказал:

— Был такой писатель — Юрий Осипович Домбровский. Он писал превосходную прозу. Стихи у него были не такие сильные, но образные и доходчивые. Один из своих сборников, он хотел назвать «Моя нестерпимая боль». Я не советовал, говорил, лучше будет что-то вроде «Преображение боли». Но он тогда уже никого не слушал. И потом — в последние годы Юра сильно пил. Это было плохо, но, скорей всего, неизбежно. Двадцать пять лет в лагерях и на поселениях! Это не шутка... Марья Витальевна! Я сегодня утром привез из дому книгу. Желтенькую такую. Где она?

Ничего не привозил! — донесся его голос уже из новенького деревянного коридора. — Значит, забыл кинуть в рюкзак...

Возвратившись, он продолжил:

— Я неспроста — про Домбровского. Вот, скажем, ваши стихи. Я слыхал... вы тут недавно хвастались, — он с лукавинкой, но и ободряюще глянул на меня, — что рукопись книги... небольшой такой книги... уже готова. Стихи у вас совсем не такие, как у Юрия Осиповича. Но мне кажется, вы тоже никого особо не слушаете. А ведь иногда взгляд со стороны полезен. В общем... Хорошо бы к вашим стихам написать предисловие. Конечно, предисловия почти всегда бывают лишними. Но у вас стихи необычные. Их невозможно пересказать в прозе. И тем не менее какая-то далекая повествовательная основа в них есть. Они навевают мысли о притчах и сказаниях, громоздящихся за стихами. А если глянуть с общей точки зрения, то эти стихи — словно повесть о том, чего вроде нет, но что обязательно будет, потому что уже — незримо присутствует!

Он так и сказал: «Чего нет, но что незримо присутствует».

Я подождал, не добавит ли отец Александр чего-нибудь еще.

Он молчал.

Тогда, прокашлявшись, я сказал:

— Может, предисловие и нужно. Только кто напишет? Меня мало кто знает. Разве кто из друзей...

— Я сам напишу. Там у вас есть пять-шесть стихов с религиозными мотивами, за них и зацепимся...

Он осторожно, как опухоль, всеми пятью пальцами сразу, потрогал правое плечо.

Я стал торопливо прощаться.

— Приезжайте через недельку-другую. Тогда и об осенних лекциях потолкуем. Помните, я рассказывал вам про мать Марию, про Кузьмину-Караваеву?..

О матери Марии он рассказал мне в электричке, где мы случайно встретились месяцев семь-восемь тому назад.

Электричка была набита под завязочку.

Вдруг в середине вагона я увидел свободное место. Протиснулся, умостился, достал книгу. Случайно подняв голову, увидел: напротив сидит и улыбается отец Александр.

Дело было на исходе лета, священник был не в рясе, а в светло-сером костюме.

Отец Александр обрадовался мне по-настоящему. Путь от Сергиева Посада до Москвы был долгий, и он тихо, но внятно, рассказал мне про мать Марию, про духовный восторг, который чувствуется в ее стихах, про ее мытарства во время Второй мировой войны, про смерть ее в газовой камере немецкого лагеря Равенсбрюк и про то, как в юности, сразу после смерти своего отца, Юрия Дмитриевича Пиленко, она потеряла веру в Бога, а потом снова ее обрела...

Теперь, мартовским полуясным днем я брел пешком на станцию Пушкино с чувством какого-то грустного ликования.

Ликовал, наверное, потому, что отец Александр не забыл о моих стихах, которые ему еще три года назад показал мой друг, музыкант и композитор Юрий П., а острая грустинка покалывала щеки у самых губ оттого, что казалось — стихи кончатся, мечты-надежды схлынут, как схлынули молодые годы, детство, юность...

И что тогда? Что — после трепета и буйства стихов?

Неожиданность всегда лучше расчета: что-то вдруг повернется — и жизнь уже вовсю скачет по родимым ухабам или скользит по надраенным до блеска полам...

Скользит и скачет — по-другому, не так как раньше!

Я остановился.
Все было как всегда, но что-то явно менялось.
Я стал думать о будущем, и вдруг понял: ничегошеньки толком об этом самом будущем я рассказать себе не могу.
Да так оно и было!

Я не знал и не мог знать, что осенне-зимний цикл 1990 года начнется второго сентября с неповторимой лекции о матери Марии, что вскоре в стране наступят совсем иные времена и сбудутся слова отца Александра: «Сначала перестройка — потом перестрелка». Не знал, что жизнь наша в корне изменится, но отец Александр про это ужс не узнает, потому что настанет страшное 9 сентября, и ранним утром ко мне домой, в поселок Заречный, расположенный в трех километрах от старинного Радонежа, приедут Сергей Б. и Юра П., и кто-то из них произнесет: «Отца Александра убили», а я, едва опомнившись, пролепечу: «Когда, как?» И один из друзей ответит: «Сегодня в шесть утра, зарубили топором...»

А тогда, в марте 90-го, я приехал в Новую Деревню не через неделю-другую, а через три дня, потому что накануне вечером по моему сергиево-посадскому номеру позвонил отец Александр и сказал:

— Заезжайте завтра в храм. У меня кое-что есть для вас...

Я выстоял больше половины службы. Когда стал читать диакон, отец Александр подошел ко мне, негромко сказал:

— Идемте ближе к свету...

Он сходил в алтарь и вышел оттуда с тремя плотными листками сероватой бумаги.

— Вот, берите. Я назвал эссе «Вместить невместимое».

— Поставьте, если можно, подпись, — глухо и неожиданно для себя бухнул я.

Священник прошел к конторке, попросил у церковного старосты ручку, наискосок, на первом листе, черкнул несколько слов и расписался.

Затем, выйдя вместе со мной на минуту из храма, сказал:

— Теперь идите с Богом. Чувствую, дела вас не отпускают, — снова улыбнулся он. — Да! Забыл... Книгу Домбровского возьмите у Марьи Витальевны. Он ведь тоже сперва все стихи писал, но потом полностью перешел на прозу. И хорошо это у него получилось. То же самое — Набоков. Да и Ахматова в глубине стиха — по-хорошему прозаична. О Пушкине — нечего и говорить. В ваших стихах много повествовательности. Ну, например, в стихотворении, которое связано с Конфуцием. Но главное не это. Главное — в них присутствует чудо рассказывания!

Я с недоумением глянул на собеседника.

— Да, да! Чудо рассказывания — вот что вы ощущаете во время написания стиха. Ощущаете сильно, хоть и подспудно. Сам рассказ о любом событии, во время произнесения речи, — неважно, про себя или вслух, — обрастает у вас новыми неожиданными деталями и смыслами. Чудо рассказывания — это чудо Божье! Ну, мне пора...

Отступив влево, в глубь церковного двора, и встав под деревьями, я, волнуясь, прочитал первые строки из того, что написал о моих стихах отец Александр:

«В нашем мире, который с завидным упорством отворачивается от чудес, чудеса все-таки происходят. Они стучатся к нам, словно надеясь прорваться сквозь человеческую слепоту. И одно из самых удивительных чудес — тайна человеческого сознания и духа. Об этом когда-то писал Блэз Паскаль, сравнивая мертвые, лишенные разума громады мироздания с одним-единственным огоньком мысли, горящим во тьме...»

Я зажмурился — и вмиг даже думать забыл о стихах: о своих и чужих, о древних и новых!

Проза, которую я начинал писать и в семь, и в четырнадцать, и в двадцать лет, которую произносил про себя и вслух, во время бодрствования и во сне, словно бы читая не написанную еще книгу, эта проза приобрела вдруг вид подмосковной церковной нищенки. Одетая дурно, грязновато, она зачем-то нацепила поверх сбившихся набок волос дворянскую пышную шляпку с ситцевым лиловым цветком, выступила внезапно из-за церковной ограды и пошла, чуть пошатываясь, прямо на меня.

Нищенка, получив пятак, а затем и двугривенный, ушла.

А проза и та сбивчивая речь, которая всегда тесно ее обвивает, — они остались.

Речь эта, как оттаявшая ветка, неожиданно в конце марта показавшая на концах своих крохотные почки, едва заметно мигающие зелеными огоньками на черном тополе, на осокоре, который хорошо прижился здесь, в Подмосковье, — речь эта внезапно задрожала и потом уже никогда не переставала дрожать.

В те минуты я напрочь забыл об отце Александре (о чем до сих пор вспоминаю со стыдом) и стал почему-то смотреть не вверх, на тополь-осокорь, а вниз.

Под ногами валялся неизрасходованный, не изображенный как надо март: кучка снега, фиалка, навоз, детская красная лента, кем-то — девочкой или котенком — на одном из концов растерзанная в пух.

От полноты внутренней (наконец соединившейся с внешней) жизни я закрыл глаза.

Так, не разлепляя век, и дошел до крошечного деревянного дома на другом конце церковного двора.

Хрипло позвал:

— Марь Витальевна, вы здесь?..

Марья Витальевна тоненько нарезала горбушу, чтобы отец Александр после службы мог наскоро перекусить, и потому, не оборачиваясь, мотнула головой в сторону комнаты.

Я вошел, взял со стола желто-лимонную книгу Юрия Домбровского «Хранитель древностей». На ней — и опять-таки наискосок — было написано:

«Борису Евсееву, чтобы он тоже стал Хранителем!»

Я открыл книгу и прочитал: «Выезжал я из Москвы в ростепель, в хмурую и теплую погодку...»

Но тут же Домбровский был захлопнут, и я, волнуясь, как непротрезвевший скрипач перед экзаменами в Гнесинке, забормотал вслух свое любимое: «Я ехал на перекладных из Тифлиса. Вся поклажа моей тележки состояла из одного небольшого чемодана, который до половины был забит путевыми записками...»

Проза — как путь жизни и как вроде бы случайно затеянное описание этого пути, — пронзила меня, словно острая булавка трепыхающегося жука: сверху донизу!

Продолжая читать вслух нестерпимо прекрасного Лермонтова, объемные куски которого помнились наизусть еще с детства, покинул я пахнущий сосновым осмолом крохотный церковный дом.

Уходя, краем глаза видел: Марья Витальевна перестала строгать рыбу, распрямилась и с недоумением на меня смотрит. Потом подняла зачем-то руку. Однако дальше никакого жеста не последовало.

К руке ее прилипла рыбья косточка с беловато-розовым жирком на конце. Марья Витальевна косточку на руке чувствовала, морщилась, рукой слегка встряхивала, гуттаперчевое лицо ее кривилось, но сбить косточку щелчком или попросту сдуть ее она почему-то не догадалась...

Домой, в поселок Заречный, я решил ехать на попутке, и поэтому пошел пешком через снежное поле, мимо кладбища — к Новой Ярославке.

По дороге я видел лису.

Она терпеливо ждала своего часа на опушке леска, прилепившегося к южной окраине кладбища, и на меня глянула равнодушно.

Через минуту лиса напружилась, чуть отпрыгнула в сторону и скрылась за невысоким снежным холмиком. Тут же она появилась снова — с полевкой в зубах. Глаза лисы — я хорошо это видел, потому что всегда был дальнозорким, — пылали неутолимым огнем голодного счастья. Лиса медленно, даже величаво, не обращая внимания на двух пьяненьких копачей, вынырнувших из синих глубин кладбищенского марта, скрылась в неширокой, отделяющей дорогу от поля канавке.

«С добычей», — порадовался я за лису и тут же ускорил шаг: нужно было ехать домой, быстрей прорисовывать радость, удерживать на лету плотность и вескость неожиданно высмотренных деталей.

Мгновенный — в два приема — переход от стихов к прозе изменил мою жизнь до неузнаваемости: она обрела неожиданный, долгие годы укрывавшийся от меня смысл.

Прежняя жизнь вдруг сухо хрустнула и отпала, а жизнь новая, неизвестно откуда взявшаяся, стала наливаться дикой силой: сквозь сухостой и заборы, ее внезапно потянуло вверх, в сторону, вверх!

Стало вдруг все равно, что будет дальше, отступили бесконечные хозяйственные дела и трудности, они показались ничтожными или преодолимыми, потому что вдруг решился основной, все эти годы торопивший жить и безумствовать вопрос: как перевести то, что делается вокруг, в рельефы и линии, в слова или записанные нотами звуки?

Не дававшийся в руки смысл нежданно-негаданно был обнаружен.

Все стало светящимся, праздничным, каждая деталь получила смысл и вес. Мир как точнейший набор штрихов и звеньев представился великим порядком, который нужно было постигать, изображать, которым нужно было делиться с голимыми, обездоленными.

Тут же я стал вспоминать сияние и тяжесть рыб, которых вытаскивал из реки в детстве, вспомнил легкую девичью пудру весенних бабочек и тяжеловатую пыль летних проселков, вспоминал завитки шерсти за нежно-прозрачными бараньими ушами и мелкий воробьиный шаг особо льстивых и придирчивых школьных учителей...

Через некоторое время я улетел на Кавказ. Правда, не в Тбилиси, в Баку.

Первый же рассказ, уцепленный там новым зрением, — не залепленный литературщиной и монотонными всхлипами, рассказ, написанный совершенно по-новому — подтвердил: жизнь изменилась до неузнаваемости и ее уже никто не обессмыслит.

Радость понимания заставляла нырять в ледяной Каспий, выскакивать, ликуя, голышом на скалисто-песчаный берег, смотреть сквозь тяжеловатую пелену на южное кирпичное солнце, пить вино огромными, превосходящими способности человека глотками...

Ну а книга Домбровского, подаренная отцом Александром, книга, которая своей короткой надписью на контртитуле толкнула меня на возврат к Лермонтову, повернула лицом к неслыханным возможностям русской повествовательной интонации, — и теперь, после всех переездов-ремонтов, посвечивает передней стороной обложки в моем шкафу.

Желто-лимонная эта обложка видна даже в сумерках, а особенно хорошо утром, в снежный рассветный час...

ВЛАДИМИР СОТНИКОВ

детский писатель, прозаик

Владимир Сотников пишет всю жизнь, сколько себя помнит. Это не значит, что с самого детства он писал романы, но замечал, что мир подвержен его взгляду и просит творчества. Счастье для него — писать необходимые слова.

СОВПАДЕНИЕ

* * *

«Не перебежал бы заяц дорогу, — подумал я, сворачивая на проселок. — Но ведь ничего и не изменится».

Меня не покидало желание решить одну странную в своей простоте задачу: что именно подтолкнуло к этой поездке? Взгляд в окно на далекий лес за кольцевой дорогой? Шапка, вдруг сама по себе упавшая с вешалки? Должна же быть какая-то капля, первой скользнувшая из прошлого в будущее. Связующая подробность. Самое незаметное, что есть в жизни. Бытовое, каждодневное чудо.

Мой дом был крайним на деревенской улице. Я не был здесь с лета. Пока растапливал печку, расчищал снег, чтобы поставить машину под окна, совсем стемнело. Звезды засияли во всю силу, к ним тянулся и растворялся светлый дым над домом, в тишине отчетливо лаяли собаки, перекликаясь с эхом от леса.

«А ведь завтра Рождество», — вспомнил я и взглянул на небо, выискивая самую яркую звезду. Так же я разыскивал ее в детстве. И это воспоминание о празднике тоже связало прошлое и будущее.

Мне приснился яркий сон, сразу забытый, перечеркнутый взревевшей сигнализацией. Возле машины бегал какой-то человек, потом стал стучать в окно:

— Сосед, сосед!

«Современные колядки», — подумал я, вытаскивая из сумки припасенную бутылку водки.

На крыльце стоял Алексей, молодой мужик, живший через два дома. Он был без шапки, в незастегнутом полушубке. Наспех поздоровавшись и увидев водку, он выдохнул:

— Да нет, я не за этим... Жена рожает. Отвезешь?

Через десять минут мы с Алексеем усаживали на заднее сиденье Татьяну. Она сдерживала тяжелое дыхание и виновато поглядывала на меня: «Извините, что так...»

Алексей приговаривал: «Тише, тише», — то ли мне, чтобы вез поаккуратней, то ли жене. По пустынным улицам городка подкатили к больнице, вызвали стуком в окно тетку в халате.

— Звонок же есть, — недовольно буркнула она, нажав для убедительности на черную кнопку у двери.

Я остался в машине.

«Хорошо бы мальчик — в самый сочельник», — думал я. К машине подошла, виляя хвостом, собака. Так бывает всегда: когда чего-то ждешь, то вдруг особенно замечаешь животных или внимательно смотришь на деревья — как будто природа в ответе. Ждать пришлось долго. Выходил Алексей, уговаривал уехать. Когда через час я решил все-таки возвращаться один, Алексей выскочил снова.

— Сын! — Он уселся на переднее сиденье, захлопнул дверь. — Все, поехали. Ну, спасибо. В честь тебя назову.

Ехали медленно. Я сказал:

— А сегодня Рождество — вон, уже полпервого. Что, в деревне сейчас гулять начнут?

— Да кому там гулять! Молодежи нет. Да и мы тоже весной переедем, я в городе устроился.

— И не гадают, не колядуют?

— Да когда это было, — махнул Алексей рукой. — Но еще при мне гадали.

И он начал рассказывать историю, которую закончил уже дома, за столом.

Десять лет назад он возвращался из армии. Служил на дальней точке, поэтому дембель вышел поздний, после Нового года. И возвращался он в деревню как раз на Рождество. Было поздно, автобусы уже не ходили, и Алексей пошел из райцентра пешком. То бежал, согреваясь, то опять шел. Какая-то собака следом увязалась. Он останавливался — и она ждала. Поначалу даже испугался: не волк ли? Нет, собака, небольшая. В деревне, когда уже повернул на свою улицу, оглянулся — собаки сзади не было. И вдруг Алексей понял, что стоит он как раз у дома своей девушки — той, с которой переписывался. Окно мерцало. Он подошел, потрогал дверь — не заперта, сама открылась. Словно кто подтолкнул ноги — он в сени вошел, еще одну дверь открыл. Тихо. За столом сидит девушка, перед ней свеча и зеркало. Алексей тихо подошел, не подав голоса, и заглянул через ее плечо в зеркало. Она закричала, вскочила и упала на его руки.

— Увидела своего суженого, — сказал я. — Узнала?

— Узнала, а как же. От страха чуть не умерла.

— А что у вас дальше было? — не удержался я от простого вопроса.

— Как что? Да ты же ее только что отвез. Третьего сына родила.

Я ошеломленно смотрел на спокойного Алексея.

— Так ведь это она тебя и нагадала! Бывают чудеса...

Алексей махнул по своей привычке рукой:

— Какие там чудеса! Просто совпадение.

Когда я провожал Алексея, с крыши упала и разбилась сосулька. Я вдруг увидел, что в каждом осколке отражаются звезды. И эти отражения, и его, как оказалось, неслучайный приезд, и эта ночь — все соединилось в простом объяснении.

«Пусть живет, как знает, — почему-то подумал я про Алексея. — Пусть считает чудо совпадением».

Я был впервые счастлив вместо другого человека.

АНТОН ЧИЖ

прозаик, человек-загадка

Самый неизвестный из знаменитых авторов отечественного детектива и, пожалуй, самый загадочный: ни одной подлинной детали его биографии до сих пор неизвестно. Начал писать свои детективы, когда более не нашел ни одного стоящего для прочтения. Антон считает, что настоящее счастье вращается вокруг семьи и любви, но тема эта столь таинственная, что говорить о ней не рискует даже наедине с собой.

КРАСНЫЙ,
КАК ЖИЗНЬ

. . .

Семейные предания имеют особое свойство: они не меняются. Сколько ни повторяй их за праздничным столом для новых и старых гостей, они всегда остаются прежними. Выдумать лучше прожитой жизни — жизни кровных тебе людей, связанных с тобой ниточкой этой жизни, — не выходит, как ни старайся.

Близкие — неудобные персонажи.

Особенно те, кого уж нет, и они не смогут поправить или усмехнуться над кривой выдумкой. А если наперекор позволишь себе врать — не выйдет ничего, кроме мусора стыда, который придется чистить.

Врать про родных нельзя.

...В конце лета сорок первого года бабушка моя, Тамара Тимофеевна, неожиданно для себя уехала из окружаемого Ленинграда.

Оборонный завод, на котором мой дед, Константин Петрович, служил инженером, невероятным образом выбил для семей сотрудников целый поезд в эвакуацию. Дед еще в июле надел погоны старшего

лейтенанта и ушел на фронт командиром миномет-
ного взвода. Часть его взвода истекала кровью, отступая, пока не уперлась в дальние пригороды на юге
и не встала там намертво. Увольнений не было, еле
успевали прибывать новички на место потерь, в Ленинград дед не мог вырваться даже на сутки.

О поезде он не знал ничего.

Но о ценном сотруднике не забыли.

В двадцатых числах августа, поздним вечером
в коммунальной квартире, в которой, кроме бабушки, жили ее родители, а еще родители моего деда
и две другие семьи, раздался звонок.

Телефон висел в общем коридоре.

Оказавшись поблизости, бабушка сняла трубку. Звонили из профкома завода: для нее, как жены младшего комсостава, оставлена бронь на одно
место в вагоне эвакопоезда. Отправление в шесть
утра, согласие — в течение часа. Перезвонить по ука-
занному номеру или бронь будет аннулирована.

Бабушка отличалась в семейных делах властным
характером, фанатичной любовью к домашнему порядку и при этом полным отсутствием решимости.
Она не знала, что теперь делать.

Срываться с места и ехать в эвакуацию?

Значит, оставить работу, а она уже — главный
бухгалтер крупного предприятия. Но самое страшное — оставить отца и маму. Как они будут жить
в прифронтовом городе без нее, без любимых внуков и ее продуктовой карточки служащего? С хлебом уже было туго, особенно для «иждивенцев»
и неработающих. А как ей быть одной с двумя маль-
чишками — старшему всего семь, а младшему в июне
исполнилось два годика — без помощи родителей?

В тот год бабушка была молодой, красивой женщиной: весной ей исполнилось всего тридцать два.
Подумать о том, что Ленинград окажется в блокаде
и что за этим последует, она совершенно не умела
и не могла.

Да вряд ли кто мог.

Как любой советский человек, бабушка была уверенна, что «колыбель революции» никогда не сдадут.

Будет, конечно, трудно, но не лучше ли остаться?

На семейном совете было принято решение: ехать. Бабушка возражала, как могла, до тех пор, пока ее отец, по старинке, как делал его отец — петербургский купец Евдоким Груздов, — не стукнул кулаком по столу и приказал слушаться старших. За них волноваться нечего: как-нибудь переживут! В Германскую немец Петроград не взял и сейчас зубы обломает, а уж как туго было после Гражданской — всяко такое не повторится...

Прадед мой, Тимофей Евдокимович, добрейший и семейственный, бывал, когда надо, весьма властен.

Дочь не посмела ему перечить.

Ночь прошла в бессонных сборах.

Все, что могло понадобиться в эвакуации, а рассчитывали на два-три месяца отлучки, было завязано в тюки. Чемоданы, перетянутые бечевкой, лопались от бесполезных вещей. Фамильная шуба была оставлена дома. Бабушка наотрез отказалась забирать ее у матери, прабабки моей, бабы Лели.

Добраться на вокзал оказалось бедой не меньшей. Такси в городе давно отменили, на трамвай со всем скарбом не поместиться...

Тимофей Евдокимович принял мудрое решение: ехать на двуколке, на которой он подрабатывал разной халтуркой. На тележке в два колеса по центру тяжести разместили баулы, сверху посадили младшего Женьку, закутанного матрешкой. Старший, Валерка, отказался ехать как маленький и всю дорогу до Московского вокзала бежал рядом.

Поезд стоял на дальнем пути.

Вокруг состава творилось неописуемое. На каждое место, выделенное заводом, приходилось по три-четыре человека, все пытались забрать не только детей и родителей, но и родственников. Вопли, мольбы, проклятия, ругань и брань перекрывали гудки паровозов. Начальник поезда, охрипший, с бордово-красным лицом, объяснял на каждом шагу, что может взять только по списочному составу, ну, в крайнем случае, одного-двух сверх штата...

От происходящего бабушка пришла в ужас. Она заявила, что ноги ее не будет в этом грязном, ужасном поезде, они возвращаются домой. Потребовалась вся воля Тимофея Евдокимовича, чтобы обуздать женский страх. Кое-как протолкавшись до подножки своего вагона, бабушка назвала секретный номер брони, измотанный проводник в шинели без погон, но с кобурой, спросил: сколько человек с ней едет. Ему показали на двух мальчишек. Он только махнул рукой — мелочь.

В вагоне на каждое место приходилось по четыре, а то и пять сидельцев. Место бабушки давно было занято чемоданами. Вонь, толкотня, детский плач, грубость и разлитый страх, словно враг уже входит в город...

Без умения моего прадеда убеждать строгим словом бабушка наверняка повернула бы обратно. Для ее брезгливости общий вагон был непосильным испытанием. Но она осталась, хотя маленький Женька закатил долгую истерику, а Валерка чуть не потерялся на перроне.

Раздался гудок к отправлению.

В панике прощаний, слез, напутствий и суматохи провожающих бабушка сунула Тимофею Евдокимовичу баулы, какие попали под руку. Вместить в купе все пожитки было невозможно. Поезд набирал ход еле-еле, бабушка кое-как протиснулась к окну, чтобы помахать родным.

Тимофей Евдокимович остался стеречь пожитки, как он заявил, отворачивая лицо. За поездом бежала, утирая слезы и махая любимым внукам, пока хватило перрона, прабабка моя, Леля. Сердце ее разрывалось от горя: она не хотела отпускать ни дочь, ни внуков — погибнуть, так всем вместе под бомбой! Но перечить мужу не привыкла. И только молилась про себя, чтобы родные и ненаглядные дети вернулись живыми, даже если ей не суждено их увидеть...

Поезд уходил далеко на восток, в Вятские Поляны.

В вагоне не было ничего, даже кипятка, за ним выбегали на остановках. Уложив Женьку, бабушка спала по очереди с Валеркой на оставшемся пятачке. В духоте переполненных купе и клубах курева все время открывались окна. По вагонному коридору гулял сквозняк.

Валерка не боялся ни холода, ни сквозняка. Он вырос во дворе, а из ленинградских мальчишек довоенной закалки простуды отскакивали со звоном. Женька, любимчик, рос на маминых руках и вышел не богатырского здоровья. Он частенько простужался, его опекали, холили, берегли, и делали только хуже. Мальчик рос слабеньким и незащищенным...

Прошло пять суток нескончаемой дороги, с долгими стояниями посреди лесов, когда пропускали военные эшелоны, шедшие на запад. В Вятские Поляны измотанная, сама еле живая бабушка привезла Женьку с температурой, сильно простуженным. Хуже всего, что сверток, в который запаковали лекарства, остался на перроне. В суматохе она отдала самый нужный багаж. Бесценный аспирин пропал.

Новый климат для Женьки оказался враждебен. Ребенок еще не успел оправиться от привозной простуды, как на него накидывалась другая. Он сидел дома — к счастью, бабушке удалось найти сухую, теплую квартиру, — на улицу почти не выходил и пугал мать своей бледностью...

Как бы ни было трудно время, в котором суждено жить, оно течет своим размером. Нехитрый быт эвакуированных кое-как наладился. Бабушка, забыв про брезгливость и норов, жила как все: бедно, скудно, голодно, со страхом ожидая почтальона — письмо или похоронка?

Из блокадного Ленинграда приходили тяжкие вести.

Бабушка старалась не думать, как там родители и как оказался прав отец, что выгнал ее подальше от бомбежек...

Об этом нельзя было думать, надо было растить сыновей.

Она сумела устроиться на работу бухгалтером на маленький завод, уходила засветло, а возвращалась глухим вечером.

Зато была продуктовая карточка. Зарплатные деньги шли на продукты, в основном — для Женьки, которые надо было покупать втридорога на местном рынке, чтобы болезненный мальчик пил жирное молоко и ел вареную говядину. Валерка пошел в школу, а после уроков пропадал с местными пацанами, став почти уличным. О нем бабушка привыкла не беспокоиться.

Все заботы собрал Женька. С каждым днем эти заботы становились тревожнее. Оставлять его на соседей на весь день было боязно. Доверить лоботрясу Валерке младшего братика — и того страшней...

Выход подвернулся случайно.

Соседка рассказала, что из глухой деревни к ней приехала племянница, девушка простая, малограмотная, но добрая и покладистая. Ищет любую работу. Прикинув силы, бабушка взяла ее в няни за символические деньги, но и их приходилось выкраивать.

Няня была хорошая. Тося, кровь с молоком, румянец во все щеки, любила детишек. Своих мечтала завести с женихом-героем, который должен был вернуться домой с победой, встретить ее и влюбиться без памяти. А пока она согласилась нянчить Женьку. Одной заботой у бабушки стало меньше.

Ударили морозы с метелями.

Женька по-прежнему не вылезал из вялых простуд, насморков, кашлей, не помогало ни молоко, ни рыбий жир, ни бульон из парного мяса. Сидел он дома, играл с Тосей, а чистый воздух нюхал из форточки, которая, по бабушкиному распоряжению, открывалась ровно на пять минут четыре раза в день на проветривание. Что и так, по ее мнению, было большим риском для ребенка.

Под конец первой декады зима угомонилась, небо распогодилось, солнце и снег горели праздничным огнем. В один из таких расчудесных дней Женька, сидя на Тосиных руках, смотрел на улицу. Мальчик заскулил, и доброе сердце женщины не выдержало. Сколько можно ребенка мучить взаперти, когда такая благодать на дворе?! Ничего от чистого воздуха не случится, только здоровее будет: вон, у них деревенские ребятишки в любой мороз босиком бегают. Надо городскому малышу крепнуть.

Недолго думая, Тося одевает Женьку в половину того, что надела бы бабушка — натягивает пальтишко, завязывает его своим пуховым платком в пол-лица так, что только глаза торчат. Платок заменяет и шапку.

Тося выходит с малышом на крыльцо.

Солнечный, морозный день.

Погода чудесная, на сердце у Тоси светло и радостно, как будто наши уже победили на войне.

Женька, не привыкший к улице, тихонько сидит у нее на руках, только из носа пар валит. Тося хочет сделать доброе дело и дает ребенку подышать свежим воздухом, а для этого раскрывает ему лицо. На морозе Женькины щечки быстро розовеют. Тося радуется и не замечает, что малыш немного подкашливает: ему тяжело с непривычки глотать ледяной воздух.

Прогуляв так с час, Тося возвращается довольная собой. В ее руках Женька скоро станет богатырем! Такой сюрприз будет Тамаре Тимофеевне, когда мальчик закалится!

Вечером у Женьки начался жар.

Лобик горел, ребенок тяжело, хрипло дышал. Вызванный доктор поставил страшный диагноз:

двухсторонняя пневмония. Бабушка отказалась верить: откуда пневмония, когда ребенок из дома не выходит! Доктор спорить не собирался, а прописал лекарства, какие нельзя было найти, — пенициллина все равно не достать, — и посоветовал тщательно следить: ему не нравились хрипы у малыша.

Видя, что натворила, Тося в слезах призналась, что хотела закалить Женьку и не догадалась, как оно выйдет. Выгонять глупую девчонку было бесполезно — где еще найдешь няню!

Отругав Тосю так, что на душе стало легче, бабушка взялась за Женьку.

Тося обещала исполнять каждое ее слово.

С трудом раздобыв два кило мерзлой картошки, бабушка держала Женьку над паром. Пригодились и засохшие горчичники, которые одолжила хозяйка квартиры.

Но температура не спадала.

На третий день Женьке стало хуже.

Он лежал в постели, маленький и тихий, так что сердце бабушки разрывалось от ужаса. Пришедший врач страхи не развеял: по его мнению, ребенка надо немедленно везти в больницу, иначе за последствия он не ручается. Только в больницу надо ехать с лекарствами — для гражданских там ничего нет, все снабжение идет в военные госпиталя.

От идеи везти Женьку в больницу бабушка отказалась. Доктор сказал, что это ее право. К ночи надо готовиться: возможно, наступит кризис. Если малыш переживет его, то выкарабкается. Главное — потом дать ему то, что ему захочется съесть: организм сам знает, что ему нужно.

На работу бабушка не пошла.

Чтобы самой обтирать Женьку спиртом и менять холодные компрессы на лбу. Тося готова была на все, но ее не допускали к ребенку.

Ночью Женьке стало совсем плохо.

Он дышал еле-еле и горел так, что уксус не помогал. Глаза Женьки замерли в щелочках век, он тихонько стонал, почти не реагируя на слова, а воду мог только слизывать.

Тося рыдала в углу, но бабушке некогда было лить слезы. Она сражалась за жизнь сына.

И молилась. Всеми силами.

Тимофей Евдокимович заставил взять семейную икону, которой благословлял ее на свадьбу с моим дедом, чуть не насильно засунув икону в чемодан.

Казанская икона Божьей Матери.

Бабушка молила Богородицу только об одном: спаси сына.

В середине ночи ей показалось, что Женька не дышит.

Бабушка всполошилась, стала трясти его, закричала Тосе. Вместе они чуть не затормошили ребенка, когда в панике бабушка сообразила потрогать пальцы. Кончики были теплыми. Дыхание — еле заметное — струилось сквозь пересохшие губы.

Женька спал!

Кризис, о котором предупреждал врач, наверно миновал. Предстояло самое трудное.

Под утро, когда светало, Женька проснулся, застонал и что-то пробормотал. Бабушка, нагнувшись, тихонько спросила: что ему хочется. Она долго не могла разобрать, какое слово повторяет ребенок, позвала Тосю, разбудила Валерку.

Все слышали одно и то же.

Женька упрямо бормотал: «клясний помидол».

Где найти помидор в декабре месяце, в Вятских Полянах, в военную голодуху? Бабушка знала одно: Женька получит свой помидор любой ценой. Валерка был отправлен обежать родителей своих уличных друзей, а Тосе было приказано обшарить рынок и за какие угодно деньги найти помидор.

Вскоре гонцы вернулись. Валерка только руками развел, а запыхавшаяся Тося притащила банку соленых помидоров, которые чудом раздобыла на рынке. Бабушка выудила самый аппетитный крутобокий шарик и поднесла Женьке. Малыш захныкал и опять повторил: «клясний помидол».

Он хотел настоящий, свежий, живой овощ.

Быть может, в Москве на столе у товарища Сталина или в ленинградском обкоме у товарища Жданова водились свежие помидоры, но в дальнем городке Вятские Поляны...

Здесь про парники-то не слыхивали.

Тося предлагала дать Женьке вареную свеклу, маленький — все равно не разберет, но бабушка стала собираться. Она велела давать Женьке питье, обтирать лобик уксусом, а сама оделась и вышла на улицу.

Куда идти в малознакомом городе, она не представляла.

Прибежать на работу и спрашивать у каждого: нет ли свежего помидора? Только тратить драгоценное время.

От полного отчаяния, не думая, что и для чего делает, бабушка пошла по улице, заглядывая в чужие окна.

Про себя она молила Богородицу: «Спаси...»

За стеклами в морозных узорах виднелись скудные припасы, хранимые на холоде между рамами, но помидора среди них не было.

Бабушка шла так долго, что ей показалось, будто город кончился, и она очутилась то ли в пригороде, то ли в ближней деревне. Ноги вынесли ее в отдаленный район, где стояли бревенчатые дома. Место считалось бандитским, здесь могли ограбить или убить. Этого она боялась меньше всего.

Впереди была улица с одинаковыми домишками. Чей-то неслышимый голос будто сказал: «Иди».

Бабушка не раздумывала, что это было, она пошла туда, куда было указано. Миновала высокий забор, за которым прятался двор, и оказалась напротив окна с резными ставнями. За мутным стеклом виднелась цветастая занавеска, над которой поднималась крепкая веточка. Среди зеленых листков свешивался сочный, свежий, только созревший, невероятный, невозможный, красный помидор...

Стучала она долго и бесполезно.

Пускать ее не спешили. Бабушка готова была разбить окно и украсть помидор, когда калитка глухих ворот скрипнула. Выглянула грузная женщина с недобрыми, черными глазами. Она только спросила: «Эвакуированная?» Бабушка не успела ответить, что квартира ей не нужна, как злобная тетка буркнула: «Не пущу, места нет», — и стала запирать калитку.

Бабушка вцепилась в калитку мертвой хваткой.

Женщина пригрозила: собаку, мол, спущу, нечего баловать!

Бабушка стала умолять продать помидор: сын болен, ему нужно спасительное лекарство...

Ее послали куда подальше: понаехало тут, от голода с ума посходили, несут невесть что.

Бабушка знала, что ей не хватит сил справиться с этой женщиной, даже если кинется с кулаками, — та была крупнее и у себя дома. От полного отчаяния она сорвала с оледеневшего пальца обручальное кольцо, сошедшее внезапно легко, хотя до сих пор ни разу не снималось, и протянула женщине. И сказала: «Это все, что у меня есть. Поменяйте на помидор. От него зависит жизнь моего ребенка».

Что-то мелькнуло в черных зрачках. Женщина спросила: «Муж на фронте?» Бабушка сказала, что последнее письмо полевой почты пришло из Ленинградского котла. Ее спросили, что с сыном. Не чувствуя себя от мороза, бабушка стояла в осеннем пальтишке и сбивчиво объясняла про пневмонию и заветное желание после кризиса...

«Жди здесь», — сказала женщина и захлопнула калитку.

Бабушка осталась перед запертыми воротами.

Калитка отворилась, когда от холода и усталости она задремала стоя. Женщина протянула платок, в котором, завернутое в три слоя газет, лежало что-то упругое и мягкое. «Неси скорей, пока не померз», — было ей сказано. Схватив обмороженными ладонями сверток, бабушка протянула кольцо.

«Убери, — сказала женщина с черными глазами, — у меня трое сыночков на фронте, на младшего вчера похоронка пришла. Твой выздоровеет. А кольцо зря сняла, в войну — недобрая примета».

Бабушка хотела обнять женщину, но калитка захлопнулась наглухо.

У нее нашлись силы добежать до дома.

В комнате бабушка развернула теплый сверток.

Помидор был силен, сочен и светился жаром красной кожицы. Тося не верила своим глазам — так и стояла, раскрыв рот. Валерка по-детски потянулся, но получил по рукам.

А Женька заулыбался, облизнулся сухим язычком, а потом с аппетитом, не торопясь, как большой, съел дочиста нарезанные дольки. И заснул крепким, долгим, здоровым сном.

Температура спала. Он быстро пошел на поправку.

Не прошло и месяца, как Тося начала потихоньку приучать Женьку к свежему воздуху с разрешения Тамары Тимофеевны. Началась прежняя трудная, размеренная жизнь. Только коллеги по работе заметили у бабушки раннюю седину. Она отвечала, что это — фамильное, от отца, тот поседел в тридцать лет.

Что, в общем, было правдой.

До самого отъезда из Вятских Полян, когда выдавалась свободная минута, бабушка искала тот дом и неприветливую женщину, чтобы сердечно поблагодарить. Много раз ходила тем же, как ей казалось, маршрутом, но так и не смогла найти глухой забор и окно с цветастой занавеской. Никто из бабушкиных сослуживцев не слышал, чтобы в их городе на окошках выращивали помидоры: бесполезно, не вызревают они в лесном холодном краю! Лимоны ради забавы растят в кадках, а с помидорами никто и не связывается...

Кто была это женщина, бабушка так и не узнала.

А примета сбылась. В конце сорок второго года на деда пришла похоронка: пропал без вести в Синявинских болотах, в месиве беспощадных боев. Бабушка осталась вдовой с двумя детьми, которых еще надо было вырастить после войны.

...В Ленинград из эвакуации бабушка вернулась с крепкими и здоровыми сыновьями, только совсем седая. Прадед мой, Тимофей Евдокимович, первый раз в жизни, не стесняясь, плакал, когда обнял внуков и дочь на том же самом перроне. Плакала и прабабка моя, Леля. Потому что родные вернулись живыми, потому что пережили блокаду, потому что семья вместе, потому что вот-вот победим немцев.

Постепенно жизнь брала свое.

Закончилась война.

Начались трудные послевоенные годы. Но понемногу все налаживалось: отменили карточки, хлеба стало вдоволь. В магазинах появились овощи.

Однако еще много лет бабушка не притрагивалась к помидорам...

Нам не дано знать, что и почему случается в нашей жизни.

Плохое и хорошее имеет скрытый смысл, который не объяснить днем сегодняшним. Это не справедливость и не доброта, это нечто большее, где мы — крохотные частички великого замысла. Быть может, потому, что жизнь наша имеет смысл в одном: чтобы она продолжалась.

Быть может, для этого происходят чудеса.

В чем смысл того, что бабушка вынесла на своих плечах одиночество, проголодь, страдание, нищету и все, чем была так богата история нашего народа?

Я думаю, в этом был смысл.

Быть может, он в том, что Женька и Валерка выросли и прожили разные, по-своему непростые жизни и что у них в свой срок появились дети, эти дети были мы — внуки моей бабушки.

Смысл был в том, что у нас появились ее правнуки.

И что много лет спустя моя дочь, правнучка командира Красной армии, сложившего голову на войне, как и миллионы русских солдат, сидя у меня на плечах, радовалась салюту семидесятой Победы.

Быть может, в этом и есть смысл страданий и тягот, которые нам посылаются в жизни.

Настолько огромный, что нам не дано узнать его до конца.

ЕЛЕНА ВЕРНЕР

сценарист, режиссер, прозаик

Приехав в Москву из Иркутска, получила специальность «кинодраматург» во ВГИКе. Писать начала рано, с желанием воплотить в историях всю многослойность, неоднозначность и магию жизни и любви. Писала киносценарии, но вскоре поняла, что проза позволяет больше свободы выражения. Счастье для нее – заметить беглую улыбку на губах любимого человека, встретиться с ним взглядом и понять, что вы подумали об одном и том же, позволить себе летом вымокнуть под ливнем, хохотать до упаду и бродить босиком по теплым лужам...

МОЙ СТАРШИЙ БРАТ ДЖИМ ХОКИНС

• • •

Мне пять лет.

Я в детском саду сижу на стульчике, расписанном под хохлому: рыжие цветы и красные ягодки на черном лаке. Стульчик мой в самом углу, и вокруг скачут дети, меня совсем не замечая. Девочка с черными косичками опять сказала какую-то гадость про мои сандалии. Вредная. Вот был бы у меня старший брат, он бы ей показал. Но у меня только сестра, и она уже взрослая, ей шестнадцать, скоро станет совсем старенькой...

Ну и что, подумаешь!

Зато у меня есть Дюдюка. Мы понимаем друг друга с полувзгляда. Она коричневая, носатая, вертлявая — и недобрая ко всем, кроме меня. Возможно, это оттого, что ее никто больше не видит.

Как и меня.

Нам с нею хорошо, после обеда мы пойдем на прогулку — там как раз весна, — и в дальней части сада будем облизывать истекающие сладким соком узловатые клены.

Только я, она и муравьи.

У муравьев, кстати, кисленькие попки, если их съесть, или если воткнуть в муравейник палочку, а через минуту достать и облизать ее.

Мама вечером осторожно присаживается рядом со мной на корточки:

— С кем сегодня из ребят играла?

— Ни с кем, — отвечаю я безмятежно.

— Воспитательница говорит: ты опять просидела весь день в углу. Тебе не грустно одной?

Почему-то начинаю плакать и убегаю.

Я вообще часто плачу.

Папа зовет меня царевной Несмеяной. Мне нравится, что я у него царевна, только вот Несмеяной быть чуточку обидно.

Мне шесть лет.

В подготовительном классе солнечно, но это не исправляет положения. Я вместе со всеми остальными сижу вокруг небольшой белой доски, на которую кнопками прицеплены картинки животных.

Воспитательница спрашивает:

— Как будет по-английски «белка»?

— Сквирел! — хором отвечают все, кроме меня.

Я размышляю над тем, зачем белке такой пушистый хвост — сгодился бы и обычный, как у кошки. Хотя у кошек пушистые хвосты тоже встречаются. Если не сиамские...

— Молодцы. А слон?

— Элефант.

Я снова не успеваю с ответом.

— А это кто?

— Крокодайл!

— Леночка, а ты почему молчишь? — обращается воспитательница ко мне.

Девочка Ира шепчет что-то своей подружке, прикрыв рот ладошкой, и они обе начинают хихикать, глядя на меня во все глаза.

Нам раздают прописи, сейчас надо будет выводить закорючки на линованных страницах.

О нет, только не это...

— Вы понимаете, что все дети пойдут сразу во второй класс? — допытывается вечером воспитательница, строго глядя на мою маму. — А она до сих пор не умеет ни читать, ни писать.

— Вообще-то, это была ваша задача — научить, разве нет? — интересуется мама.

— Не все дети обучаемы. Леночке стоит пойти в первый класс...

— Остаться на второй год? Вы ведь прошли программу первого класса с ними!

Мама рассержена, но я не очень понимаю, из-за чего.

Давно пора идти домой, неужели она не знает?

Придется подергать ее за подол платья...

Летом мы с бабушкой отправляемся в Одессу, и я первый раз вижу море.

Это лучше всего на свете!

Жаль только, что каждый день на море меня ведут не раньше, чем я прочитаю целую страницу букваря — такой уж уговор.

Ненавистная книжонка.

Даже несмотря на то, что в ней много картинок — все они такие неинтересные! Да, я знаю, что буква, похожая на домик, — это А и что колесо — это О.

Но это все как-то неимоверно скучно.

Гораздо интереснее подражать маме и папе, рисуя волны и зигзаги на каких-нибудь старых бланках. Они ведь на работе только тем и занимаются, что ручкой чертят на листах зигзаги и закорючки, иногда исписывая целые страницы. И внизу всегда ставят еще одну загогулинку. Она называется «подпись». Вот это весело!

В слезах и соплях сижу над букварем, стараюсь сложить буквы в слова. Получается не очень, но с грехом пополам все-таки добираюсь до конца страницы...

А однажды утром бабушка смотрит на меня с состраданием:

— Ладно, так и быть, сегодня пойдем на море просто так. А почитаешь завтра. Да?

— Да! — кидаюсь я с поцелуями на шею своей избавительнице.

Потом она расскажет родителям, что я была так счастлива, что даже оставила на ней пару синяков своими объятиями.

Мне почти восемь, я снова закончила первый класс.

У меня пятерки по всем предметам, где не нужно говорить и отвечать у доски. Домашнюю работу я делаю исправно, люблю природоведение, не переношу арифметику. Рисование дается с трудом.

Чтение не дается вовсе.

Я стою под дверью класса и рассматриваю щели в дощатом полу. За неплотно прикрытой дверью разговаривают учительница Эльвира Николаевна и моя мама.

— Она очень способная девочка. Помню, вы говорили, что у нее раньше были проблемы с обучением, но я ничего этого не вижу. Только вот она совсем не общается со мной.

— Странно...

— Да. Я поднимаю ее из-за парты, а она стоит и молча смотрит на меня. Скажите, а дома она какая?

— Настоящий ураган. Все крушит, носится как угорелая, углы сшибает... Придумывает каких-то существ и общается с ними.

— Удивительное дело, — вздыхает Эльвира Николаевна. — Два разных человека, в школе и дома.

Пусть Эльвира Николаевна удивляется сколько угодно, я все равно не увижу ее до осени.

А впереди — целое лето, это уйма времени!

Меня привезли на дачу к бабушке.

Здесь можно отсиживаться в колючих кустах малины, мыть огурцы, по пояс залезая в бочку. Забавно, что огурцы плавают, а морковка без хвоста идет прямиком на дно. Мои пятки давно почернели, не отскрести даже щеткой, — это оттого, что во время вечернего полива я обожаю скакать по теплым лужицам между грядок и шевелить пальцами в мягкой скользкой грязи. Бабушка постоянно занята (что за человек!): то рвет траву, то подвязывает томатные плети старыми чулками, то собирает клубнику.

— Зачем так много, баба? — вьюсь я в нетерпении. — Я столько не съем же...

— А зимой варенье любишь?

— Не-а.

— Ну, шла бы тогда почитала сказку, тебе родители передали.

— Не люблю.

Кручусь на бабушкином круглом кресле с красной дерматиновой обивкой. Если крутиться долго, то закружится голова и затошнит, вот здорово! Отталкиваюсь ногой от пола посильнее, кресло опасно кренится, и я сваливаюсь с него, хватаясь за сиреневую бархатную штору, закрывающую собой всю стену комнаты. Штора обрывается, и я долго барахтаюсь в ней на полу, стараясь высвободиться. А потом встаю на ноги и замираю.

Оказывается, за шторой — не стена!

Там — огромный стеллаж, до самого потолка, и каждая полка уставлена книгами под завязку. Конечно, книги есть и в родительской квартире, их там еще больше, но их я уже видела сотню раз, а эти — совсем незнакомые.

Хотя — какая разница, читать я все равно так и не умею толком.

Но стеллаж почему-то не дает мне покоя, и я принимаюсь рассматривать корешки. Они разные, потрепанные, блестящие, бумажные, кожаные...

И один — неприметный, черный — притягивает меня, как магнит. Я подцепляю его пальцем.

На черной блестящей обложке нарисован мужчина в причудливой шляпе и красном кафтане. А в руке у него пистолет.

Вот это да, пистолет!

Читаю по слогам:

— Ост-ров со-кро-вищ.

Бабушки нет рядом. Нет никого, кто бы мог мне почитать.

И нет желания идти, приставать, канючить, выпрашивать...

Так и быть, гляну одним глазком, попробую продраться через первую страничку, а потом приедет папа и дочитает мне вслух.

Первое слово мне непонятно, и я долго над ним размышляю.

Непонятно и то, где ставится ударение во втором слове. Я хмурюсь и принимаюсь читать заново:

«Сквайр Трелони, доктор Ливси и другие джентльмены попросили меня написать все, что я знаю об Острове Сокровищ. Им хочется, чтобы я рассказал всю историю, с самого начала до конца, не скрывая никаких подробностей, кроме географического положения острова. Указывать, где лежит этот остров, в настоящее время еще невозможно, так как и теперь там хранятся сокровища, которых мы не вывезли...»

Кажется, я больше не сплю и не ем.

Все, что меня волнует с этого момента, — судьба Джима Хокинса, «Эспаньола», которая полощет белые паруса в заливе, бедный матрос Том, предательски убитый ударом в спину одноногим Джоном Сильвером, рыжий Аллардайс, чей скелет капитан Флинт использовал в качестве стрелки-указателя, и сам Флинт, умерший в Саванне от горячки и до последнего кричавший: «Дарби Мак-Гроу, подай мне рому!»

Мне кажется, в полуденной жаре дачи, за позывными радио «Маяк», включенного на соседском участке, я слышу этот хриплый вопль старого страшного пирата. В колючем малиннике мне чудится, что мы с Джимом, моим старшим братом, бежим через тропический лес, ветки цепляются за наши щиколотки и рубашки, и вот-вот сердце вырвется из груди. Когда плечо Джима пригвождает к мачте нож боцмана, я чувствую, как кровь горячей струйкой стекает по его спине. Рывок — и он свободен, тонкая кожица рвется, и кровь течет сильнее!..

В бочке плавает деревяшка с большущим гвоздем, вбитым посередине. Это наш с Джимом корабль, он уже спущен на воду, и на борту моей рукой накарябано название «Испаньела»...

Я читаю книгу в третий раз.

Мне никто не нужен, даже родители все испортят, они читают все неправильно, не так, как надо мне.

Уж лучше я сама.

Второго сентября нас по очереди вызывает учительница — перед всем классом рассказать, как мы провели свое лето. Она смотрит на меня с сомнением, и я, собравшись с духом, тяну руку.

— Да, Лена, рассказывай.

— Мы с моим братом искали сокровища!

— Сокровища? Как интересно. А где?

— На острове. Мы плыли туда на корабле, только я не знаю, где именно этот остров находится. Джиму нельзя говорить.

— Кому? Джиму? Кто это?

— Ну, Джим! — я хмурюсь от ее непонятливости. Взрослые все-таки такой несообразительный народец. — Джим Хокинс, мой старший братик.

Ему, как и мне, до сих пор иногда слышится хлопанье крыльев зеленого попугая и его каркающие крики: «Пиастры! Пиастры!»

Страшно подумать, как бы все вышло, если бы я не познакомилась с моим братом.

Если бы не крутилась на бабушкином кресле до тошноты и не оборвала бы ту сиреневую штору.

СЕРГЕЙ ЛИТВИНОВ | прозаик

Сергей Литвинов известен как мужская половина литературно-криминального тандема, именуемого «Анна и Сергей Литвиновы». В соавторстве с сестрой написал более 40 книг. Однако он исполняет не одни только элементы парного катания: поддержки, тодесы, подкрутки, выбросы и пр. В сольном репертуаре Сергея имеется немало интересных фигур, в том числе каскады прыжков с последующим уверенным приземлением и длительным красивым скольжением.

27

. . .

Эту историю рассказал мне однажды, крепко подвыпив, один мой приятель, довольно известный русский писатель. Я убрал из нее все повторы и длинноты, свойственные устной речи и известному состоянию, и, избегая стилизации, переписал своими словами — отчасти еще и потому, что стиль автора был чрезвычайно узнаваем даже в устном изложении, а друг мой, протрезвевши, умолял, чтобы я ни в коем случае не связал это происшествие с его добрым, многоуважаемым именем.

В этот случай трудно поверить, но это — истинное происшествие, случившееся со мной в последние дни апреля 2011 года в княжестве Монако, в городе Монте-Карло. Согласитесь, место, подходящее для того, чтобы там происходили всяческие невероятности.

Итак, в те дни, после трудных парижских переговоров с моими европейскими издателями, я решил провести недельку на Лазурном Берегу. Что это такое, думалось мне, ни разу не был на Лазурке.

Ай-яй-яй. Пожалуй, даже неприлично на фоне остального российского продвинутого населения, которое почти поголовно в Ницце — Каннах — Монте-Карло поперебывало. В самом деле, как Инстаграм ни откроешь: друг то на красной каннской дорожке позирует, то омара в Монте-Карло приходует, то по Английской набережной шлындарит.

И вот моя дама-агент полетела из Парижа в Первопрестольную, к супругу и малым деткам, а я решил свой аванс, полученный за будущие публикации на французском моих романов, прогулять на Лазурном Берегу.

Человек я не сильно прихотливый, да и сумма, выделенная скаредными французами, признаться, была не слишком впечатляющей, поэтому поселился я в Ницце в апарт-отеле. Апарт означает: с крохотной кухонькой и холодильником в номере. По вечерам, возвращаясь в гостиницу, я покупал в сетевом супермаркете напротив багет, сыр и хамон и завтракал ими в одиночестве. Я не люблю, когда кто-то меня видит за завтраком, и сам ни на кого глазеть не люблю.

Отель я сознательно арендовал далеко от моря. Кончался апрель, для морских ванн было явно рановато, да и не ради них прибыл я в столь благословенные края. А ради чего? — спросите вы меня (если не считать, конечно, довольно пошлого желания отметиться в туристической Мекке). За красотой, отвечу я, и вряд ли погрешу против истины. За литературой, добавлю, и это тоже будет правдой, потому что южный берег Франции для меня прежде всего связан с русскими именами — Чехова, Бунина, Герцена, и мне хотелось пройти по их стопам, припасть к их истокам. Еще, как впоследствии оказалось, прибыл я сюда в погоне за приключениями. Точнее, приключения тут сами меня нашли. Но об этом позже.

А пока я наслаждался локальными путешествиями по морским берегам. После снега, который провожал нас в Москве, здесь цвело и источало аромат все на свете. Люди ходили в наброшенных на плечи свитерочках или легких курточках. Море вздыхало.

Неподалеку от моего отеля располагалась станция — не главный вокзал города, а так, полустанок, назывался Ницца-Рики. Но электрички оттуда ходили по всем направлениям: направо (если стоять лицом к морю), в Антиб и Канн, и налево, в Вильфранш-сюр-Мер и Монте-Карло. А также в глубь страны, в Грасс и далее.

Для поездки в Грасс я, впрочем, на третий день арендовал машину. Шустрое «пежо» бодро вознесло меня на прованские холмы. Городок был великолепен. Я запарковался в подземной стоянке и нашел информбюро для туристов. Едва я только начал объяснять на английском: мол, здесь жил великий русский писатель и лауреат При-Нобель... — мне шваркнули о прилавок целый ворох материалов, отпечатанных на русском, посвященных Бунину. Местные краеведы исчерпывающе рассказывали обо всех грасских адресах классика.

Я спустился в подвал к машине и задал в навигаторе адрес виллы, где Иван Алексеевич проживал.

Узкая дорога быстро вывела меня из городка и стала карабкаться все выше. Наконец навигатор изрек человеческим голосом: «Вы приехали». На скромной площадке на краю пропасти, рассчитанной аккурат на одну машину, я припарковался. Ни единого авто или человека. Окрестности видны далеко-далеко, включая синеющее на горизонте море. Горный воздух, прохладный и чистый, с наслаждением вливался в легкие.

Заезд на виллу, где некогда жил классик, шел под высоченным углом по дороге, вырубленной в скале, и обрывался глухими дубовыми воротами. Впечатление было такое, что последние лет двадцать ворота ни разу не открывались. Самой виллы видно не было, все вокруг заросло лианами и диким виноградом. Прямо в скалу была вделана мемориальная табличка, тоже весьма потертая дождями и годами: здесь, мол, проживал Иван Бунин, экривиан руссе и при-нобель.

Больше здесь ничего не показывали. Я еще раз вдохнул чистейший воздух и посмотрел на расстилающуюся подо мной на много миль долину.

С высоты птичьего полета виднелись черепичные крыши городков и темные купы садов. Подходящее местечко, подумал я, выбрал для себя классик, с его высокомерием и мизантропией. А впрочем, он имел право. Если уж не леса и перелески родной Орловщины и не заснеженная Мясницкая с розвальнями, то лучше так.

Вернувшись вниз, в Ниццу, я сдал в прокат машину и пошел в кафе «Турино» на площади Гарибальди поужинать (завидуйте мне!) свежими устрицами. Но русский человек, он ведь не может просто наслаждаться дарами моря — как это делали две юные смешливые китаянки и пара брутальных мотоциклистов средних лет (которые немедленно к китаянкам начали клеиться). Лед, в который погружены были устрицы, непременно напомнит русскому другого «лазурного» сидельца, Чехова, и как его тело в этом самом льду для устриц транспортировали для похорон на родину. Мсье Чехов проживал здесь в отеле «Оазис», неподалеку от вокзала, по нынешней классификации три звезды. Антона Палыча упорно посылали на Лазурку врачи, не ведая еще современных сведений о том, что морской климат чахотку вовсе не лечит, а только вредит. Эх, подумал я, расчувствовавшись от полубутылки белого вина, когда бы смог я путешествовать во времени, первое, что бы сделал, отправился в год эдак девятисотый с грузом современных антибиотиков и пролечил Антон Палыча от туберкулеза. Он мог бы дотянуть и до революции — пятьдесят семь, самый возраст для писателя. Представить его в роли Горького или красного графа, лобзающего руки сатрапу, было совсем невозможно — скорее гулял бы по ниццким променадам со своим младшим товарищем, Иваном Алексеичем. А может, его нравственный авторитет и голос оказались бы настолько высоки, что никакой революции и вовсе не случилось бы? Ну, это совсем из области фантастики.

Кстати, его антипод по части (не) любви к людям и тоже литератор (как он себя тогда называл)

Владимир Ульянов (Ленин) проживал в том же пансионе — но в другое время. И может, это счастье Антона Палыча, в отличие от своего более молодого коллеги Бунина, что до воцарения своего соседа по пансиону он не дожил.

По темным и безлюдным улицам я вернулся в отель, подключился к вай-фаю и скачал из Сети бунинскую переписку и его дневники эмигрантского периода. Я давно не читал классика (последний раз «Окаянные дни» в перестройку), и теперь заново поражался тому, насколько же он точен и ярок. Я зачитался и погасил планшет и ночник уже около трех.

Назавтра я намечал поездку в Монте-Карло, оно же княжество Монако.

Позавтракав, по обыкновению, в одиночестве в номере продуктами из гипермаркета, к полудню я дошел до станции электрички. Дневного перерыва в движении поездов здесь не было — как только они без него ухитряются поддерживать свое путевое хозяйство в порядке?

Электричка, впрочем, прибыла с десятиминутным опозданием и была вся, с ног до головы, расписана граффити — так что далеко не все обстояло прекрасно и радужно в местном железном сообщении. Я сел на мягкое сиденье у правого окна, чтобы любоваться морем. Впрочем, чаще, чем Средиземное, взор мой услаждали гранитные и бетонные стены тоннелей — на получасовую дорогу до Монако их приходилось не менее четырех.

Наконец, поезд остановился на станции Монте-Карло. Платформы располагались внутри огромной горы — словно бы ты приехал на подземный завод, типа Красноярска — двадцать шесть. Впрочем, праздная и легкомысленно одетая публика, а также стенды реклам немедленно отвлекали от этой мысли. Но все равно вокзал, выдолбленный в скале, впечатлял — несколько иным, чем советские подземные города, а особым, капиталистическим величием. Бесшумные эскалаторы вынесли меня в числе других пассажиров на поверхность.

Апрельское солнце ослепило. Далеко внизу блистало и синело море. На скалы вокруг карабкались, одна над другой и соревнуясь в виде на Средиземноморье, разноцветные многоэтажки. Мысль о том, что самая плохонькая студия здесь обойдется не меньше чем в миллион евро, заставляла относиться к ним уважительней, чем к панелькам в Бутове и Медведкове. Я не стал брать карту в информационном бюро. Говорят, здесь все близко, рукой подать.

Улицы довольно круто спускались вниз. Все княжество дышало роскошью и богатством. В чем это выражалось? Даже у вокзала не болталось никаких бомжей, и никакие негры или арабы не предлагали купить за пару евро зонтик или палку для селфи. На улицах было безупречно чисто — даже в сравнении с не грязной Ниццей. Трафика практически не существовало, и время от времени по проезжей части неспешно дефилировали (ограничение скорости — сорок) автомобили категории суперлюкс: то «Мазератти», то «Феррари», то «Роллс-Ройс». Раза два мне встретились характерные парочки: она — древняя старуха, настоящая мумия, кожа лица туго обтягивает кости черепа, все прочие участки кожи скрыты тряпками от Диора или Шанель, руки в нитяных перчатках, волосы под косынкой или тюрбаном — а рядом с ней он: бравый жиголо, великолепно одетый мужчина лет сорока пяти, ведет эту развалину под ручку. И в перспективе улицы блистает море, ровными рядами расположены пристани, где плечом к плечу отстаиваются яхты, цена самой скромной из которых начинается с пары миллионов евро.

Разумеется, начинать знакомство с этим городом следовало с казино. Побывать в Монте-Карло и не сыграть в местном игорном доме — все равно что в Венеции не прокатиться на гондоле. Не подняться на Эйфелеву башню. Не плюнуть с моста Золотые ворота. Не взобраться на Эмпайр Стейт Билдинг. Не увидеть разводку мостов.

Оделся я соответственно: никаких шлепок, сандалий или даже мокасин. Надел тот самый строгий костюм и туфли, в которых вел переговоры в издательстве «Галлимар», сверху плащ от «Бербери». Сначала обязательная программа, решил я, а остальное оставим на потом: княжеский дворец, смену караула, аквариум, памятник князю Ренье.

Вскорости я выбрел к зданию казино, и даже раньше, чем ожидал. Чтобы морально подготовиться к визиту в вертеп, я сделал кружок вокруг заведения. Отметил попутно, что и здесь без наших не обошлось: мемориальные доски сообщали о Дягилеве и Нижинском. Как часто бывает в современном западном градоустройстве, пышное лжебарочное здание игорного дома оттенялось (и снижало свой пафос) современной скульптурой, установленной вокруг заведения. Здесь была трепетная балерина, вырезанная из полупрозрачного плексигласа, а также гранитная помесь египетского сфинкса с дамой восемнадцатого века в огромных юбках и бронзовые толстопузые Адам с Евой.

Я вернулся ко входу в заведение. Взошел по ступенькам. Секьюрити меня пронзительно отсканировали, но не нашли, к чему придраться, и пропустили. В гардеробе я оставил свой плащ. На рецепции меня сфотографировали и занесли мой паспорт в базу данных. Казино было полупустынным — еще бы, время обеда, солнце палит вовсю. В первом зале — уступка массовому вкусу — установили одноруких бандитов, и возле пары из них копошились китайские и американские туристы. Но, разумеется, совершенно невозможно было в самом знаменитом и одном из стариннейших казино мира спускать средства в игровых автоматах, как в былые времена на раене.

Практически все зеленые столы — и для блэкджека, и для покера — были пусты. Шевеление наблюдалось лишь возле одного из них, рулеточного, с самой низкой ставкой. Я подошел. На номер и на комбинации разрешалось ставить от пяти евро. Это позволяло растянуть мою игру бросков на двадцать. Ну хорошо, если будет везти — то на тридцать. Из-за стола как раз вставали двое туристов. Я поменял на фишки те сто евро, что отложил проиграть, и взгромоздился на табурет.

В азартные игры мне не то чтобы совершенно не фартило, но и особого везенья я никогда не испытывал. Будучи в загранпоездках, я регулярно отмечался, где они имелись, в игорных домах, тем более что многие из них располагались в настоящих дворцах. А во многих (опять-таки) проигрывали заработанное честным литературным трудом отечественные гении: Гоголь, Достоевский. О, эти прекрасные залы карловарского казино «Пупп». Висбаденский игорный дом... Ни в одном из них шальная удача меня не подстерегала. Всюду я играл по маленькой и быстро сливался.

А началось все еще в те далекие полукриминальные времена, когда казино расцветали в родной столице — были даже при Ленинградском вокзале, к примеру. Если поезд, что ты встречал, вдруг опаздывал, можно было зайти и спустить пару баксов. Строгого дресс-кода не было, как сейчас помню персонажей в вареных джинсах и мохеровых свитерах, но сукно было самое настоящее, зеленое, и рулетка... В ту пору первого расцвета российского бизнеса я как раз сдал в издательство свой самый первый роман. Все для меня было внове, все необычно: и то, что не прошло и двух недель, как позвонила редактор: «Мы собираемся печатать ваше произведение», — равнодушно сказала она. Я даже не спросил тогда, на каких условиях. Закричал: о, прекрасно, я согласен! Потом оказалось, что кондиции самые спартанские: за отчуждение прав на пять лет и публикацию романа суммарным тиражом шестьсот тысяч экземпляров мне причитался гонорар в сто пятьдесят долларов.

Здраво рассудив тогда, что с подобной суммы не разбогатеешь, я решил вознаграждение немедленно по получснии прокутить. В те благословенные времена еще можно было прилично посидеть вчетвером в ресторане на сто долларов, поэтому жену и друзей я пригласил туда, а оставшийся полтинник решил грохнуть в казино. О, казино! Я отправился тогда в игорное заведение при гостинице «Космос» и проигрывать намеченные пятьдесят баксов решил в примитивную рулетку. Стратегия, что я тогда избрал, оказалась до зевоты тривиальной. Я ставил свой доллар только в цифру. А именно: отдал предпочтение числу двадцать семь и с упорством, достойным лучшего применения, стал раз за разом, одну за одной, класть на квадратик с этим числом свои фишки. Почему мне полюбилась именно «двадцать семь»? Не знаю. Может, потому, что нечетные числа мне более по сердцу, чем четные. Или потому, что двадцать семь лет — возможно, самый прекрасный человеческий возраст. Но было и другое объяснение, более утилитарное: возле крупье (крупьера, как называл его Достоевский, и так мне, если честно, гораздо больше нравится) — так вот, возле крупьера на табло светился столбик чисел, который выпадали за этой рулеткой в последние тридцать, что ли, бросков. И, представьте, ни одной «двадцати семи» среди них не было. Что же, раз его не было раньше, значит, тем больше вероятность, что оно выпадет для меня, с воодушевлением подумал я. Несмотря на то, что я когда-то изучал в вузе теорию вероятности и твердо знал, что прошедшие события ничего для игры не значат, и для каждого нового броска (если только рулетка не заряжена) абсолютно равновозможно падение шарика в любую из тридцати семи лунок, от нуля до тридцати шести. Но тем не менее временная нелюбовь данного колеса фортуны к двадцати семи дарила определенную надежду.

И что же в итоге? Тогда, в столичном казино «Космос», я последовательно расстался со всеми своими полста долларами. Тупо и упрямо я ставил и ставил по одной фишке только и исключительно на «двадцать семь». И что бы вы думали? За все это время рулеточное колесо на искомой, заветной цифре так ни разу и не остановилось. Вероятно, это была какая-то флуктуация, случай, не виданный, не описанный, редкостный: тридцать бросков без меня, потом еще пятьдесят с моим участием — и ни разу шарик не замер в ячейке «двадцать семь».

И в дальнейших моих странствиях — в упомянутом ли «Пуппе» или Висбадене, в казино при минской гостинице «Орбита» или в невадских Рино или Лас-Вегасе — я применял разные, порой довольно затейливые стратегии игры, но при этом никогда не забывал родное, неудачливое «двадцать семь». Всегда раз-другой-третий на него ставил. И что бы вы думали? Ни единожды на нем не выигрывал. Ни разу. Так что тут был какой-то рекорд, или скорее антирекорд, или даже, может быть, заговор высших космических сил против одного бедненького, маленького числа.

Иной бы давно отказался иметь с этой цифрой дело. Однако мало кто на свете может сравниться со мной по глупому упорству. Везде, когда бы меня судьба ни прибивала к рулетке, я ставил и на двадцать семь тоже. Я верил в него — как автор иногда верит в своего героя, маленького, зачморенного всеми человечка, и которой все-таки, в конце концов, просыпается, поднимается и начинает как следует давать судьбе сдачи.

Вот и теперь, в Монте-Карло, в самом, пожалуй, известном казино на свете, я бросил одну-единственную пятиевровую фишку в квадрат двадцать семь.

Нет, не сказать, что я всю жизнь в азартные игры проигрывал. Бывали и удачи — отчего-то они обычно настигали меня в атмосфере веселья и богемности. Долларов двести я выиграл как-то на открытии московского казино и клуба «Феллини» (давно почившего в бозе). Сорвал банк перед съемками «Комеди клаба», некогда происходившими в столичном игорном доме «Византия». Но большинство моих визитов в очаги разврата, то ли благодаря заклятию двадцати семи, то ли по какой другой причине, заканчивались обычно скромным, хорошо дозированным поражением. Иными словами, рысаков я не выигрывал. Но и имений не проигрывал тоже.

И вот закрутился волчок... Понесся шарик... Упал в корытце, стал подскакивать, позвякивать на стыках... И вдруг — БАЦ! Остановился в ячейке — я не мог поверить своим глазам! — но крупье тут же подтвердил увиденное: двадцать семь, красное. Двадцать семь!

Слегка поорудовав лопаточкой, крупье соорудил из фишек основательную горку и придвинул ее мне! (Надо сказать, что за столом я был один-единственный играющий, равно как и во всем зале казино.) «Поздравляю», — довольно злобно молвил игровых дел мастер, а я, несмотря на ошеломление, не забыл о правилах хорошего тона и бросил ему фишку на чай. Потом подумал и добавил еще одну. Он сквозь зубы сказал «спасибо» и опустил их в прорезь в столе. Пит-босс, непременно присутствующий рядом, во все глаза смотрел то меня, то на крупье.

И тут какой-то бес словно овладел мной. Я собрал все свои выигранные фишки и поместил их снова в ту самую клетку. «Вы хотите поставить все в число двадцать семь, мсье?» — ледяным тоном осведомился крупье. «Да, на двадцать семь», — подтвердил я. Он запустил колесо. В полном соответствии с законом, что удача обладает определенной притягательной силой, к моей рулетке стали подтягиваться — я видел их краем глаза — наблюдатели. Шарик просвистел по колесу, прогрохотал по ячейкам, впрыгнул в одну, не задержался, упал в другую и, наконец, остановился. «Двадцать семь, красное!» — невозмутимо проговорил крупье, и его слова прозвучали для меня подобно удару грома. Или, если угодно, раскату молнии. Или и тому, и другому, вместе взятому.

Крупье, соорудив из сотенных фишек несколько горок, лопаточкой придвинул их ко мне. По моему беглому подсчету, я выиграл больше трех тысяч евро! В публике, окружившей стол — кажется, то были американские туристы, — раздались приветственные и радостные возгласы. Кто-то фамильярно похлопал меня по плечу.

Пит-босс немедленно отослал проштрафившегося крупье. Тот исчез, стараясь по ходу своего движения занимать как можно меньше места в окружающем пространстве. Взамен на сцену вышел другой — дюжий, ражий мужчина, похожий скорее на американца, чем на француза, в криво сидящей бабочке. Кто-то из зрителей, привлеченный моим успехом, попросил у крупьера фишки и уселся против меня.

А меня вдруг охватило упоительное чувство собственного всемогущества — которое обычно бывает только за письменным столом, и то лишь в те благословенные минуты, когда является вдохновение и кажется, что не сам пишешь, а кто-то свыше диктует тебе предложения и абзацы. И тут, в упоении игры, умом понимая, что совершаю глупую, безнадежную ошибку — однако сердце диктовало мне, что следует поступить именно так, а никак иначе, — я сгреб все мои фишки обеими руками — и вновь, опять, взгромоздил на число «двадцать семь»!

«Нет-нет, мсье, — запротестовал крупьер, — ограничение по величине ставок, — и указал на табличку, где значилось «MAX. 1000 €». — Если хотите, — продолжил он, — вы можете перейти за другой стол». Однако я, не будь дураком, не стал менять место, покуда идет игра — и оставил на искомом квадратике ровно разрешенные тысячу евро: десять фишек по сотне — два аккуратных столбика по пять весомых кругляшков. Кое-кто из вновь прибывших, что было мне приятно, решил последовать моему примеру и бросил пару своих пятерок в тот же квадрат — вдруг, в мановение ока, ставший счастливым.

Крупьер раскрутил колесо, бросил шарик, важно проговорил «Ставок больше нет» и сделал над столом отстраняющий пасс рукою.

Шарик заскакал, над столом весело загоготали американцы. А мгновением спустя они наперебой закричали мне: «Конгретьюлейшенз!», зааплодировали, стали пожимать руки и хлопать по плечу — потому что шарик снова, в третий раз подряд, приземлился в секции «двадцать семь»!

На крупьера было жалко смотреть. Лицо его из бурого сделалось серым. На физиономии пит-босса была написана высшая степень недовольства. Крупьер отсчитал мне тридцать пять тысячеевровых фишек — великолепных, тяжелых, слоновой кости, с золотыми прожилками.

— Кажется, мне хватит, — весело сказал я и рассовал многочисленные фишки по карманам. Крупье́ру я подвинул на бедность два стоевровых жетона. Американцы, сгрудившиеся за столом, проводили меня одобрительными возгласами.

В кассе я обменял фишки на банкноты. «Для вашего удобства мы можем перевести выигрыш на ваш счет, мсье», — предложил кассир. «Русские предпочитают наличные», — усмехнулся я. «О, наличные предпочитают все, — улыбнулся финансовый работник и добавил: — Поздравляю вас, мсье. Хорошего дня».

Я вышел из искусственного света казино в полдневное солнце. Настроение стало превосходным. Сам черт мне был не брат. Прямо возле казино раскинулось кафе «Париж». Люди сидели под открытым небом, пили пиво, кофе и коктейли. Жмурились на солнце или напяливали солнечные очки. Ни единого свободного столика на террасе не наблюдалось, только под крышей — но какой дурак в такую погоду согласится сидеть под крышей! Тем более только что выигравший в казино. Я придержал за полу пробегавшего мимо официанта и сунул ему в руку пятидесятиевровую купюру. «Слышь, братишка, — сказал я ему по-русски, — организуй мне столик». Как ни странно, он меня понял — во всяком случае, спустя три минуты пригласил меня присесть на козырное место, с видом на фасад казино и очередную современную скульптуру, украшающую небольшую площадь перед ним. «Чего изволите?» — спросил меня половой. По-хорошему, конечно, следовало отметить выигрыш шампанским — но что может быть более пошлым, чем пить шампанское в одиночестве, и я заказал полбутылки шабли и мороженое.

Еще со школьных времен повелось — отмечать свои победы и достижения мороженым. У всех моих побед крепкий вкус пломбира. Официант быстро притащил вино в ведерке со льдом, а вскоре явилось и трехэтажное восхитительное мороженое в стеклянном бокале. Я пригубил вино и оглядел присутствующих. Не скрою, смотрел я на всех гоголем. Или — Гоголем, только что издавшим «Вечера на хуторе близ Диканьки». Совершенно очевидно, что и от меня исходили определенные флюиды удачливости, потому что не одна и даже не две дамы, собравшиеся в этот послеобеденный час на веранде кафе «Париж», посматривали на меня со значением.

Меня же среди всех привлекла одна особа, которая сидела за дальним столиком в компании двух немолодых мужчин. И она, и оба ее спутника были одеты со скромной простотой, которая достигается только большими деньгами: льняные, хлопковые вещи, шляпы «борсалино», сумочки «вьюитон». Они сидели достаточно далеко от меня, поэтому я не слышал, на каком языке они говорили. Почему-то мне показалось, что они американцы — возможно, одни из тех, что видели, как я впечатляюще ободрал монтекарловское казино.

Первый мужчина походил на режиссера Спилберга. Второй был точь-в-точь бывший госсекретарь Америки Киссинджер — но не тот старый гриб, каким он выглядит сейчас, а такой, каким он был во времена моего пионерского детства и встречался с Брежневым, — чернявый, в роговых очках и страшно самоуверенный. Третьей с ними сидела молодая леди — настоящая оторва с копной рыжих волос. И не знаю как оба ее спутника, а она на меня внимание точно обратила.

Рыжеволосая вообще показалась мне из тех редких женщин, что всегда секут и держат под контролем всю обстановку, где бы они ни находились, мгновенно отслеживая, причем в динамике, кто из присутствующих сколько стоит, а также кто чего хочет и почему. Ее спутники пили минеральную воду, а она коктейль — хотя время коктейлей еще не наступило. Но она казалась явно не из тех, кто соблюдает правила.

Я тоже посматривал на девушку, и мне казалось, что между нами, говоря по-книжному, натягивается какая-то нить. Что-то наклевывается. Что-то должно произойти. Ведь я, надо напомнить, был в связи с выигрышем на подъеме, почти в эйфории.

Поэтому я почти не удивился, когда столкнулся с ней на лестнице, возвращаясь к своему столику из туалета. Я почти не сомневался, что место рандеву было рассчитано, с ее стороны, с точностью до нескольких шагов.

— Простите, — сказала она по-английски.

— Нет, это вы извините меня.

— О! Вы русский! — воскликнула она по-нашенски. — Очень приятно. — Голос ее звучал с небольшим акцентом, я не мог определить с каким. — В ее руке появилась визитная карточка. — Я прошу вас позвонить мне, — молвила она. — И не медлите.

Карточка перекочевала ко мне, а девушка сбежала по лестнице к туалету. Вблизи она оказалась еще более хороша, чем издали. В ней сочетались англо-саксонская курносость и веснушчатость с большим галльским ртом и русским задором в глазах. На визитке, что она оставила мне, не значилось ни названия учреждения, где она работала, ни даже фамилии. Только имя, латинскими буквами, Pauline, и телефон, с префиксом, как мне показалось, американским, Восточного побережья.

После нашей встречи я, вернувшись за столик, намеренно не смотрел в ее сторону. Вскорости троица — «Спилберг», «Киссинджер» и она — рассчиталась и ушла. Я допил шабли, доел мороженое, оставил королевские чаевые и тоже покинул заведение.

Не спеша я пошел в сторону княжеского дворца, возвышавшегося на скале. Город готовился к гонке «Формулы-один», и вдоль улиц выстраивали заграждения, у финиша возводили трибуны. Временами раздавался резкий звук болгарки или шуруповерта. Я думал о девушке — внутреннее чувство, особенно обострившееся сегодня, подсказывало мне, что позвонить ей обязательно надобно — однако время пока не пришло.

Я спустился к порту и трибунам, сделал несколько фото на свой сотовый и стал потихоньку подниматься в гору, к замку. Когда я почти преодолел подъем, что-то мне подсказало: «Пора», и я набрал ее номер. Когда она ответила, я спросил по-русски:

— Полина?

— Да-да, это я, — молвила она быстро, чуть задыхаясь. — Ты где находишься? — Она назвала меня на ты, чем участила на мгновение мое дыхание и сердцебиение. Я сказал где. Она приказала: — Жди там, я скоро буду.

Я остался на перекрестке, перейдя в тень. Спустя буквально пять минут донеслось порыкивание мотора, и рядом со мной остановилась «Феррари»-кабриолет. За рулем сидела Полина. «Феррари» была не красной — это было б слишком, — но черной. Впрочем, последнее идеально подходило к ее рыжей гриве.

— Садись, — она открыла мне пассажирскую дверцу. И если еще двумя минутами ранее меня охватывала легкая паранойя, что девушка со своими спутниками составила заговор с целью выцыганить мои выигранные тысячи, то при виде ее лимузина она испарилась. Мошенницы на доверии на «Феррари» не ездят.

Девушка немного неумело воткнула первую передачу и газанула. Ревя и дергаясь, «Феррари» рванула с места. Я не стал ничего расспрашивать, и она молчала тоже. Ее волосы трепал ветер, виды за окном впечатляли, прохожие на тротуарах смотрели нам вслед.

Вскоре мы выехали из города на автотрассу. Вопросы самого разного рода обуревали меня, но я не нашел ничего умнее, чем спросить: «Куда мы едем?» — «Катаемся!» — хихикнула она. Что ж, каков вопрос — таков ответ. По автостраде мы покатили в сторону Ниццы. Мы обгоняли маленькие и старенькие «Рено», «Фиаты» и «Поло». Наше появление на скоростной авто-виа не осталось незамеченным. Совсем не то, как вчера я ездил на бюджетном «Пежо». Редкий водитель не сворачивал голову в сторону «Феррари», управляемой рыжеволосой шофершей.

— Кто ты? Расскажи о себе, — попросил я и положил руку на ее кисть, орудовавшую рычагом переключения передач. Это было лучше, хотя бы потому, что она не отстранила моей руки.

— Я наполовину американка, наполовину русская. Частная школа в Швейцарии, затем Оксфорд. Все как в лучших домах. Я единственная наследница миллиардного состояния. Родители погибли, когда мне было двенадцать лет.

— А я тебе зачем? — без обиняков спросил я.

— А мне нравятся мужчины, которым везет. — Она на добрый десяток секунд оторвала взгляд от дороги и уставилась мне прямо в глаза. — Я их коллекционирую. Как «Феррари» или сумки от Джейн Биркин.

— Следи за дорогой, — усмехнулся я. — А эти двое, что были с тобой, — они кто?

— Никто. Советники.

Мы пронеслись по автостраде над домами Ниццы. Снова стало видно море и пассажирский лайнер в небе, заходивший на посадку вдоль Английской набережной.

Проехав почти весь город, она покинула скоростную трассу.

— У тебя ведь открыта американская виза? — вдруг спросила она.

— Да. А ты откуда знаешь?

Она опять не ответила на мой вопрос.

Мы подъехали к местному аэропорту, но не к терминалу и не к зоне прилета или вылета. Девушка остановила авто у КПП с решетчатыми воротами и колючей проволокой поверху. Из будки вышел ажан в форме. Девушка протянула ему пластиковый пропуск. Обратилась ко мне: «Давай свой паспорт». Я протянул краснокожую паспортину. Жандарм тщательно изучил мой документ, отдал честь, вернул бумаги и открыл ворота. «Феррари» снова дернулась с места и спустя метров сто подкатила к стоявшему подле ангара бизнес-джету. При появлении авто «Гольфстрим» немедленно выпустил трап. Из открытого люка нас приветствовал щеголеватый стюард — по-английски: «Добро пожаловать на борт, мисс Полина! Добро пожаловать на борт, сэр!»

Мы поднялись. В салоне все дышало роскошью и покоем. На кожаных диванах были небрежно разбросаны подушки. На туалетном столике стояли цветы. «По бокалу шампанского, и мы взлетаем», — скомандовала Полина.

Стюард принес бутылку «Моета», хлопнул пробкой. С поклоном подал нам два бокала. Бизнес-джет тем временем подрулил к взлетке. «Пристегнитесь, пожалуйста, на время взлета, — молвил стюард, — безопасность прежде всего». Полина выбрала кресло у одного окна, я сел, через проход, в другое. Целый салон за нашими спинами, с диванами и столом, остался невостребованным.

— Куда мы летим? — спросил я. — И зачем?

— Расслабься, — сделала девушка отметающий жест кистью. — Пей, ешь, отдыхай и ни о чем не думай и ни за что не беспокойся. Все будет хорошо.

Когда «Гольфстрим» набрал высоту, в салоне нам сервировали роскошный обед. Судя по положению солнца и пейзажу внизу — довольно скоро под крыльями потянулось одно только море — мы летели на запад.

После обеда с черной икрой, лангустами, тропическими фруктами меня неудержимо потянуло в сон. Стюард разложил кресло и накрыл меня пледом. Последнее, что я видел сквозь полусомкнутые веки: Полина достала планшет и что-то быстро начала на нем строчить.

Меня разбудил стюард. «Сэр, мы приземляемся. Разрешите, я помогу вам сесть удобней. И вам надо будет пристегнуться, сэр». Я раскрыл глаза. Часы показывали без четверти час — очевидно, ночи — но яркий свет за иллюминаторами свидетельствовал, что мы переместились в совсем иной часовой пояс.

Самолет ощутимо снижался, однако за бортом не было видно ничего, кроме волн — белых, с барашками. Но вот показался берег: длинный, пологий, песчаный. Потом на нем возникли выстроенные в ряд небоскребы, а вокруг — десятки зданий поменьше. «Соединенные Штаты», — сказала Полина. — «Зачем?» — вопросил я. — «Ты увидишь». На минуту пролетела безумная мысль: меня похитили. Но почему? Я не торговец оружием, не преступный депутат, не бывший кагэбэшник. И потом, похищенного не кормят икрой и не поят «Моетом».

Бизнес-джет мягко плюхнулся на посадочную полосу, пробежал свое и остановился. Потом подрулил к зданию аэровокзала. В салоне снова возник элегантный стюард. «Ваш багаж, сэр», — сказал он и протянул мне... мою сумку, которую я считал мирно лежащей в номере в отеле в Ницце. Я щелкнул замком — сумка оказалась полна моими вещами: аккуратно сложенными рубашками и носками. В косметичке лежали приборы для чистки зубов и бритья. «Мне было приятно путешествовать с вами, сэр», — почтительно произнес стюард очевиднейшее вранье. «И вам не хворать», — буркнул в ответ я. Меня совершенно взбесило неожиданное явление моей сумки. Значит, кто-то чужой, без спроса, рылся в моем номере, лапал и складывал мои вещи?! Кто, блин, им позволил и разрешил?!

Без обиняков я высказал эту мысль, да в самых гневных выражениях, своей спутнице. Мы с ней шли пустынными коридорами аэровокзала. Полина тоже несла в руках небольшую сумку. Она переоделась, обновила косметику и выглядела свежей и бодрой. «Какого черта?! — закончил я свой монолог на повышенных тонах. — И какого черта вообще тут происходит?!» Моя спутница выглядела слегка смущенной. «После поговорим, — молвила она, — сейчас паспортный контроль и таможня».

Толстенный негр в форме равнодушно проверил мой паспорт и задал сакраментальный вопрос, какова цель моего визита в Соединенные Штаты. «Интересно, если скажу, что не знаю, меня задержат или просто вышлют?» — подумал я, но не стал все усложнять и нагромождать новые сущности, лишь буркнул, что каникулы. «Добро пожаловать!» — радушно воскликнул негр, как будто я, по меньшей мере, приехал в замок, где он служил дворецким, и шлепнул мне штампик в паспорте. «Это какой, ваще, город?» — спросил его я. Погранец ничуть не удивился — видать, в его практике случались и не такие клиенты, и возгласил: «Добро пожаловать в Атлантик-Сити, штат Нью-Джерси, сэр!»

Полина прошла контроль раньше и ждала меня. Следила за нашим разговором с пограничником напряженно и даже чуть испуганно. «Нет, не тянет она на наследницу миллиардного состояния, — вдруг промелькнуло у меня, — несмотря на бизнес-джет и «Феррари».

— Пойдем, — она обвила мою руку. Я решил больше ее не расспрашивать — все равно правды не скажет — и предоставить событиям течь своим чередом. По переходам мы прошли на многоэтажную парковку. На седьмом, что ли, этаже, она щелкнула ключом от «Кадиллака». «Кадиллак» был большой и с кожаными креслами, но все равно далеко не «Феррари». Номерной знак гласил, что зарегистрирован он в округе Колумбия, с тамошним девизом: *Taxation without representation*». («Налоги без представительства» — имелось в виду, что у них, бедненьких, нет своих депутатов.)

— В Вашингтоне живешь? — вопросил я и тем снова поставил девушку в тупик.

Она слегка смешалась, но ответила:

— Машина прокатная.

За окном смеркалось. Наступал вечер, хотя мои часы показывали уже третий час ночи. Воздух был теплым и влажным. Мы выехали с аэропортовской стоянки. «Знаешь, чего я от тебя хочу? — вдруг безо всяких запросов молвила Полина. — Чтоб ты обчистил здешнее казино. — И добавила тоном экскурсовода: — Атлантик-Сити — игорная столица Восточного побережья».

— Обчистил — в смысле обокрал? — нахмурился я.

— Нет, — расхохоталась она, — в смысле обыграл.

— В Ницце мне повезло первый раз в жизни. И, возможно, последний.

— А это мы посмотрим.

Минут через двадцать мы приехали в отель. Все переговоры с рецепционистом Полина взяла на себя, и через десять минут бой вводил меня в роскошный «пентхаус» с видом на океан. «Если что, я в соседнем номере, — проговорила Полина, — приведи себя в порядок, и через час жду: я попросила сервировать ужин в моих апартаментах».

Опущу подробности следующих нескольких часов и перенесусь ближе к полуночи по местному времени, когда мы рука об руку с моей спутницей входили в игровой зал нашего казино-отеля «Атлантик». С усмешечкой я подумал про себя, что гостиница называется точь-в-точь как та, где Светлана Светличная пыталась соблазнить бедолагу Семена Семеныча Горбункова: «Помоги мне, сердце гибнет», — и прочее.

Американское казино, особенно в сравнении с ниццким, выглядело гораздо более затрапезным. У игровых автоматов просиживали старухи чуть ли не в пижамах, в инвалидных колясках, в одной руке сигарета, другой, как заведенная, дергает за рычаг однорукого бандита, время от времени прикладываясь к кислородному баллону, притороченному к коляске. Усталые, старые, некрасивые официантки разносили бесплатную выпивку — в основном пиво.

Ведомые Полиной, мы пришли к столику, где играли по-крупному. От сытного ужина с прекрасным калифорнийским вином, от общества яркой огненноволосой бестии (а на мою спутницу, невзирая на политкорректность, казиношные мужички посматривали) меня снова обуяло нечто вроде эйфории. Я поменял свои выигранные в Ницце евро на фишки и начал поединок с рулеткой. Полина тоже сидела рядом и ставила — но по маленькой.

На «двадцать семь» я больше не покушался — счел, что цифра исчерпала свой потенциал. Играл на «красное — черное», «чет-нечет», ставил на дюжину или на корнер (четыре соседних) — но при этом числа, принесшего мне удачу в Ницце, вовсе избегал: к примеру, на третью дюжину так ни разу свои фишки не положил. Сперва мне не очень везло, и тридцать тысяч, вывезенные из Франции, быстро съежились до двадцати, а потом и десяти. Но ближе к утру — по местному времени — игра пошла. Несколько раз сорвав куш в цифру — опять-таки не в двадцать семь — я едва ли не удвоил мой капитал. И тогда сказал: «Баста!» — подал руку Полине, и мы отправились с ней менять мои фишки на деньги.

Когда я засыпал в своем номере, из-за океана стремительно выныривало солнце. Его лучи упали точно мне на подушку, и я подумал, что проклятые капиталисты специально столь тщательно продуманно выстроили гостиницу, чтобы постояльцам не приходилось, чтобы любоваться восходом, даже головы с постели приподнимать. Надо бы задернуть шторы, подумал я — но пульт куда-то запропастился, и с этой мыслью я прекрасно уснул и при свете.

В два часа по местному времени меня разбудила Полина. Она была веселая и деловая. «Хватит дрыхнуть, — молвила она, — нас ждут». — «Кто?» — промычал я спросонок. — «Интересные люди. И довольно важные. Собирайся. Жду тебя в моем номере с вещами. Через час».

За минувшие сутки я усвоил правило: спрашивать мою спутницу, куда мы следуем и зачем, бесполезно. Когда придет время или она захочет — расскажет.

Мы выписались из отеля и погрузили вещи в ее «Кадиллак». Довольно скоро вырулили на автостраду. Указатели сообщали, что до Филадельфии ехать пятьдесят пять миль, до Балтимора — сто, до Нью-Йорка — сто тридцать и до Вашингтона сто шестьдесят.

Солнце сияло вовсю, и день был по-настоящему, по-южному жарким. Полина включила кондиционер. По трем полосам автострады вокруг нас летели машины. Никто не гонялся, не перестраивался. Все сосредоточенно жали, каждый по своей полосе, занимаясь на скорости шестьдесят миль в час самыми разнообразными делами — мужчины брились, девушки красили глазки, оба пола перекусывали бургерами, но в основном все делали бизнес: беседовали по телефону и отправляли факсы и электронные письма.

Спустя час по объездной трассе мы миновали Филадельфию и свернули не на север, к Нью-Йорку, а на юг, на Балтимор и Вашингтон.

В столицу Штатов мы въехали, когда уже смеркалось. «Гостиницу я заказала, — молвила рыжая шоферша, — но сперва у нас будет встреча». Мы добрались до центра. Город казался роскошным и просторным, словно Москва в шестидесятые. Мелькнули подсвеченные монумент Вашингтона и Капитолий. Сверкнул в стороне Белый дом.

Полина свернула на тихие улочки, уставленные офисными зданиями державного вида. Возле одного тормознула и, приложив к считывающему устройству карточку, въехала на подземную многоуровневую парковку. Ни единой таблички, указующей, что это за учреждение, я не заметил ни на самом билдинге, ни на паркинге. Моя спутница запарковалась (машин почти не было), сказала, что вещи лучше оставить в багажнике, и мы проследовали с ней к лифту.

Лифт она снова вызвала при помощи карты, и этаж (четырнадцатый) выбрала, вставив ее в специальную прорезь. А на этаже нас встречал охранник, довольно бравый и подтянутый молодой человек, в форме, кажется, морского пехотинца. «Ого, — подумалось мне, — мы в логове американской военщины?» Мне морпех выдал пластик на веревочке с надписью *Guest* и сказал, чтоб я носил его, не снимая. Еще одна дверь, открытая картой, длинный пустынный коридор с рядами кабинетов без имен и названий — и, наконец, мы входим в один из них.

А там, за круглым столом — что за встреча! — нас поджидают старые знакомые: виденные мною в ниццком ресторане «Париж» спутники Полины: «Киссинджер» и «Спилберг». На этот раз оба одеты не в растрепайские льняные курортные костюмы с борсалинами, а в наряды, присущие среднему звену начальников-интеллектуалов: один («Киссинджер») избрал строгий костюм с галстуком, второй («Спилберг») — пуловер и рубашку с распахнутым воротом. Полина представила нас. «Спилберг» оказался Джоном с длинной ирландской фамилией, что-то вроде Фицпатрик, а второй, смахивающий на молодого Киссинджера, Айзеком то ли Котовски, то ли Косински. Визитных карточек ни один из них мне не вручил.

Дальнейший разговор шел по-английски — впрочем, когда я переставал въезжать в сложную тематику, подключалась Полина и переводила мне на русский. Речь держал в основном «Киссинджер» (буду называть его именно так). Временами с репликами и пояснениями встревал «Спилберг». Вот что они мне поведали — в кратком, так сказать, изложении.

Эти двое перцев, а также Полина работают над научно-исследовательским проектом, инициированным американским правительством, под названием «Кассандра». Проект в целом посвящен столь известному каждому и столь трудно определяемому понятию, как «везение». В ходе осуществления проекта исследованиями и экспериментами на добровольцах было, в частности, установлено, что в целом все человеческие особи делятся на три не равные (по величине и качеству жизни) части. Есть завзятые счастливчики — те, кому, как правило, всегда и во всем везет: они выигрывают в лотереи, в последний момент успевают на уходящий поезд, меньше стоят в пробках (за счет того, что избирают удачный маршрут) и делают правильную карьеру (в том числе оттого, что оказываются в нужное время в нужном месте). Их примерно три-четыре процента от человеческой популяции. Имеются, напротив, неудачники — они поскальзываются на банановой кожуре, в метро перед их носами закрываются двери и к раздаче жизненных благ они приходят, как правило, к шапочному разбору. Их тоже, в среднем, три-четыре процента. И, наконец, остальную, большую часть составляет обыденная серая масса, которой то везет, то нет: девяносто два — девяносто четыре процента населения.

«Подумаешь, исследования, — подумал я, помнится, в этом месте. — Я бы вам рассказал все то же, безо всякого важного вида и траты денег американских налогоплательщиков».

Однако перцы продолжали свой рассказ. Оказывается, ими было установлено, что даже среди ничем не выделяющейся массы среднестатистических в смысле везения товарищей случаются так называемые флуктуации. Что-то вроде того, как электрон, который под действием порой неизвестных причин вдруг — та-дам! — переходит на другую, более высокую орбиту (или, наоборот, слетает с нее). Обычному человеку вдруг начинает неимоверно везти. Или, напротив, все ему не удается, валится из рук. В нашем языке есть этому свои обозначения: «светлая полоса, черная полоса» — и тому подобное. («Тоже мне, Америку открыли», — подумал тут я.) Однако дальше было интересней. Их исследовательская группа (сказал «Киссинджер») занялась, во-первых, изучением причин, которые приводят человека в состояние удачливости, а, во-вторых, способами, которые позволяют так называемую полосу везения всячески продлить. Проверялись разные гипотезы, ставились эксперименты на добровольцах (в том числе с применением фармакологических препаратов, гипноза, психоанализа и самовнушения), и выяснилось, что практически ничем вызвать человеческое везение невозможно.

— Да, мощный вывод, — скептически протянул я.

— Но, — поднял перст «Спилберг», — мы обнаружили тем не менее два важных фактора. Первый из них — привести себя в состояние удачливости легче всего может человек с высоко развитым воображением. И второй, совершенно парадоксальный: этому человеку удача обычно не больно-то нужна.

Тут с репликой (на русском) влезла до того не выступавшая Полина:

— И ты оказался прекрасным подтверждением этой теории: у тебя великолепное, в силу профессии, воображение — и тебе совершенно не нужен был по жизни этот выигрыш в казино в Ницце!

— Спасибо, что выбрали меня подопытным кроликом в своем эксперименте, — буркнул я.

— Больше того, — продолжил «Киссинджер» мысль Полины (из чего я сделал вывод, что он неплохо понимал по-русски), — вы, мистер, — он назвал мое имя, — своим примером подтвердили нашу догадку, какими способами можно продлить так называемую полосу везения.

— И какими же?

— Не случайно ведь есть поговорка: «деньги — к деньгам». Так вот, светлую сторону в жизни можно длить благодаря окружающей человека роскоши: мощным машинам, вкусной еде, красивым женщинам... — Тут он спохватился и добавил политкорректно: — Женщинам и мужчинам.

— Да, гора родила мышь, — сказал я по-русски.

— Не понял? — поднял брови рассказчик.

Как мог, я перетолковал ему идиому. Мой скепсис никому из них, включая Полину, не понравился. Они, по-моему, пребывали в восторге и были уверены, что совершили открытие, тянущее на Нобелевку. Я же подумал о том, какое все-таки богатое государство Америка, потому что какую только фигню не берутся изучать на ее деньги разнообразные, с позволения сказать, ученые.

— Как бы то ни было, — вмешался «Спилберг» (по различным приметам я сделал вывод, что изо всей троицы он был главным), — вы, мистер..., — он назвал мою фамилию, — нынче находитесь на пике своего везения. Поэтому я прошу вас сделать для нас один небольшой эксперимент. Сейчас вам будут предъявлены три карточки с цифрами. Просто карточки, просто цифры. Они для вас ничего не будут значить. Вам надо выбрать из трех возможных карточек — одну. Всего одну. Не думая, не размышляя и не воображая.

Он достал из-под стола небольшую коробочку — подобную визитнице, раскрыл ее и разложил передо мною три картонки. На каждой из них были цифры: все двузначные, но с длинным хвостом после запятой. На первой что-то вроде: 34,15155, 73,216667.

И на двух остальных примерно что-то подобное: по две пары двузначных, с длинным рядом после запятой. Целые их значения были похожи на первую карточку: что-то вроде 35 и 74 соответственно.

Помнится, я сразу же подумал: это координаты. Если моя версия была правильной, то все указанные точки находились на юге-востоке северного полушария. Мне ли, после многих лет пользования автомобильным навигатором, не помнить координаты Москвы: 55 (и сколько-то десятых) северной широты и 37 с чем-то там восточной долготы. Поэтому (если принять версию о координатах) все эти точки явно находились вне современной территории России, где-то в Юго-Восточной Азии. Если, конечно, речь вообще шла о северном и восточном полушариях. С таким же успехом точки могли помещаться на южном полушарии и западном. Или не быть координатами вовсе.

Не задумываясь, как просили, я выбрал одну из карточек — и тогда постарался запомнить содержавшиеся на ней числа — целые значения и три-четыре цифры после запятой. Человек без труда запоминает за раз семь символов (именно поэтому в советские времена телефонные номера были семизначными), а если напрячься, то и десять. Поэтому числа, изображенные на выбранной мною карточке, точно отпечатались в моем мозгу. Впрочем, когда позже в тот вечер я вошел, наконец, в номер моей гостиницы, я немедленно записал их.

Дальше события развивались до чрезвычайности быстро. «Киссинджер» и «Спилберг» переглянулись и спрятали выбранную мной картонку — равно как и две прочих. Затем поблагодарили меня за сотрудничество, встали и пожали мне руки. Мне казалось, что оба они еле скрывают нетерпение, чтобы я поскорей ушел.

Обратным ходом, по пустому коридору, мимо охранника, а затем на лифте Полина провела меня до машины. Затем она отвезла меня в гостиницу — где-то в центре Вашингтона.

Мы попрощались, не выходя из авто.

— Тебе заказан здесь номер, — сказала она. — Апарт-отель, как ты любишь.

— Мы расстаемся. Навсегда? — спросил я.

— Боюсь, что да.

— Значит, насчет наследницы миллиардного состояния — это было вранье?

— Да, но все остальное правда. Я действительно американка русского происхождения и родители мои вправду погибли, когда мне было двенадцать лет.

— Что с ними случилось?

— Они работали во Всемирном торговом центре.

— О, прости, мне правда жаль.

— Ничего.

— Кто платил за бизнес-джет? — спросил я. — И за «Феррари»? Американский налогоплательщик?

— Позволь мне не отвечать на этот вопрос.

— Ну, тогда пока.

— Пока. — Она поцеловала меня в щеку и подождала, пока я вытаскивал из багажника свою сумку.

Вот так оно и закончилось, мое французско-американское приключение.

Что я могу еще сказать? На пару дней я задержался в Вашингтоне. Походил по музеям — особенно мне понравился Аэрокосмический. Потом взял билет из аэропорта Даллеса до Москвы.

Деньги, выигранные в Ницце, а потом в Атлантик-Сити, оставались при мне, поэтому я позволил себе лететь бизнес-классом, а родным и друзьям приобрел в аэропорту дорогие подарки.

Ни Полину, ни, тем более, «Спилберга» с «Киссинджером» я больше никогда не видел. После всех путешествий и трат у меня оставалось чуть больше сорока тысяч евро. Не так уж много. Я купил на них новую машину.

Когда я вернулся, кончался апрель, и в Москву, наконец, пришла весна.

А в начале мая, вроде подарка на Первомай, по всем каналам прошло сообщение, что американские морские котики взяли штурмом виллу, где скрывался террорист номер один Усама бен Л***, и застрелили последнего.

Как и все люди доброй воли, я испытал смешанные чувства: с одной стороны, все-таки террорист, погубивший, если верить тому, что говорят, тысячи людей. С другой, что может быть хорошего, когда кого-то убивают. Хоть кого.

Но однажды ночью я проснулся, как будто кто-то толкнул меня.

Выудил из кармана костюма ту самую бумажку, на которой я записал цифры после той встречи в Вашингтоне — те, что я принял за координаты. А потом залез в Интернет и посмотрел, *где* был застрелен американскими морскими котиками Усама. Оказалось, в Пакистане, на вилле в городе Аббатобад. Там имелись координаты города — в десятеричной системе 34,15 северной широты и 73,22 восточной долготы. Те самые цифры.

Мне вспомнилось, с каким нетерпением ждали моего ухода из кабинета «Спилберг» и «Киссинджер» — им явно не терпелось доложить кому-то о моем выборе. Возможно, самому президенту.

Я никому, разумеется, не стал рассказывать о том, что со мной происходило.

И случай этот жизнь мою мало переменил.

Разве что — историю человечества.

Но в казино я больше не играю.

Хватит с меня того, что я стал, пусть невольным и опосредованным, соучастником убийства — что писателю, особенно русскому, совсем не пристало.

ЛАРИСА РАЙТ

прозаик, преподаватель

Лариса — филолог и по образованию, и по призванию. Считает, что слова не должны и не могут быть пустыми. Свои произведения старается наполнять словами жизнеутверждающими. Писать начала для того, чтобы постичь неиссякаемую многогранность человеческой души. Лариса считает, что личное счастье заключается в способности человека находить гармонию с окружающим миром и с самим собой.

МОИ
УНИВЕРСИТЕТЫ

* * *

Аведь писательства могло и не случиться. Все решил случай.

Но расскажу по порядку.

Мое поступление на филологический начиналось от противного. К десятому классу надо было что-то решить, а у меня никак не клеилось с ярко выраженными предпочтениями.

Был пройден этап мечтаний о профессии учителя, врача, волшебницы, заведующей детским домом и даже фермера. Последнее и вовсе удивительно для такого законченного урбаниста, как я!

Желания вспыхивали и гасли, не успевая вырасти в нечто действительно реальное. Я не знала, чего хочу, и по-хорошему завидовала тем, кто давно определился со своим будущим. Основная масса друзей и одноклассников метила в юристы-экономисты, но были и те, кто направлялся в театральный, или в Бауманку, или в медицинский.

Я находилась на распутье.

Театр — это, конечно, очень интересно.

Актерская профессия звала и манила, но здравый смысл подсказывал, что ее мне не видать. Несколько лет я занималась в театральной студии и должна была признать, что большинство детей, с которыми я выходила на сцену, были куда талантливее меня. Им было дано от природы, а мне надо было оттачивать искусство.

А терпения во мне ни на грош: быстро загораюсь, но тут же опускаю руки, если что-то не получается сразу. Ужасная черта, но двадцать лет назад мне и в голову не приходило с ней бороться.

Кстати, и моим родителям тоже.

Помню, на уроках домоводства был раздел кройки и шитья. Сказать, что это не мое, — ничего не сказать. Объяснения этому я найти не могу, потому что умею вязать, люблю готовить, спокойно отношусь к глажке, с удовольствием раскрашиваю картины или делаю их из пайеток, так что предположить, что мои руки совсем уж растут из неприличного места, все же нельзя.

Но вот с шитьем все выглядит именно так. Процесс этот так и остался для меня непостижимым. В пятом классе я каким-то неведомым образом все-таки умудрилась сшить фартук. Тесьма была пристрочена криво, лямки оказались короткими. В шестом нам предлагалось освоить юбку-колокольчик с кокеткой. Мне удалось нарисовать эскиз на миллиметровой бумаге и даже раскроить материал, но до шитья дело так и не дошло. В седьмом же, когда объявили задание в виде ветровки, моя мама взбунтовалась и категорически отказалась тратить деньги на ткань, которая потом останется валяться в шкафу ненужными обрезками.

Пришлось променять ветровку на работу в школьной библиотеке. Возможно, это был первый сигнал из будущего: «Вот твое место».

Если и был, то тринадцатилетняя девочка ему, разумеется, не вняла и продолжала топтаться на перепутье.

Мысли о медицинском иногда посещали мою детскую голову. Врачом-наркологом был мой дед, и сама профессия казалась мне самой почетной и важной из всех. Но не было во мне тяги ни к химии, ни к биологии, хотя по обоим предметам в аттестате стояли пятерки.

Сейчас я думаю, что из меня получился бы хороший врач. Во мне никак не желает искореняться гипертрофированная ответственность. Хотя, с другой стороны, в таком объеме, как у меня, она, наверное, врачу противопоказана. Я бы жила в постоянном страхе неправильно назначенного лечения или осложнений беременности у своих пациенток, если бы стала, например, гинекологом.

Так что хорошо, что не стала.

Профессию учителя как свое будущее к старшим классам я не рассматривала по двум причинам. Основной была уверенность в том, что учителем надо быть либо очень хорошим, либо никаким.

Мне повезло встретиться в жизни с наидостойнейшим примером хорошего учителя, и я ни секунды не сомневалась в том, что не смогу ему соответствовать.

А второй причиной, как ни стыдно признаться, была денежная.

Наверное, если бы желание учительствовать было подлинным и настоящим, этот вопрос не стоял бы. Но так как оно было всего лишь одним из многих, здравые размышления о том, что в начале девяностых идти туда, где заведомо нельзя заработать кусок хлеба, — просто глупо, победили.

В общем, к окончанию школы я так и не смогла определиться: чем же хочу заниматься в жизни.

Зато я твердо знала, чего не хочу.

Я не хотела больше никогда в своей судьбе сталкиваться с математикой. Наивная девочка, не думающая о том, что придется помогать детям решать задачки, оплачивать инвойсы да еще считать количество углеводов в пище, соответствующее дозе инсулина, и квадратные метры в квартире, чтобы купить правильный запас обоев.

Но неизбежность столкновения с математическими расчетами повсюду и везде я понимаю только сейчас.

А тогда мне хотелось одного — забыть о математике навсегда.

Я ненавидела и не понимала ее до такой степени, что перед контрольными буквально видела во снах кошмары с очередной двойкой в журнале.

Наверное, на свете немного таких показательных аттестатов, как у меня. Два трояка по алгебре и геометрии, а остальные все (все!) пятерки.

Но это так.

И даже сейчас, когда арифметика буквально преследует меня в каждодневной жизни, я продолжаю ее тихо ненавидеть и считать своим наказанием.

Было очевидно, что с таким подходом и, главное, с такими знаниями Бауманка мне не грозит. Да и любой другой вуз или факультет, куда на вступительных экзаменах требовалось сдавать математику.

Из-за этого, кстати, пришлось отказаться и от по-настоящему интересных мне профессий. Например, психолога. Помню, как мы с подругой, которая была на год старше меня, ездили смотреть результаты ее вступительного экзамена по математике на психологический факультет МГУ.

— Если сдала на тройку — считай поступила, — говорила белая, как кипяченое белье, Машка. — Потом биология и изложение. Это уже фигня.

Я понимала ее страхи. Она два года занималась высшей математикой, чтобы сдать этот ужасный экзамен.

Первым делом мы устремились к плакату с двойками. С облегчением не нашли ее номера среди выбывших из гонки. Метнулись к тройкам — там тоже нет. Снова к двойкам и опять к тройкам. Потом я догадалась подойти к другому плакату:

— Машка! У тебя четыре! — радостно закричала я, обнаружив, что один из трех получивших четверку номеров — подружкин. Она мне не поверила, а когда убедилась, просто сползла на асфальт от переизбытка эмоций и еще долго повторяла, что «этого не может быть».

Но если в ее случае это все же могло произойти и произошло, то в моем — не могло случиться по определению. Я не собиралась заниматься ни школьной математикой, ни тем более высшей — никакой.

Таким образом, выбор будущей профессии и факультета был все-таки ограничен и сводился к тому, что надо поступить учиться, — а там уж будет видно, что получится и получится ли что-нибудь вообще.

В Интернете была опубликована замечательная фотография главного здания московского Университета — первые двадцать этажей видны четко и ясно, а остальные вместе со шпилем — в тумане. Прекрасная аллегория для студентов филологического факультета того времени! Чем ближе к окончанию вуза, тем туманнее будущее. Ни ясности, ни определенности, ни перспектив.

Но и до этого момента было еще далеко.

В старших классах все будущее сводится к нескольким неделям поступления в вуз, и надо было определяться, где же я проведу эти несколько недель. Несмотря на то, что я не обладала уж очень ярко выраженными талантами или склонностями, учиться все-таки хотелось в престижном заведении.

Выпускник МГУ — это звучит!

Я до сих пор ощущаю гордость, когда проезжаю мимо университета и чувствую свою к нему принадлежность. Да, наверное, это не слишком хорошо, но от определенной доли амбициозности избавиться нельзя, да и надо ли?

К тому же по гороскопу я Лев, а это только усугубляет тщеславие.

В школе я ходила на факультатив испанского языка. Вела его милейшая девушка — выпускница филфака МГУ. К тому же в девятом классе к нам, наконец, пришел знающий и интересный педагог по русскому и литературе — молодая женщина, и она тоже была выпускницей этого факультета. Эти обстоятельства и определили мою дальнейшую судьбу.

Я — абсолютный гуманитарий.

Я много читала, грамотно писала и успевала по иностранному языку. Список экзаменов на филфаке вполне соответствовал моим умениям, и я решила направить свои стремления именно туда. Тем более что стишки поздравительные сочиняла, тем более что была победителем в школьном конкурсе: «Лучшая творческая работа года».

Решила, что поступать буду на испанский язык с нуля. Тогда я еще не знала, что это гордо называется кафедрой иберо-романского языкознания. Испанский опять же выбрала просто из оригинальности. Вроде красивый язык, вроде много людей в мире на нем говорит, вроде и у меня получается.

А английский что? Надоел уже. Все на нем говорят.

В общем, так вот и определилась.

Но определиться — одно, а поступить — совсем другое.

Я училась в то время, когда даже на платное отделение можно было пройти, лишь не добрав пары баллов на экзаменах. Это тоже было нелегко, но я, как и все мои ровесники, мечтала и была настроена только на бюджет. А это девятнадцать баллов из двадцати на четырех экзаменах. Предполагалось, что за сочинение абитуриент имеет право получить четыре, а последующие три экзамена (русский устный, устная литература и иностранный) сдать на «отлично».

Конечно, проскочить «просто так» со школьной скамьи было нереально.

Во-первых, сочинения в школах писались совершенно по-другому. Точнее, с моей точки зрения, они как раз писались очень верно. Там надо было продемонстрировать собственное «я», написать свои мысли. Школьное сочинение учило думать. А для поступления на филологический надо было не думать, а знать: знать, что о персонажах, конфликтах, сюжетах и жанрах думали и писали критики. В школе этому не учат, как не учат и русскому устному.

Да и на иностранном языке учат просто писать и говорить, а не читать, переводить и разбирать научные лингвистические тексты.

Конечно, встал вопрос о репетиторах.

Родители их нашли, а дальше все зависело от меня и от его величества случая.

Год подготовки не пронесся, не пролетел, а просто промелькнул. Я занималась с тремя репетиторами, пытаясь уложить в голове абсолютно новые знания. Больше всего поражал русский устный, где учили совершенно новому разбору слов и предложений. Фразу из десяти составных предложений необходимо было разобрать досконально, безошибочно обозначив каждое предложение и его члены, а также выполнить штук пять-шесть разборов слов (фонетический, морфологический, этимологический), которые во многом отличались от привычных школьных.

Английским я занималась меньше всего и только последние полгода перед поступлением. Иностранный был последним экзаменом, и как-то так считалось, что если не срезался до него — то уже и не срежешься.

Возможно, это было самонадеянно, но так и случилось.

Самое пристальное внимание уделялось, конечно, литературе. Раз в неделю в воскресенье с утра пораньше я отправлялась через всю Москву домой к преподавателю, где он натаскивал меня и еще пять счастливчиков на экзаменационные ответы.

Делалось это следующим образом: Михал Михалыч рассказывал какие-то общие факты биографии и творческого пути писателя или поэта, или говорил о жанрах и направлениях литературы, а потом давал домашние задания: пять-шесть экзаменационных вопросов по соответствующей теме. Их надо было проработать дома, чтобы в следующее воскресенье вместе обсудить и записать недостающее в свой ответ.

Кроме того, на каждое занятие требовалось приходить с очередным написанным сочинением. И от начала года к его окончанию я дошла от оценки «неплохо» до «очень хорошо».

Михал Михалыч был очень знающим и профессиональным педагогом. Впоследствии он занимал пост заместителя декана факультета и, конечно, пользовался большим уважением и среди студентов, и среди преподавателей. Мы же — будущие абитуриенты — его немного побаивались и слушали с немым благоговением. Он очень тщательно прорабатывал все темы, пока не добивался полного и всеобщего понимания. Это было замечательно, но в итоге оказалось палкой о двух концах. Мы не успели толком пройти весь двадцатый век. Долго занимались Чеховым, Горьким и поэзией Серебряного века. В итоге так и застряли в начале, а мои записи о Булгакове ограничились в тетради годами жизни...

— Схему работы вы знаете, — ободрил нас Михал Михалыч на последнем занятии. — Как-нибудь сами проберетесь по оставшемуся материалу.

Но даже как-нибудь «пробраться» не удалось.

Вихрь школьных экзаменов подхватил и закружил так быстро, что времени на подготовку ко вступительным оставалось не так уж и много. К тому же к поступлению было необходимо выучить огромное количество стихов, до которых руки не дошли в течение года. Этим я и занималась, расхаживая по квартире с книжками в руках.

Выпускные экзамены прошли замечательно.

Сочинение по Салтыкову-Щедрину на две пятерки, русский устный, который мне, поступающей на филфак, организовала учитель, тоже на пять, отличный английский и вожделенная тройка по алгебре.

Приближался «час икс».

До сих пор помню тему вступительного сочинения: «Жанр и композиция пьесы Чехова «Вишневый сад».

Помню, как только увидела ее на доске, сразу успокоилась.

Все, что надо было написать, было заботливо уложено в моей голове Михал Михалычем. Но уложено было только содержание, за грамотность отвечала лично я. Чтобы получить четыре, можно было допустить лишь одну грамматическую ошибку. Две — и ты уже не проходил.

Самым волнующим было то, что оценку свою, если это не двойка, ты узнавал только после сдачи следующего экзамена, которым был русский устный. Довольно обидно сдать этот экзамен на «отлично», а потом увидеть тройку за сочинение и понять, что с мечтами о дневном бюджетном отделении можно попрощаться.

Но мне повезло.

Я получила «отлично» по обоим экзаменам и уже на пятьдесят процентов ощущала себя студенткой МГУ.

Оставалось еще две ступени, и третья была особенно ответственной.

Устная литература.

Первый вопрос — по девятнадцатому веку, второй — по двадцатому.

Я тянула до последнего. Никак не могла заставить себя пойти за сопровождающими в аудиторию. Кажется, собралась только с предпоследней или даже с последней пятеркой таких же трусишек, как я. Наверное, мы все надеялись, что экзаменаторы устанут и не будут слишком уж строго придираться.

Зашла в аудиторию.

За столом сидели мужчина и женщина. Она приветлива, он насуплен и хмур.

— Тяните билет.

Тяну.

В голове только одно: «Чехов или Горький, Чехов или Горький. Пожалуйста, пожалуйста, пожалуйста».

Вытягиваю.

Читаю первый вопрос: «Город и деревня в лирике Некрасова». Замечательно! Из недр памяти тут же выехал ящичек с нужным тетрадным листком. Читаю вопрос второй: «Творчество Булгакова».

Нет! Нет! Нет! Только не это!

Все, что я знаю, — обрывочные данные из школьной тетради. Ну, и собственно тексты. Давно прочитаны «Записки земского врача», «Мастер и Маргарита», «Собачье сердце» и «Роковые яйца», но что об этом говорить — ума не приложу. Я просто юный абитуриент, а не маститый литературовед.

Делать нечего. Сажусь, начинаю готовиться.

Но что толку? Ответ на первый вопрос уже несколько раз проговорен про себя, а ответ на второй так и не найден. Решаю, что просто буду говорить уверенно все, что помню из школьной программы, — и будь что будет!

А будет, судя по моим наблюдениям, совсем не сладко...

Мужчина-экзаменатор сыпал дополнительными вопросами и безжалостно заваливал моих конкурентов.

В голове крутилась мысль: встать и уйти, отказаться отвечать, только чтобы не позориться. Но я пересилила свой страх. Всегда надо идти до конца и надеяться на чудо. И все же, когда наступила моя очередь идти на эшафот, про себя я уже попрощалась с карьерой студентки МГУ.

Первый вопрос отрапортовала «на ура». Меня что-то спросили, я что-то ответила, и вот оно ужасное:

— Переходите ко второму вопросу.

Писательства могло и не случиться. Определенно не случилось бы, если бы не открылась дверь и кто-то не попросил бы:

— Владимир Алексеевич, можно вас на минутку?

Насупленный и хмурый, жутко строгий и придирчивый экзаменатор покинул аудиторию — и не на минутку, а на все время моего ответа, который и занял-то едва ли больше времени.

Женщина-экзаменатор, наверное, действительно устала, просто выслушала несколько моих заготовленных предложений, а потом остановила и спросила:

— В каком романе Булгакова речь идет о Станиславском?

Я тогда еще не читала это произведение, но название слышала, поэтому предположила единственное, что пришло в голову:

— «Театральный роман».

Она кивнула, улыбнулась и написала в моей ведомости размашистое «отлично». На экзамене по английскому меня почти не слушали, быстро остановили, поставили «пять» и отпустили.

Три первые пятерки говорили вместо меня.

Но никто, никто не знал, чего стоила одна из них. Как жаль, что я не знаю ни имени, ни внешности своего ангела-хранителя — того самого, открывшего дверь и спасшего меня от безответных вопросов и от верного трояка.

Мой папа всегда говорит, что везет тем, кто знает.

Да, я знала многое, я трудилась, я похудела на пять килограммов просто от переживаний, но все-таки поступить помогла удача, счастливый случай.

Я не знаю, что было бы, не стань я студенткой филфака.

Наверное, даже скорее всего, никакой трагедии и не случилось бы.

Возможно, я была бы не менее счастливой, чем сейчас. Я не знаю, кем бы я была, кем бы стала.

Но я точно знаю, кем бы я не стала никогда.

Я никогда не стала бы писателем.

АНДРЕЙ КУЗЕЧКИН

музыкант, прозаик

Писал со школьных лет, с того же времени увлекался рок-музыкой. Был вокалистом в местечковой панк-группе, да и в литературе хотел делать нечто в том же духе. Кажется, мне это удалось: в 2004 году повесть «Менделеев-рок» попала в лонг-лист премии «Дебют», а в 2007-м была издана. С тех пор издаюсь по-взрослому, хотя пишу, в основном, о проблемах молодежи — потому что сам еще не вышел из этого возраста. И конечно, играю рок — и вживую, и на страницах моих книг.

WITHOUT YOU
NEAR ME

• • •

Мы с женой шли по главной улице нашего города. Наверное, у каждого города есть свой Арбат — широкая, старинная пешеходная улица. Здесь находятся сувенирные магазины и самые дорогие кафе, выступают музыканты. Идеальное место для прогулок, было бы настроение. А у нас с супругой его в тот момент не было. Были мы вялыми, обессилевшими от выяснения отношений, а она — еще и от слез.

Я уже успел пожалеть, что все-таки решил дать нашему браку еще один шанс.

Если двое расстанутся без скандала, это означает лишь то, что скандал отложен ровно до того момента, когда кто-то из них пойдет на сближение. Вот тогда и будет высказано вслух все, что эти двое думали друг о друге все это время. Оба найдут, что сказать. И чем больше времени прошло после разрыва, тем больше накопится.

Разошлись мы около двух месяцев назад, безо всяких церемоний. Сказал ей, что мне все это больше не нужно, она забрала у меня ключи от своей квартиры. После чего каждый отступил на свои позиции и затаился. Начинать перестрелку первым никому не хотелось. Никаких провокационных статусов, записей на стене в соцсети, тем более — сообщений и звонков. О семейном положении напоминала только все та же соцсеть: «женат на...», «замужем за...»

Любой резкий шаг — сигнал к объявлению полномасштабных боевых действий. Да еще набегут всевозможные наблюдатели и миротворцы, которым захочется во что бы то ни стало сохранить наш брак. «Вы пять лет были вместе! Как вы можете расставаться?» Ага. Пять лет сидел в камере, посиди-ка теперь пожизненно.

Ах да, супруги же должны терпеть друг друга всю жизнь! Это известный писатель сказал на одной встрече, куда я отправился в качестве представителя библиотеки.

Встреча под названием «Жизненная позиция подростка: роль семьи и общества» состоялась в конце апреля, в крупном деловом центре. Обсуждали профилактику употребления алкоголя несовершеннолетними. Причем организатором была одна известная компания, производящая пиво, а этот писатель — почетным гостем. Представьте Хантера Томпсона, который совместно с мексиканским наркокартелем устроил акцию «Скажи наркотикам НЕТ!». Вот я и не удержался, поднял руку и спросил у писателя: «А отчего это у вас все персонажи непрерывно пьют и курят? Хоть бы про трезвенника написали, что ли».

Зал оживился: местами засмеялся, местами захлопал. Этого вопроса, видимо, ждали с самого начала.

«Пишу про тех, кого вижу», — ответил писатель.

Уж не стал ему говорить: вот про меня напиши, например. Про себя я и сам могу.

После всех выступлений, когда одна половина публики выстроилась в очередь за автографом писателя, а другая отправилась в соседний зал пожирать фуршет, ко мне и подошла N. — милый жизнерадостный пухлик лет двадцати.

N. знала меня по местной литературной тусовке, я ее совершенно не помнил, но готов был возобновить знакомство.

Она пригласила меня на выступление знакомого поэта. Я сделал вид, что мне это действительно интересно.

Остальное было лишь проверкой на профессионализм: завести интересную переписку в соцсети и невзначай уговорить встретиться на нейтральной территории, где нет ни жен, ни поэтов. Например, в парке, на архитектурном фестивале, где странные люди, называющие себя архитекторами, возводят странные сооружения, именуемые арт-объектами.

Идеальное свидание похоже на шахматную партию, где все ходы записаны заранее. Изначально известно, что белые поставят мат на тридцатом ходу, но, чтобы это произошло, игроки должны с честным лицом сделать остальные двадцать девять ходов. Поговорили, погуляли — угостил девушку чашкой кофе. Опять поговорили и погуляли — взял руку девушки и сунул ее себе в карман, чтобы не замерзла. И так далее, не мне вас учить.

Через месяц N. должна была уехать за границу, работать — на срок от полугода до бесконечности, — так что к нашему внезапно вспыхнувшему роману ни она, ни я не относились серьезно. Если бы я захотел, то наши отношения могли остаться мимолетной интрижкой на стороне: никто ничего не видел — значит, ничего не было. Словно бы Вечность сказала мне: «Чего тебе? Другую бабу?! Да на, подавись! Только чтобы семья осталась целой!» Даже сама N. была против того, чтобы я бросал жену. (Сам факт ее наличия у меня N. не смущал.)

Нет, на сей раз я решил прекратить эту комедию, в которую превратился мой брак.

Со дня свадьбы прошло уже больше полугода, но мы, как и раньше, вынужденно жили гостевым браком за отсутствием своего жилья. Я предлагал снимать квартиру — в нашем возрасте жить с родителями как-то не комильфо. Женушка настаивала на ипотеке: и всего-то двести тысяч первоначального взноса, а потом еще каких-то тридцать каждый месяц, зато платим за собственное жилье. С утра до ночи пересчитывала деньги, которых все равно не было, и ныла о том, как все мрачно и плохо. Как результат — мы бешено раздражали друг друга и скандалили по каждому поводу. Но момент расставания я оттягивал, как мог.

Кого мы жалеем, когда расстаемся? Если друг друга — расставаться не надо. Значит, между вами что-то еще осталось, это надо беречь. Другое дело, если жалеете не себя и не другого человека, а созданный вами мирок. Все эти ласковые прозвища, которые вы придумали друг для друга, пылящиеся на полках подарочки, одни на двоих цитаты из фильмов-книг и любимые, только ваши, песни. У нас это *Nothing's Gonna Change My Love For You* — песня красивая, но не самая известная, хотя нет-нет, да мелькнет на каком-нибудь *«LOVE radio»* или в пиратском сборнике «Романтик коллекшн». Мелодия, быть может, еще узнаваема, а имя исполнителя — Гленн Медейрос — уже вряд ли кому-то что-то скажет.

Если мы расстанемся с женой, то уже никогда не сможем спокойно слушать эту песню. Сразу вспомнится, как на первых свиданиях мы гуляли, взявшись за руки, и пели:

If I had to live my life without you near me
The days would all be empty
The nights would seem so long...

А когда спустя три года мы серьезно поссорились, я выучил эту мелодию на губной гармошке, записал и прислал ей. Помогло.

Жалко, конечно, и нашей песни, и всех этих ежиков с поросятами. Вряд ли кто-то, кроме меня, будет называть мою жену поросенком. Сомневаюсь, что и меня кто-то, кроме нее, когда-нибудь назовет «еж», точнее, «есь». (Я ей даже однажды подарил глиняного ежика.) N. называла меня котиком — как банально!

Но все это — просто бирюльки и фитюльки. Человек не должен страдать из-за бирюлек и фитюлек. В начале мая я окончательно решил утилизировать свой брак.

● ● ●

Началось маленькое майское лето — месяц выдался жарким. Для нас с N. это был месяц свиданий, прогулок и отчаянных поисков места, где можно уединиться — место каждый раз было новое. Я будто снова стал беззаботным студентом. Хотелось ни о чем не думать, наслаждаться жизнью, совершать мальчишеские глупости.

Как-то раз на главной улице города нас остановили девочки-промоутеры в форменных майках и сообщили, что они проводят рекламную акцию: за десять отжиманий — шоколадный батончик.

— Значит, если я отожмусь двадцать раз, вы дадите два — мне и девочке? — уточнил я и, получив согласие, принялся отжиматься.

N. потом сообщила мне, что, пока я отжимался, мимо прошел толстый мужчина, который посмотрел на меня с завистью. Чему конкретно завидовал толстяк — моей физической форме или тому, что я с ее помощью могу заработать шоколадные батончики, — она не уточнила.

Супруга моя, как выяснилось позже, тоже не скучала и съездила на отдых в Италию. Я тем временем тоже решил немного окультуриться и поддался на уговоры коллег съездить на большом экскурсионном автобусе в Палех и Плес: посмотреть на знаменитые шкатулки и музей Левитана.

Пока нас везли три часа в Палех, бабуля-экскурсовод рассказывала потрясающие истории, не имеющие никакого отношения ни к шкатулкам, ни к Левитану. Просто некий поток сознания, из которого мы узнали, что:

— Брюки и джинсы убивают женственность. Девушка в брюках — это жеребенок, это лошадка.

Компьютеры делают ребенка тупым, зомбируют. (И тут же, безо всякого перехода.) Купец Бугров, чтобы этого не допустить, когда брал на работу инженера — предлагал решить в уме сложную задачу, сколько потребуется материала, чтобы сделать то-то и то-то. Если у него не получалось, то просил его закрыть дверь с другой стороны. А если получалось, говорил: «Вот тебе вычислительная техника, садись и работай...» (Вычислительная техника, м-да...)

Советские спецслужбы приехали в Тибет, чтобы постичь тамошнее боевое искусство. Против нескольких бойцов выставили маленькую девочку, которая дунула, и они все попадали. Тибет, кстати, находится в Индии. А Индия не только родина буддизма, но еще и родина фашизма.

С 1 января 2015 года нас всех переведут на химическое питание. (Бабушку уже перевели, судя по всему.)

Не надо называть экскурсовода гидом, это оскорбление. Гид дает лишь минимум даже той мизерной информации, которой он владеет. А может и в постель лечь за отдельную плату. (В этом месте даже самые невозмутимые библиотекарши стали встревоженно переглядываться: «Да что она несет вообще?!»)

В слове «молитва» два корня. «Моль» — в смысле, что не надо, чтобы твоя лишняя одежда висела без дела, пока ее уже моль не съест. А второй корень — «творчество». (Филфак меня к такому не готовил.)

Остальное было по традиционному сценарию: привезли, показали, повезли дальше, показали, повезли дальше, покормили, повезли дальше... И все настолько быстро — точнее, мельком и впопыхах, — что непонятно, зачем вообще это было организовано. В чудесный город Плес если и ехать, то на несколько дней, а лучше на все лето, как Исаак Ильич, чтобы не спеша бродить по симпатичной набережной и склонам, любоваться видами с гор и старинными домиками.

Именно в Плесе начались самые интересные события. Сперва в музее Левитана пришлось долго ждать, пока проверят, действительно ли мы заплатили за экскурсию. Потом обнаружилось, что ужин, намечавшийся на 18.30, на самом деле должен был начаться на полчаса раньше, да к тому же ресторан, где мы должны были ужинать, снесли и перенесли в другое место, к удивлению бабули-экскурсовода. Пришлось ехать туда на автобусе, да перед этим ждать, пока все соберутся — полагая, что времени еще много, библиотекари разбрелись по городу.

Когда бабуле сделали справедливое замечание, что она не экскурсовод, а самый настоящий гид, та разоралась, что в следующий раз с нашей группой она возьмет палку и будет с ее помощью нами командовать. Водитель тоже разорался, что, мол-де, в 18.30 по плану они должны выехать обратно, у него завтра новая поездка в 6 утра, надо мыть машину и вообще, за простой ему не платят. Потом вроде как все успокоилось, мы поели и выехали обратно с опозданием на час. Бабуля обиженно молчала, зато шофер в отместку крутил на внутрисалонных телеэкранах сериал «Сваты-6».

Если со мной происходят странные вещи, значит, Вечность намекает мне, что я делаю что-то не то. И что дальше будет только хуже.

На той экскурсии и кончился мой май. С N. почти не виделись — ей стало не до меня, она готовилась к отъезду на свои заработки. Настало время заняться делами земными — например, съемом квартиры.

● ● ●

«Ну и где тут квартиры сдают?» Я открыл сайт «Авито» и начал читать объявления, ища чтобы дешево и без посредников. Позвонив по первому же номеру, тут же почему-то нарвался на какую-то контору. Приятный девичий голос пригласил меня в офис, якобы уже сегодня можно посмотреть квартиру.

Фирма называлась «Селим». Офис в центре города, но довольно убогий: человек семь парней и девушек ютится в одной тесной комнате, здесь же — несколько столов, на которых лежит огромная куча дешевых мобильников, периодически пиликающих. На стенах — написанные от руки благодарственные письма, в золоченых рамках, но без печатей, и предупреждения, что фото- и видеосъемка в офисе запрещена. Ага, чтобы не собирали компроматов на эту кристально честную компанию.

Молодой человек слегка восточной внешности (наверное, тот самый Селим) принялся рассказывать: у них-де можно найти все адреса частников, сдающих квартиры, и если я заплачу, то они мне сами все найдут, сами договорятся, а мне останется только съездить и посмотреть. Половину я просто не понимал, так быстро он тараторил, дорвавшись до свежего человека, из которого можно вытрясти деньги. Но я решил дать этому Селиму шанс. Все равно же такие дела трудно сделать без посредников.

В общем, заплатил я приличную сумму, подписал договор, получил кучу каких-то филькиных грамот в черной папке, из которой получился отличный коврик для мыши, но главное — доступ к их сайту, где действительно было выложено много объявлений о сдаче.

Почитал отзывы об этой фирме в Интернете. Все только ругаются, что взяли деньги, но ни фига в итоге не нашли. Я, конечно, приуныл, но потом плюнул и сам стал звонить по выложенным на сайте адресам, не дожидаясь, пока Селим мне что-то подберет.

Уже второй звонок сработал. Квартирка мало того, что недорогая, так еще и рядом с метро. Из удобств — четыре стены и крыша, кое-какая мебель, плита, холодильник, газовая колонка, тихий район и возможность спокойно работать. Из неудобств — тараканы, которые, вопреки всем слухам, так и не вымерли и не мигрировали в Среднюю Азию, скрипучие полы, в холодильнике воняет плесенью и отваливается дверца морозилки. Пустяки.

Претендентов на эту квартиру было много, но хозяйка отдала предпочтение мне. То ли потому, что сама филолог по образованию и бывший сотрудник библиотеки, то ли потому, что я заплатил сразу за два месяца вперед.

Спустя две недели мне позвонили из «Селима» и поинтересовались, как дела. Честно сказал, что нашел квартиру с помощью их сайта. Они, кажется, были немало удивлены. Кстати, потом как-то раз забрел в тот же офисный центр — Селима и всех его мобильников там уже не было.

Оформив договор с хозяйкой, я долго бродил по магазинам, покупая одеяла, подушки, посуду, всякие моющие средства, макароны и т. д. Уже и забыл, насколько это интересное занятие.

Почему-то меня не покидало чувство, что я все это делаю для своей жены, с которой пока что так и не развелся официально — просто времени не было.

Часто ее вспоминал. Почему-то один и тот же эпизод, снова и снова: как она во время готовки ужина уронила картофелину и смешно пискнула голосом поросенка из мультика: «Ой, убежала! Есь! Убежала!»

Супруга в свою очередь робко начинала напоминать о себе. Как-то раз написала мне: «У глиняного ежика появилась подружка из Городца» и прислала фотографию глупенькой расписной деревянной свинки, которую ей подарили.

Так мило... Моя супруга сама кажется миленькой и глупенькой, если не знать, какая она на самом деле. Стройная блондинка с длинными ножками, которая в свои двадцать восемь выглядит на восемнадцать, а ведет себя на все пятнадцать — глядя на нее, не скажешь, что она читала всего Мопассана и Бальзака вместе с Лимоновым и Елизаровым и что по образованию она лингвист. Но дело, конечно, не в ножках, не в образовании и не в Бальзаке. Любовь — это когда один диагноз на двоих. Когда я при всех называю девушку поросенком, а она громко хрюкает и крутит воображаемым поросячьим хвостиком. Или когда она прямо на улице средь бела дня прыгает мне на шею, а я несу ее на руках. Или когда мы вдвоем приходим на квартирник или на литературный вечер в кафе и ведем себя так, что сам поручик Ржевский, глядя на нас, покраснел бы от стыда.

Нам нравится шокировать. На каждую годовщину наших отношений мы приглашаем фотографа и инсценируем перед камерой целую историю: например, про маньяка, который затаскивает невинную девушку в свое логово, а дальше все происходит как в сказке про Красавицу и Чудовище: под конец истории жертва уже не хочет никуда уходить. Самые невинные кадры фотосессий мы потом выкладываем в соцсеть, к ужасу друзей. Даже после расставания у меня не поднялась рука удалить эти фото — только скрыть, да и то на время.

● ● ●

Нет уж, ушел так ушел. Нужно было перестать думать о жене в настоящем времени и всерьез заняться работой, которую я подзапустил. Точнее, работами — их у меня несколько, и все заключаются в том, что я сижу дома и пишу: рекламные статьи для сайта по трудоустройству, рекламные статьи для многотиражной городской газеты, рецензии на чужую графоманию для литературного агентства. И даже на библиотеку, где я трудоустроен официально, я работаю по удаленке — пишу отзывы на книги, статьи о писателях и прочий контент для сайта библиотеки.

Работать, не выходя из дома, да еще и зарабатывать нечто похожее на деньги — мечта любого выпускника филфака. Я до этого дослужился не сразу. Когда мы с будущей супругой только познакомились, я вообще работал в автофирме, где собственными руками делал защиты картера двигателя. Должность называлась «начальник производства», фактически же я в одиночку и был самим производством. Целыми днями торчал в подвальном цеху, таскал металлические заготовки, гнул на специальном станке, приваривал к ним ребра и ушки, а по вечерам вымывал из носа и ушей черную грязь. Иногда прижигал себе руки сварочным аппаратом, а как-то раз прищемил палец станком для сгибания железа, да так хорошо, что ноготь слетел. Несмотря на все это, некоторым образом умудрился проработать там год (других дураков, видимо, не нашлось) и уволился, когда перестали платить, ссылаясь на кризис. Все-таки я в этом смысле немного ортодокс и считаю, что кризис кризисом, но труд должен оплачиваться.

Когда мы с будущей супругой только начали встречаться, ей иногда даже приходилось платить за меня в маршрутке. Потом она говорила, что это были самые выгодные вложения в ее жизни.

Действительно, после знакомства с ней моя жизнь потихоньку поползла в гору. Теперь она, кажется, начала скатываться обратно. Даже несмотря на то, что у меня появилось место, где я мог сидеть и писать в полной тишине и спокойствии.

Вскоре выяснилось, что у моего нового жилья есть серьезный недостаток, гораздо серьезнее, чем скрипучие полы и тараканы. С первого взгляда это трудно было заметить, а тем более осознать, что это действительно серьезный недостаток. И речь идет не об отсутствии какой бы то ни было роскоши: мне из удобств нужны только диван, чайник и место, куда ноутбук поставить.

Деревья, которые росли во дворе, почти полностью закрывали солнце. Из-за этого в квартире было очень мрачно — не говоря уже о том, что постоянно приходилось напрягать зрение. Лучшее, что можно было сделать — постоянно держать занавески задернутыми, а свет — включенным. Но менее угрюмым жилище от этого не становилось. Впрочем, и менее пригодным для обитания — тоже. Все хорошо, но как-то неуютно. Как и вся эта новая жизнь.

If I had to live my life without you near me... Если б мне пришлось прожить мою жизнь... как перевести *without you near me*? Если дословно, то «без тебя рядом». По-русски совершенно не звучит. Вот если наоборот, «с тобою рядом» — очень даже.

The days would all be empty
The nights would seem so long

Говорят, что тексты популярных песенок кажутся примитивными ровно до тех пор, пока сам не начинаешь испытывать то, о чем поется. «Дни были бы пустыми, а ночи казались бы длинными». Если прервать роман на пике страсти, через три месяца или даже через полгода, будет невыносимо больно — будто руку оторвали. Но если отношениям несколько лет и они уже переросли в нечто большее, чем влюбленность, то ощущения будут, словно не оторвали, а ампутировали под наркозом много лет назад. И не больно уже, и с потерей смирился, но в рукаве все равно как-то пустовато.

Этой пустоты не замечаешь, пока работаешь. Чем хорош труд фрилансера, обслуживающего сразу нескольких работодателей, — никаких проблем с тайм-менеджментом. Никогда не возникает вопроса, что, когда и в какой последовательности писать. Пиши тот материал, который завтра сдавать, а когда... да прямо сейчас!

Мерзкое ощущение незаполненности возникает в часы отдыха, особенно если привык работать без выходных. Вроде бы надо разгрузиться, как и любому живому человеку. Просто побездельничать. Включить фильм, поиграть в шутер, посмотреть в потолок, лежа на диване. Не получалось. Фильм быстро выключал, а игру сворачивал. Не мог избавиться от чувства, что впустую трачу время.

С женой такого чувства не возникало никогда, чем бы мы ни занимались. Она читала книгу, лежа на диване, я играл в старенькую стратегию на ее компьютере, она зависала в Интернете, я смотрел фильмы на ноутбуке — каждый бездельничал по-своему и сам по себе. И не надо было мучительно придумывать, как сделать, чтобы вдвоем не было скучно, как это часто бывает, когда рядом ненужный человек. Нам никогда не было скучно.

Я знал, что если все-таки решусь возобновить отношения, скучно не будет. А еще знал, что у моей жены так же плохо получается жить без меня, как и у меня — без нее. Хотя она, как и я, честно пытается.

Повода для новой встречи искать было не нужно. Еще в начале года я обещал жене, что в июле мы вместе поедем на музыкальный фестиваль с экзотично-эзотерическим уклоном, что каждый год проходит на берегу Горьковского водохранилища. Свое слово я нарушать не люблю.

● ● ●

С фестиваля мы вернулись в состоянии временного перемирия. Вроде как снова были вместе. Что будет дальше — пока не знали. И тем более не догадывались, что через год с небольшим рядом с глиняным ежиком и деревянной свинкой будет стоять пластмассовый козленок — потому что наш сын Рома родится в год козы.

Встретились, чтобы еще раз все обсудить. Долго ругались, а потом, когда уже не осталось сил что-то выяснять и доказывать, пошли куда глаза глядят.

В тот день на главной улице города выступал целый хор. Плотная толпа человек этак из пятидесяти перегородила улицу и, синхронно раскачиваясь, исполняла какую-то неизвестную мне песню на английском языке. Тщательно выстроенное многоголосие говорило о том, что это не флэш-моб какой-нибудь, а профессиональное выступление. Некоторые из певцов даже имитировали музыкальное сопровождение.

Все скамейки были уже заняты. Мы сели на заборчик вокруг ближайшего газона и дослушали песню.

— Послушаем, что будет дальше, — сказал я. — Если опять какая-нибудь неизвестная — пойдем отсюда.

Наверное, историю моей жизни пишет тот же человек, который сочиняет сценарии для российских сериалов, потому что в реальной жизни такого не бывает. Но произошло именно то, что произошло.

Хор запел:

— *If I had to live my life without you near me...*

Мы с женой обняли друг друга. Она смеялась и думала, что я тоже смеюсь. А я плакал.

УЛЬЯ НОВА | писатель

В детстве зачитывалась русскими народными сказками и мифами Древней Греции. С тех пор увлеченно изучает радостные и печальные превращения, которые иногда случаются с каждым из нас. Результаты этих исследований и наблюдений выходят в виде романов, рассказов, стихов. Улья считает, что счастье — это умение быть счастливым: мечтать, любить, замечать маленькие чудеса каждого дня.

ИЩЕТ ХОЗЯИНА

• • •

В ту зиму возле метро «Тверская» целыми днями отчаянно раздавали горьковатые, пропахшие типографской краской рекламки. Поднимаешься из подземного перехода на улицу, и тебе тут же вручают скидки на железную дверь. Буклеты похудения. Флаеры стрижки и маникюра за полцены. Ближе к вечеру вокруг метро кружился белый листопад. Ненужные скидки мокли в лужах талого снега. И шапка рекламной пены разрасталась поверх урны. У меня был защитный маневр от назойливых бумажек. Как бы нечаянно увернуться. Не заглядывать в глаза дающему. Быстро пройти мимо. Но иногда, поддавшись жалости или дурацкой вежливости, все же возьмешь листок из руки невзрачного человека с серым лицом, из ледяной ладошки угловатой девушки с синими волосами. Зачем-то приняв жалобное подношение, тут же нетерпеливо сминаешь его в комок скидок и букв. И метко забрасываешь в ближайшую урну, не вдаваясь в подробности.

В тот день была сырая неуверенная весна. Прозрачный, уплывающий, только-только освободившийся от снега город. Девушка в зеленой куртке, пританцовывая на ветру возле метро, неловко протянула мне пестрый листочек. Оттуда с надеждой выглядывала добродушная белая болонка. Надо было увернуться, спрятать руку в карман, пробежать мимо. Но я все же взяла буклетик с собакой. Что-то было в ней жалобное, трогательное. Через несколько шагов, сталкиваясь с прохожими, я узнала, что на днях вышел первый номер журнала о животных в доме и в дикой природе. В нем целый разворот посвящен рубрике «Ищет хозяина», в котором рассказывают о бездомных собаках из самых разных приютов Москвы. Ниже сообщалось, что журнал ищет истории о домашних любимцах. Далее я должна была бы поскорее избавиться от буклетика и спокойно идти себе дальше — сдавать учебники в институтскую библиотеку. Но неожиданно вспомнился крыс Василий, интеллигентный и мудрый зверь с внимательными черными глазами, наша недолгая дружба и молниеносная разлука из-за маминой аллергии. В груди что-то сжалось от давней драмы — под открытой февральской форточкой любимая ящерица обернулась сухой веткой, впала в анабиоз и зимовала в холодильнике, среди лимонов и яблок. Убежавшая в траву, ушедшая от меня навсегда морская свинка. Черепаха Степан, которую пришлось отдать соседям из-за переезда. Это были истории любви, привязанностей, расставаний и одиночеств. Оказалось, что их у меня довольно много. Листочек с болонкой опустился во внутренний кармашек сумки. Вечером мы с сокурсником созвонились и отчаянно вспоминали наших котов, попугаев и приведенных на несколько дней с улицы щенков. Узнав про журнал, сокурсник скептически хмыкнул, ведь после сессии он собирался писать песни для дебютного альбома своей будущей великой рок-группы. Но через три дня мы все же оказались в редакции журнала, сидели там перед сиплым бородатым человеком, которого позже уважительно прозвали ВэВэ. Бородатый ВэВэ был заместителем главного редактора. Он внимательно и цепко всмотрелся сначала в меня, потом в сокурсника. Словно определял, кто перед ним: зверь, птица или насекомое. И домашние ли мы звери, ручные или все же представители дикой природы. Немного помолчав, основательно выкурив сигарету, ВэВэ сообщил, что рассказы о домашних любимцах напишут какие-нибудь неоперившиеся первокурсники. Зато для нас, для профессионалов, у журнала есть несколько серьезных и ответственных заданий. Он сделал особое ударение на слове «профессионалы». Он сказал это уверенно и веско. Поэтому уже на следующий день, пылая воодушевлением, мы катили на электричке в Купавну, в специальный собачий питомник, намеренные во что бы то ни стало разузнать, как и где готовят собак-поводырей для слепых. Еще через день мы неслись в гости. Целый вечер пили чай с двумя жизнерадостными физиками, мужем и женой, слепыми с детства. А потом знакомились с их белым лабрадором-поводырем. Через две недели у нас с сокурсником появилась первая в жизни работа. Каждую неделю, по средам, мы наведывались в собачий приют на улице Достоевского. Пробирались туда по хитросплетению пыльных майских улочек и переулков. Звонили в заклеенный лейкопластырем дверной звоночек. Сообщали пароль, что это мы — сотрудники журнала о жизни животных в доме и в дикой природе. Угловатые школьницы-стажерки выводили для нас из вольеров приюта бездомных дворняг. Тащили их на веревке, привязанной к потрепанному кожаному ошейнику. Облезлую хромую болонку, которая упиралась так, будто ее ведут на расстрел. Старого пса на вибрирующих от страха лапах. Рыжего лиса с лишаем на боку. Безухого серого волка, который басисто тявкал, а потом отчаянно скулил на всю округу. В мои обязанности входили портреты. Нужно было разместить пса на узкой площадке между корпусами. Прицелиться, уловить момент и остановить мгновение таким образом, чтобы передать на фотографии собачье одиночество, доброту, преданность. Бездомность. Нужно было сфотографировать собаку так, чтобы лишай или старческая проплешина на боку не бросались в глаза. Чтобы пес улыбался. Или задумчиво и печально смотрел в кадр, вызывая доверие, жалость и нежность.

После фотосессии, отобрав в редакции лучшие снимки для рубрики «Ищет хозяина», сокурсник подписывал портреты дворняг, стилизуя их под старинные объявления со странички знакомств. «Жизнерадостный метис терьера мечтает о заботливой и преданной хозяйке». «Интеллигентный дворянин будет верным другом и сторожем для человека средних лет». «Болонка без вредных привычек встретит старость со скромным, обаятельным служащим». Каждое из этих объявлений было ничем не хуже песни будущей великой рок-группы. Оказалось, что жизнь животных в доме и в дикой природе полна приключений, происшествий и тайн, особенно если ты профессионал, воодушевленный и признанный самим великим ВэВэ. Ни на день не теряя вдохновения, мы писали новости о встречах человека с енотом, карликовой свиньей и ушастым ежом. Не без влияния кортасаровского рассказа «Аксолотль», мы раздумывали о том, как человек вглядывается в лису, нутрию, гигантскую ахатину. И о том, как в человека вглядываются его шпорцевые лягушки, попугаи, гекконы и хомяки. Конечно же, цитировали священное: «Мы в ответе за тех, кого приручили». Сочиняя истории о приручении соколов, волчат и норок, мы с сокурсником все внимательнее вглядывались друг в друга. Со временем, не без участия рубрики «Ищет хозяина», рыжий лис с лишаем на боку встретил интеллигентную старушку-искусствоведа. Облезлая хромая болонка перебралась из сырого тесного вольера в двухкомнатную квартирку на улице Вавилова. А здоровенный приютский волчище с хрипловато-басистым рыком стал сторожем в Подмосковье.

Через год журнал закрылся из-за кризиса, которые, как оказалось, бывают довольно часто. Еще через год мы с сокурсником поженились. Правда, иногда мы спорим: кто кого приручил. Кто на самом деле хозяин, а кто — домашний любимец. И кто из нас ведомый, а кто — верный и преданный песповодырь. Но с годами все чаще вспоминается та маленькая случайность, неожиданно вмешавшаяся в жизнь.

АЛЕКСАНДР СТАРОВЕРОВ

бизнесмен, прозаик

Александр Староверов родился в Москве, до сорока лет занимался бизнесом, потом, глубоко и своеобразно осознав мысль, что слово дороже денег, начал писать. Судя по отзывам читателей его романов, писать у него получается. Счастье, считает Александр, это когда получается! Что угодно получается, но особенно — найти в себе человека. Именно это является основной темой книг А. Староверова.

ЭДЕМ: ТУДА И ОБРАТНО

● ● ●

До четырех-пяти лет я был сам по себе существо. Рос как полевой цветочек, никого не трогал, и никто не трогал меня. А ближе к пяти я увидел ЕЕ. Она перевернула мою жизнь, на протяжении последующих сорока лет она проделывала это неоднократно, причем в самые разные стороны. А первая наша с ней встреча произошла в химчисткс. В очередной раз я пришел туда с мамой. Ничего меня не удивляло: зеленые обшарпанные стены, шуршащие листы серой упаковочной бумаги, груды чистого белья и одежды, дородная тетенька в неопределенного цвета халате, — все это я уже видел раньше. Но именно в тот день я впервые заметил ЕЕ. Нет, вру, сначала я заметил мохнатую коричневую веревочку. Причудливо извиваясь, она тянулась из-под прилавка, за которым стояла дородная тетка, и заканчивалась тугой петлей, опоясывающей удивительный предмет. Что-то продолговатое, желтое, с синим наконечником и острым металлическим жалом. Как я раньше не замечал такую интересную вещь — не знаю.

Сейчас бы ее назвали, скорей всего, статусной, еще бы — не будут же всякий мусор привязывать красивой веревочкой. Я вообще не видел, чтобы в семьдесят шестом социалистическом советском году что-либо привязывали. Или внимания не обращал. Проблемы у меня были тогда со вниманием. Но в тот день я обратил, и судьба моя, как я понял впоследствии, определилась. Люди, стоящие в очереди, относились к удивительному предмету с огромным уважением, аккуратно устраивали его в ладони, почтительно обнимали пальцами и водили им по маленьким разлинованным бумажкам, оставляя прихотливые синие следы. Только после этого люди могли получить или сдать приемщице вещи. Так, наблюдая за поразившим меня ритуалом очень рано, в свои почти младенческие годы, я понял, что в начале было слово... А точнее, ручка... Да-да, окружающие меня люди ласково называли могущественный предмет ручкой.

— Передайте, пожалуйста, ручку... не видели ручки здесь, ах, вот она... что-то ручка у вас плохо пишет...

Пока мама заворачивала в серую бумагу полученную одежду, я незаметно пробрался к ручке и, скопировав жест взрослых, провел ею по лежащему на прилавке бланку заказа. Результат оказался магическим. Только что не было ничего, и вдруг черта, я провел еще раз — получился крест, еще несколько раз — снежинка, обвел снежинку по кругу — колесо от велика со множеством спиц. Ручка превратила меня в волшебника, она позволяла изменять реальность, да чего там, она позволяла эту реальность творить. Я не мог удержаться, не мог расстаться с неожиданно обрушившейся на меня силой. Ловко вытянув ручку из веревочной петли, я положил ее в карман. Несколько дней я тайно наслаждался сокровищем. Даже не рисовал, просто смотрел на нее и представлял, что рисую. Это оказалось еще интереснее, словно воровская отмычка, ручка взломала воображение, и я обрел могущество. В детском саду мы калякали что-то карандашами, да и дома у меня были краски, но до встречи с ручкой я не мог воспринять эти занятия серьезно. Видимо, мне как будущему образцовому члену общества потребления необходима была инициация. За каляки-маляки ничего, кроме снисходительного одобрения взрослых, не получишь, а за ручку давали кучу красивой и нужной одежды в химчистке, по крайней мере я тогда так думал. Фантазии современного человека стимулирует малодоступное, но такое сладкое потребление. На этом построена вся рекламная индустрия. Я опередил свое время. Осознав практическую ценность ручки, я провалился в творчество и на третий день, не удержавшись, разрисовал только что поклеенные обои в единственной комнате нашей квартиры. За каких-то двадцать минут, пока мама готовила на кухне ужин, мне удалось изобразить на стенах все свои мечты. Там ездили, стреляя огненными снопами, игрушечные танки, бежали пластиковые солдаты, мчались гоночные машины, балансировал на проволоке почти взрослый (не трехколесный) велосипед, ближе к окошку возвышалась гора конфет, покоящаяся на мощном фундаменте из нескольких коробок с зефиром в шоколаде. Вполне возможно, для стороннего наблюдателя мой натюрморт выглядел как нелепые каракули обезумевшего абстракциониста, но для меня он был самой настоящей реальностью. Реальней, чем настоящие игрушки и сладости. Более того, каждый предмет имел свою историю. Я не только изображал его — рисуя, я бормотал под нос заклинания. Вот этот танк мне подарил Дедушка Мороз, потому что я хороший мальчик и весь год слушался родителей. Он, правда, сначала не хотел дарить, имелся за мной грешок в виде разбитой хрустальной вазы, но я спас дедушку от огненного разбойника по имени Лето, закидал его снежками, превратил в снеговика, и тем самым обеспечил наступление нового года. Простил меня Дед Мороз: кинул танк под елку, и конфет, и зефира любимого. А велик мне мой родной дедушка подарил, просто так, ни за что, любит потому что очень. А гоночные машины, о, это отдельная история... Рисунки смешивались с моими нелепыми фантазиями, обретали плоть и становились несокрушимо настоящими. За двадцать минут комната превратилась в пещеру с сокровищами. И только ручка смогла открыть этот волшебный сим-сим.

Много позже, уже взрослым, рассматривая альбом с наскальной живописью первобытных людей, я поразился сходству их стиля с моими первыми рисунками. Видимо, так и возникло искусство, параллельно с верованиями в духов и магией. Чистый и наивный охотник, инициированный каким-то поразившим его явлением, перепутал фантазию с реальностью и начал творить. Вкусил, так сказать, от древа познания добра и зла... По классике жанра расплата не должна была заставить себя долго ждать. Изгнание из рая и все такое. Не знаю, как у охотника, но в моем случае наказание последовало довольно быстро. В комнату вернулась мама и.... Она утверждает, что первый раз в жизни отлупила меня именно тогда. Сейчас-то я ее понимаю, у самого маленький сын-мечтатель, но в тот день я жутко испугался. Я ничего не соображал. За что, почему, зачем мама так ненавидит рисунки, для чего разрушает волшебство? Как и всякий начинающий творец, столкнувшийся с первыми трудностями, я тут же предал свое творение.

— Это не я, — визжал, уворачиваясь от шлепков, — я не виноват, это ручка, ручка во всем виновата...

Воистину, это был один из самых важных дней моей жизни. Вселенная решила преподать мне несколько основополагающих уроков и раскрыть главные законы бытия. Например, такой закон: предательство никогда не бывает эффективным. Услышав про ручку, мама замерла, прекратила меня бить и голосом, не предвещавшим ничего хорошего, спросила:

— Какая ручка, ты где ее взял вообще?

— Да вот, желтенькая, она в прачечной на веревочке висела.

Дальше последовало изгнание из рая в буквальном смысле этого слова. Мать заставила меня пойти в химчистку, извиниться, признать себя вором и вернуть волшебную ручку. И это еще полбеды. Ужас заключался в том, что я должен был проделать все это в полном одиночестве, без ее сопровождения. То есть выйти из двери квартиры, спуститься на три этажа ниже на улицу, пройти двести бесконечных метров до соседнего дома, зайти в прачечную, отдать себя на суд чужой дородной тетеньки в неопределенного цвета халате и потом, если она меня не сдаст в милицию, тем же путем вернуться домой. По степени опасности это путешествие было сравнимо с первым полетом человека на Луну. Но намного, невообразимо во сколько раз опаснее. Шансы по итогам путешествия остаться живым, здоровым и на свободе представлялись мне минимальными. И все из-за проклятой ручки. Я просил, я умолял, я цеплялся за мамины колени и клялся, что никогда не буду больше воровать. Бесполезно, она вышвырнула меня за дверь, заперев ее на все замки. Ворота эдемского сада захлопнулись навсегда. Впереди меня ждал оглушительно страшный мир. «В слезах и поте лица своего будешь добывать ты хлеб, а в конце своих дней умрешь в мучениях». Я дерзнул, я сорвал не полагающийся мне плод познания и теперь расплачивался по полной. Конечно, я тогда так не думал, я и слов таких не знал, но чувствовал я себя именно так. Маленький и глупый потомок Адама, я шел навеки проторенной им дорогой и повторял все его ошибки. Несколько минут я рыдал у захлопнувшейся двери, стучал крошечными кулачками по коричневому дерматину и дергал за тугую рукоять замка. Ничего не помогало. В конце концов осознав, что рай потерян безвозвратно, очень аккуратно, маленькими шажками я двинулся вниз по лестнице. Никогда раньше я не выходил из дома без сопровождения взрослых. Я даже не думал, насколько страшен мир, наоборот, он мне казался дружелюбным и довольно милым. Ни фига подобного: каждый звук, каждый скрип пугал, каждая трещинка в асфальте казалась глубокой пропастью. Я маленький и слабый, любой может сделать со мной все, что угодно. И это, кстати, правда, во всех сказках детей воровали и обижали злые колдуны и колдуньи, их ели людоеды, превращали в белых лебедей, похищали разбойники, травили сонным зельем и уносили за тридевять земель. Да они только чудом и спасались. Как я преодолел двести метров до прачечной, не понимаю до сих пор. По-научному выражаясь, мною овладел экзистенциальный ужас бытия. В пять лет, постарев разом на несколько десятилетий, я почти сформулировал мой любимый закон Сартра: «Ад — это другие». Особенно жутко стало, когда на полдороге ко мне, рыдающему крупными, величиной с горошину, слезами подошла благообразная и обманчиво добрая бабушка.

— Деточка, — спросила она меня ласково, — ты почему плачешь, маму потерял, да? Пойдем со мной, мы быстро твою маму найдем. Пойдем, деточка, я тебя чаем напою с печеньем, успокоишься, вспомнишь, где мама. Я тут недалеко живу, пойдем...

Ага, как же, знаем мы таких... фильмы смотрели, сказки слушали, пускай не думает, образованные мы. Пойду с ней, а она превратится в злобную ведьму, засунет меня в духовку, запечет с чесночком и сожрет. Фигушки ей! Что есть мочи я припустил от страшной бабки и сам не заметил, как в мгновенье ока оказался у двери прачечной.

Открыть дверь и войти было выше моих детских сил. До этого страшного момента не ведал я позора. Перед дверью же в химчистку почувствовал я себя грязным. Мне захотелось спрятаться, укрыться с головой одеялом, исчезнуть, раствориться, вычеркнуть свое существование и страшную ту минуту из времени. Не химчистка была за порогом, а чистилище... Только сейчас с высоты незаметно наросшей горки своих сорока четырех годков я понимаю всю сакральность и символичность того удивительного дня. Место, где грязное становится чистым, приобретает черты легендарного райского сада, мохнатая веревочка — ветка с древа познания добра и зла, ручка — очевидное яблочко, только Евы не хватает. Хотя... дородная тетка-приемщица вполне могла сгодиться на ее роль. Юноши и мужи — романтики в большей степени, чем о них принято думать, любую чувырлу гением чистой красоты объявят, особенно при наличии развитой фантазии. А еще мужчины несомненные трусы, все подвиги, совершаемые ими впоследствии, совершаются именно от трусости. Чтобы и самим себе, и миру доказать ошибочность обидной гипотезы... Я испугался. И от испуга стал думать. Возможно, первый раз за свою коротенькую жизнь.

— Меня же никто не видит, — думал я, — можно просто тихонечко положить ручку перед входом и вернуться домой, а маме сказать, что извинился и был прощен. Как она проверит? Спросит у приемщицы? Так когда это еще будет, может, и не будет вообще.

Подумав, я снова испугался, на этот раз своих мыслей. Как можно специально обмануть маму? Нет, нечаянно можно, бывало раньше, но специально? Ужас сковал мои конечности, я не мог пошевелиться... Прошло сорок лет, а я отчетливо помню свои ощущения. Если двумя словами описать, то жуть и святотатство будут самыми точными словами. А еще я помню, как вместе с жутью где-то в районе горла, носа и глаз возникло у меня странное чувство, как будто чихнуть хочется, скорее приятное. Сладенькое такое чувство... Грех, он сладок. И чем больше, тем слаще. Посмотреть на жизнь под другим углом, растоптать в себе самое святое. Если под другим углом, то, может, оно и не святое вовсе, а? Ох, как это приятно, чертовски, извращенно, невыносимо приятно... Но не для пятилетнего мальчика такие передряги... В ступор впадают пятилетние мальчики от столь сильных, не по возрасту эмоций, замирают дрожащими сусликами, врастают в землю и не могут ни на что решиться.

Я решился: аккуратно положил ручку у двери и быстро отскочил на пару шагов. Небо не упало на землю, молния не поразила меня. Я совершил преступление и остался безнаказанным. Так вот оно, оказывается, как устроено. Чтобы выжить в жестоком и страшном мире, нужно крутиться, необходимо нарушать правила, наверняка все взрослые знают и делают это, просто детям не говорят. Обманывают, чтобы послушными были до поры до времени.

Неимоверная гордость распирала меня. Я смог, сумел, я догадался, я совершил преступление и вышел сухим из воды. Да мне теперь море по колено, даже пройти двести метров до дома не страшно. Я теперь не пропаду, я как взрослые, я постиг все тайны мира, я даже лучше, у меня есть преимущество, они думают, что я маленький, глупый ребенок, а я, я... Пару минут я стоял в полнейшем восторге перед ручкой, лежащей у порога химчистки. Что-то мешало мне покинуть место моего триумфа, и тогда я снова подумал. Восхитительное ощущение одержанной победы и непоколебимое чувство уверенности в себе родили мои гордые мысли.

— А зачем оставлять ручку? — внезапно прозрел я. — Никто же ничего не узнает. Можно захватить ее с собой, спрятать, а потом тайно наслаждаться ею. Будет ручка, будет все... все, что я захочу... Накажут — не беда, выбросят игрушки — плевать, нарисую, и все будет.

Гордая мысль усилила щекочущее ощущение и превратила его в самое натуральное счастье. Я поднял с земли ручку и резво вприпрыжку бросился домой. Грехопадение было полным: быстро скатившись по наклонной плоскости — я упал с отвесной скалы. Такими темпами, не добежав до дома, вполне мог бы превратиться в убийцу. К счастью или несчастью, со мной произошло то же, что и со всеми самоуверенными пройдохами, уверовавшими в свою безнаказанность. Тяжелая рука провидения отвесила мне мощный подзатыльник. В буквальном смысле. Чья-то лапа поймала меня за шкирку и звонко шлепнула по шее.

— Ах ты мерзавец, — услышал я мамин голос, — самый умный, думаешь, всех объегорил? Запомни, ты от меня ничего не скроешь и никуда не скроешься. То, что ты вор, я знала, но ты, оказывается, еще и подлец. Нет, этого я не переживу. Я лучше умру, но сына подлеца у меня не будет.

Дзинь... — со звоном оборвалась только-только натянувшаяся леска у меня внутри, и я осыпался маме под ноги. Ничего не осталось от гордого Прометея, удачно стырившего божественный огонь. Один страх, а точнее — ужас, а еще точнее — ужас и боль. Любое падение делает человека если не лучше, то мягче и понятливее. Я боялся за себя, но это был всего лишь страх. Ужас и боль появились, когда я осознал, что мама умрет и причиной ее смерти буду я. Потому что подлец. Подлез под веревочку, спер ручку и потом, пойманный с поличным, вместо покаяния снова обманул. А мама умрет, противно ей, мне и самому от себя противно, я и сам умер бы, да не знал как.

— Мамочка не умирай, — заорал я, хватая ее за руки, — не умирай, пожалуйста, я не буду больше подлецом, я никогда-никогда не буду больше воровать, я хорошим стану, только не умирай, пожалуйста!

— Нет, умру, — безапелляционно отрезала мама. — Как же мне жить с таким сыном? Умру, и точка.

— Я все сделаю, я сам умру лучше, только ты не умирай. Умоляю, мамочка...

От затопивших глаза слез мир передо мной расплывался, мир потерял очертания. Мир исчезал, а горе оставалось. Детское, наивное и смешное, но самое настоящее, черное и беспросветное горюшко-горе. Увидев мои страдания, мама наконец сжалилась.

— Ты все понял? — изо всех сил стараясь быть как можно более строгой, спросила она.

— Все, все, все. Я все понял, честное слово, все!

— Хорошо, тогда иди, извиняйся перед тетенькой. Скажи ей, какой ты подлец и вор, верни ручку и попроси прощения.

— Один?! — с ужасом спросил я и тут же добавил: — Давай ты со мной пойдешь, рядом просто постоишь, я сам скажу, а ты рядом просто... Страшно мне, мамочка, одному...

— Страшно?! — грозно воскликнула она. — А воровать тебе было не страшно, а хитрить, вместо того чтобы попросить прощения, тебе было не страшно?! Оказывается, мой сын не только подлец и вор, но еще и трус. Нет, этого я не переживу, умру. Вот прямо сейчас возьму и умру, ничего не поделаешь, раз мой сын такой воришка.

Ужас от возможной, на моих глазах, смерти матери одолел огромный, но все же не такой большой страх за себя, я отцепился от маминой одежды и, как в омут с головой, бросился в двери химчистки.

Внутри было пусто, дородная приемщица за прилавком лениво перелистывала журнал «Работница» и даже не взглянула на меня. Я стоял и не знал, что делать, не хотелось ничего делать, невозможно было пошевелиться, не то что рот раскрыть. От страха снова родилась рациональная мысль. «Может, постоять тихонечко несколько минут, а потом выйти и сказать, что извинился?» Хорошая мысль, неглупая, во всяком случае, но родилась она от страха, а погибла от ужаса. Мама ведь умрет. Нельзя... Возможная смерть матери, боязнь наказания и тюрьмы образовали внутри меня взрывоопасную смесь. Она нагревалась, бурлила, в ней происходили сложные химические процессы, она распирала меня так, что и дышать уже было невозможно. В конце концов я не выдержал и взорвался невиданными до тех пор рыданиями. Я рычал, выл и с шумом пожирал пропитанный чистящими средствами воздух, слезы из моих глаз, словно у рыжего клоуна в цирке, с напором брызгали в разные стороны. Перед собой в вытянутых, побелевших кулачках я держал ручку и сквозь рыки, рыдания и всхлипы повторял одно и тоже слово:

— Вот, вот, вот, вот...

Приемщица оторвалась от журнала и обратила на меня внимание. Еще как обратила, застыла сначала от шока на несколько секунд, а потом выскочила из-за прилавка, подбежала ко мне, присела почему-то на корточки, взяла мои протянутые кулачки с зажатой в них ручкой и быстро затараторила:

— Что случилось, мальчик? Ты родителей потерял, тебя обидел кто-то? Да не плачь ты так, не ори, сейчас со всем разберемся. Ты только скажи, что случилось? Что, что, что?..

Она спрашивала — что, что что?.. А я отвечал — вот, вот, вот... И мне кажется, это продолжалось целую вечность. Эмоциональная тетенька попалась, хорошая, добрая, заразил я ее своими слезами, тоже не выдержала, расплакалась, меня успокаивая. Так и плакали мы с ней вместе, дурацкое, думаю, зрелище, если со стороны посмотреть.

В жизни отсутствует логика, безумие и хаос правят миром. Чаще всего — злое безумие и уничтожающий все вокруг хаос, но иногда... Тогда случилось «иногда». Доброе и глупое сердце (а доброе сердце непременно глупое) подсказало дородной приемщице единственно верную модель поведения. Она проявила со-чувствие, со-переживание, она пожалела меня, и я не умер от стыда и страха. Я просто орал очень долго «вот, вот, вот» и постепенно успокаивался. И она тоже постепенно успокоилась, прижала меня к своей огромной, мягкой и уютной груди, и стояли мы с ней так несколько минут, а потом она прошептала мне на ухо ласково:

— Ну что, что случилось, малыш? Скажи мне, не бойся.

— Случилось, тетенька, — совсем тихо и тоже на ушко ответил я ей, — простите меня, пожалуйста...

— За что тебя простить, глупышка?

Я собрался с духом, выдавил из себя последние оставшиеся слезы и еле слышно выдохнул в мясистое теплое ухо тетеньки страшную правду:

— За то, что я трус, обманщик и вор. Я украл у вас ручку.

Она засмеялась, она целовала меня в мокрые от слез щеки, она всплескивала своими пухлыми руками и гладила ими мою раскалывающуюся от пережитых потрясений голову.

— Ох ты боже мой, — хохотала она, — ручку... это же надо, ручку... такое горе и из-за ручки... да у меня миллион этих ручек, бери сколько хочешь. Пойдем, пойдем, — тянула она меня за плечо, — пойдем, я тебе дам.

— Нет, нет, нельзя, — упирался я и мотал головой, — это пре... пере... преступление. Мне мама так сказала, но вы прощаете меня, прощаете, да?

— Ну конечно, малыш, прощаю, ты очень хороший мальчик, ты смелый очень, не побоялся, пришел, правду сказал, и знаешь что... оставь-ка эту ручку себе, потому что смелость и честность должны вознаграждаться.

И тут я расплакался во второй раз. Ой как мне стыдно стало. Она такая хорошая тетенька, она так обо мне хорошо подумала, а я... я...

— Я не смелый, — тоненьким голоском завыл я, вытирая рукавом слезы, — меня мама заста-а-а-вила-а-а-а...

Приемщица схватила меня на руки, прижала к себе крепко и ожесточенно принялась целовать.

— Бедненький маленький хороший мальчик, — причитала она в перерыве между поцелуями, — как же тебе несладко пришлось, маленький, бедненький, хорошенький... Ты не думай ни о чем, я тебя прощаю, прощаю... Жизнь, она такая, ошибок много делаешь, но покаешься и люди простят. Люди, они хорошие, это только кажется, что плохие, а на самом деле хорошие... Не бойся ничего, людей не бойся, прощаю я тебя...

Я сидел у нее на ручках, как у Христа за пазухой... еще лучше: как у мамочки на коленках, когда она в хорошем настроении. И ничего мне не было страшно. Отпускало меня. Мир поворачивался ко мне своей доброй, ласковой стороной. Не тетенька меня простила, а целый мир. Исчезли мои горделивые мысли, я был не хуже и не лучше мира, я просто принял его со всеми его экзистенциальными ужасами, а он принял меня со всеми моими. За свою последующую жизнь, может, раза три всего я испытывал такой покой, такое счастье и такое слияние со вселенной. Но впервые и сильнее всего тогда, и острее, и ярче... Тогда, в далеком семьдесят шестом советском году, на полных руках доброй приемщицы, в химчистке с зелеными облупившимися стенами, в городе Москве, недалеко от станции метро «Речной вокзал».

...Да, и еще с тех пор я перестал бояться людей.

ИРИНА ЩЕГЛОВА

инженер,
детский писатель

В детстве хотела стать космонавтом — бороздить Вселенную и рассказывать людям о своих открытиях. Смотрела на звезды и писала стихи! В юности мечтала о филфаке, но родители убеждали в необходимости иметь «нормальную» профессию. Поддалась и получила диплом инженера-механика. Так что на вопрос «чем занимаешься?» шучу: «я инженер-механик человеческих душ».
Я по-прежнему смотрю на звезды и записываю истории. И еще я уверена, наши мечты имеют обыкновение сбываться. Мир полон чудес и совсем не так прост и понятен, как написано в школьных учебниках.

ПЕРЕДЕЛКА
В ПЕРЕДЕЛКИНО

• • •

В Переделкино я попала случайно.

Нет, пожалуй, надо не так, а вот как...

На форум молодых писателей в Дом творчества «Переделкино» я попала случайно.

Согласитесь, 38 лет — возраст, не совсем подходящий под определение «молодой».

Но мне повезло. В последний момент приглашенная «молодая, подающая надежды» писательница или поэтесса отказалась от участия, друзья спохватились, замолвили за меня словечко в СП и внесли в список.

Поселили меня в двухместном номере, огромном и холодном. Соседка — журналистка чуть ли не из Барнаула. Впрочем, мы почти не встречались.

Большую часть времени я проводила на вечерних посиделках с возлияниями и высокоинтеллектуальными беседами или на утренних семинарах, куда мы все, включая мэтров, приползали опухшие и невыспавшиеся. В дрожащих руках стопки и охапки рукописей, а у меня даже газета «Литературная Россия» с публикациями имелась.

Мы изо всех сил постигали литературное мастерство под руководством Риммы Казаковой, Кирилла Ковальджи, Анатолия Курчаткина, Евгения Попова.

На дачу к Чуковскому сходили тихой стайкой, робко послушали молоденького восторженного экскурсовода, остались недовольны Мойдодыром, который, ну надо же, оказался всего лишь кувшином и тазиком для умывания.

Воодушевившись нашей покорностью, мальчик-экскурсовод поведал о страшной ссоре с мордобоем, вспыхнувшей в стенах дачи между хозяином и Маяковским, якобы приударившим за хозяйкой. Провокатор Маяковский от досады выпрыгнул в окно второго этажа. Обиделся, должно быть.

Я недоверчиво осмотрела небольшие окошки и засомневалась: женолюбивый поэт был крупным мужчиной, протиснуться в узкие оконные проемы чуковской дачи он если и смог бы, то с трудом. Может, он вынес половину стены? Тогда да, вполне эпичное полотно получается — поэт, шагающий в пролом стены второго этажа с рамой на шее...

Мы обошли весь дом, спускались и поднимались по узким деревянным лестницам, постояли на холодной веранде, подивились на чудо-дерево во дворе, и пока глубокомысленно созерцали тропинку, ведущую в лес, по которой, если верить экскурсоводу, пробирался к даче опальный Солженицын, обсудили популярную сплетню «призывал ли автор «Чудо-дерева» к расстрелам малолетних преступников».

Маленький магазинчик напротив Дома творчества ежедневно обносился подчистую. Страждущие литераторы скупали все, что могло разгорячить и утолить жажду творчества.

Магазин, хоть и выглядел придорожным ларьком, торговал исключительно коньяком и водкой, владельцы знали, с кем имеют дело...

К третьему дню участники форума пришли в такое состояние, в каком всякий уважающий себя литератор, находящийся в Переделкино, отправляется на кладбище искать могилу Пастернака.

Желание возникло поздно вечером, спонтанно и охватило сразу многих. Фонарей ни у кого не было, договорились ориентироваться по звездам.

Уходили небольшими группами и целыми компаниями, у каждого был свой план и своя система примет.

Мы несколько задержались. Юная сказочница с моего семинара принимала участие в каком-то литературном конкурсе, ее сказки про котиков вошли в лонг-лист, вот-вот должен был решиться вопрос об издании книги... Пока мы бурно обсуждали литературные новости, у нас закончился коньяк. Спохватились, собрались, побежали догонять искателей Пастернака, но по дороге решили заскочить в магазин, здраво рассудив: на улице мороз, впереди целая ночь, поиски могилы могут затянуться, а магазин вот-вот закроют.

Мы шли, продолжая говорить о литературе вообще и ее сказках в частности. К ночи изрядно подморозило, мела поземка, на шоссе — одинокий фонарь, как раз напротив магазина.

Не глядя по сторонам, шагнули на пустую дорогу, дошли почти до середины, как вдруг откуда ни возьмись прямо на нас из темноты вылетела машина, она неслась, не сбавляя скорости, слепя фарами и дико ревя, как испуганный буйвол.

Время остановилось.

Мы обнялись и застыли.

Неужели все? — успела подумать я.

В эти доли секунды мысли были так просты и отчетливы.

Мы стоим на середине шоссе...

На асфальте тонкий слой льда...

Скорость машины – более ста...

Ни затормозить, ни объехать!

А как же сын? — короткие вспышки-воспоминания, картинки-образы... говорят, в моменты настоящей опасности, грозящей гибелью, человек успевает просмотреть всю свою жизнь — подтверждаю, так и есть.

Водитель успел отвернуть в метре от нас. Чудом.

Его не выбросило с шоссе, не завертело, он умчался в темноту, гудя разъяренно и, наверно, страшно матерясь.

А мы остались стоять, не в силах оторваться друг от друга, у обеих подкашивались ноги.

Но до магазина мы все-таки добрались. Небольшая компания литераторов, тоже не дошедших до Пастернака, очевидно, наблюдала за нами в окно. Они разглядывали нас, будто мы явились с того света. Сердобольная очередь молча посторонилась, и мы забрали последние две бутылки коньяка.

Могила Пастернака и ее поиски начисто забылись, мы были слишком потрясены чудесным спасением, слишком переполнены жизнью — в такие моменты хочется дышать, ощущать, осязать, как будто заново учишься. О, как аккуратно мы переходили дорогу обратно!

В номере вылакали коньяк, не почувствовав ни его вкуса, ни крепости. Пытались понять, что же такое с нами случилось? И почему смерть, казалось неминуемая, пролетела мимо? Наперебой рассказывали друг другу всякие необъяснимые, страшные и смешные случаи...

Я вспомнила, как еще ребенком попала в аварию. Мы жили в Алжире, отец, горный инженер, работал три года на свинцово-цинковом руднике, командировка от Минцветмета.

Однажды мы вместе с другом отца, французом, отправились на его машине посмотреть пустыню Сахару.

За Бешаром шоссе выпрямилось и блестящей серой лентой врезалось в горизонт, по обочинам большие валуны, и дальше до самого неба — только камень. Справа и слева таблички с предупреждением об опасности, колючая проволока — минные поля...

Французские войска, уходя с земли, которую они привыкли считать своей, оставили о себе на память минные поля. Эти бесконечные поля, затянутые колючей проволокой, тянулись вдоль шоссейных дорог, покрывали искореженную землю, на которой раньше росли апельсиновые деревья. Французы вырубали леса, потому что в них скрывались местные партизаны и нападали на французских солдат.

Чаще всего подрывались мальчишки-пастухи. Когда корова, отбившись от стада, забредала за колючую проволоку, незадачливый подросток пытался ее оттуда выгнать, и это не всегда заканчивалось благополучно. Их находили с оторванными конечностями, развороченными внутренностями, иногда живыми или уже отмучившимися: детей и животных.

Поля смерти утюжили танками, уничтожая противопехотные мины, но хитрые французы подсуетились, время от времени под гусеницами танков попадались и более мощные устройства.

Мы часто слышали взрывы...

Партизаны давно перестали быть теми, кем начинали — гонителями ненавистных завоевателей; они превратились в обычных дорожных разбойников.

По дороге наш француз остановил машину у обочины, чтобы мы могли размяться.

Я увидела араба, когда он уже стоял рядом, одетый в причудливые лохмотья, как средневековый бродяга из арабской сказки, он казался безобидным, но на плече у него висело ружье. Он долго слушал объяснения отца, кивал головой и, казалось, размышлял: убить нас или отпустить. Француз был нашим минусом, а папа-коммунист — нашим плюсом. Папин коммунизм возобладал. Партизан исчез так же бесшумно, как и появился.

Потом мы увидели, как наступает пустыня.

— Это уже Сахара? — время от времени спрашивала я.

— Нет еще, — отвечал отец.

Когда мне надоело спрашивать и смотреть, горизонт неожиданно встал на дыбы и двинулся нам навстречу ярко-оранжевым валом.

— Что это?

— Первый бархан Сахары, — сказал отец.

Это действительно был бархан, высотой с многоэтажный дом, он упирался гребнем в яркое небо, а у его подножия расположился оазис — зеленые пальмы на оранжевом фоне. Здесь шоссе кончалось, как, наверное, кончалась и сама жизнь.

Мы взобрались по плотно слежавшемуся песку на самый гребень, и дальше был только этот оранжевый цвет, играющий оттенками на песчаных волнах.

— Никогда не думала, что может быть такая резкая граница, — сказала мама.

— Пустыня наступает, — ответил отец.

Француз посоветовал маме купить сахарскую розу, я подумала, что это растение такое, а оказалось — каменный цветок. Дожди в Сахаре — редкость, и когда вода все-таки достигает поверхности песка, ветер подхватывает влажный песок и кружит и кружит, а солнце довершает начатое ветром: вскипает влага, плавится песок и возникают причудливые окаменевшие формы, похожие на розовые бутоны. Их находят бедуины — пустынные племена, в самом сердце Сахары. Мужчины-бедуины закрывают лицо, а женщины, наоборот, не носят чадру.

Мама купила сахарскую розу у закутанного в черный бурнус араба. Он сидел на земле перед разложенным товаром и, казалось, был абсолютно безразличен ко всему происходящему вокруг него. Он не пошевелился ни разу, пока мы перебирали каменные цветы, никак не отреагировал на вопрос о цене и посмотрел на отца только тогда, когда тот протянул ему деньги. Я видела только его глаза, половину лица скрывала черная повязка, бедуин поднял сухую темную кисть и взял у отца несколько купюр, столько, сколько посчитал нужным.

Когда мы возвращались, наш француз уснул за рулем и машину понесло прямехонько на минное поле...

— Ма-ма-а! — закричала я, когда машину ощутимо тряхнуло. Нас на полной скорости бросило на придорожные камни, потом машину накренило, и она, перевалившись боком через большой валун, встала, наконец, на колеса.

Двери заклинило, но отцу удалось выбраться в окно, потом он вытащил по очереди нас. Француз настолько растерялся, что мог только бессвязно бормотать. А мне все казалось, что он никак не может проснуться.

Домой нас привезли поздно ночью. Меня и маму втиснули на заднее сиденье полицейского автомобиля, там уже сидели две девушки. Они не были похожи на других известных мне алжирских женщин, их наряд состоял из слишком коротких юбок и декольтированных кофточек. Большую часть пути мама молчала, полицейские тоже молчали. Заговорила мама только после того, как женщин высадили, точнее, передали другим полицейским, я поняла, что они арестованы, на их запястьях позвякивали наручники.

Ехать стало посвободнее. И мама разговорилась. Она всегда с удовольствием общалась с арабами. Ей доставляло удовольствие удивлять мужчин своим инженерным образованием, своей манерой общаться с ними немного свысока. Полицейские тоже попали под ее обаяние.

— Гурия, — негромко сказал тот, что за рулем, другому.

— Гурия, — согласился напарник.

Отец с французом вернулись позже нас, и я слышала, как мама плакала и жаловалась отцу на то, что пришлось ехать на одном сиденье с двумя алжирскими проститутками, да к тому же еще и арестованными...

— Напиши об этом, — посоветовала сказочница.

— Напишу, — кивнула я.

— Как думаешь, для чего нас хранит судьба?

— Может, для того, чтобы мы успели сделать что-то важное, — предположила я.

— Возможно, — согласилась сказочница.

Нас прервал телефонный звонок.

— Ир, нас не пускают в корпус, можешь спуститься и открыть? — замерзшие друзья вернулись с кладбища.

Привратник спал.

Мы впустили молодых литераторов через окно в туалете.

Могилу Пастернака в ту ночь так никто и не нашел.

МАГИЯ

● ● ●

Простоволосая женщина сосредоточенно пляса-
ла на пыльном деревенском перекрестке.

— Ба, чего это она, а?

— Известно чего, зло свое переплясать хочет, —
объяснила Наталья и потянула меня за руку. — Пойдем отседова. Ведьма она.

Я поймала на себе невидящий, темный взгляд
и, поспешно отвернувшись, запылила сандалиями
вслед за бабушкой.

● ● ●

Хотите, я расскажу вам о магии? Только не о столичной, дипломами увешанной, — о настоящей.

Не сказку, не байку, а чистую правду.

Куда там дипломированным экстрасенсам против простой деревенской ведьмы! И не спорьте, расскажу, что сама знаю с малолетства.

В прежние времена каждому вихрастому подростку было известно, что погоду можно самому под-

править. Дождик вызвать или солнышко, кому чего желательно и у кого на какое чудо силенок хватит. Некоторым особо одаренным соседи и односельчане предлагали по огородам ходить да тучи водить за деньги. Только деньги чудесами нельзя зарабатывать, грех это. Даром получили, даром отдавайте...

Леса под Воронежем колдовские, такие дебри сохранились, что еще царя Петра помнят! Один из таких заповедников — Рамонский район. До сих пор окружен легендами необитаемый замок, принадлежавший некогда графам Ольденбургским. Не прижились графы на подаренной царицей Екатериной земле, сгинули. Ходили слухи, что выжила только незаконнорожденная внучка последнего графа. Дочь графа спас от волков местный купеческий сын, с ним и прижила графиня девочку. Говорят, среди болот сохранился памятник — огромный волк, высеченный из черного камня.

Неподалеку можно увидеть «ведьмины круги» — круглые проплешины в траве, будто кто-то дерн содрал. Ходят слухи, будто это ведьмы для своих нужд приготовили. Если не хотите, чтобы память отшибло или еще чего похуже не произошло, обойдите такой круг десятой стороной.

С незапамятных времен стоит у слияния рек Дон и Воронеж село Малышево. В селе этом, говорят, все бабы — ведьмы. И среди мужиков тоже колдуны попадаются, но реже. Мужики вообще в этой местности хлипкие, низкорослые да «мухортые». Особенно в деревнях; в городе-то еще попадаются ражие, особенно из молодых; а в деревне парня, бывало, от старика не отличишь, вроде кто изнутри его высосал. Зато бабы какие! Крупные, статные, грудастые! А глаза! Такие глаза в автобусе как-нибудь на вас посмотрят, даже не со зла, а так — место, например, вы их владелице не уступили, — и все, считай, прострел дня на три обеспечен.

А что делать? Не мы такие, жизнь такая. Выживать-то надо. Семья большая, дети растут, мужик пьющий, весь дом на ней, все хозяйство. А там, глядишь, и свадьбы пора играть, и внуки пошли, и всем дай. Везде баба успеет: и на работу, и в огород, и в церковь сходит, и к гадалке заскочит, и колдуньей не побрезгует. К святому источнику в очереди стоит, а дома аппарат самогонный дымит. На мужа-алкаша сетует, но всех соседских мужиков самогоном снабжает.

— Детей надо кормить!

В Воронежской губернии не говорили «сглазили», тут либо «сделано», либо «наделано». Ни одна девка замуж без присухи не выходила. Наговаривали невесты и на вечернюю зарю, и на утреннюю, и на воду, и на водку — так, чтобы наверняка... Неважно, что потом всю жизнь — с горьким пьяницей; зато мой и больше ничей!

Не выносят бабы соперниц. Что муж, что сын, а все одно: ежели в ее доме — значит, только по ее правилам. Поэтому невестка-молодуха первый враг. Конечно, часто оказывается, что невестка свекрови сто очков вперед даст. Тогда мужику — только держись! Между двух огней сгорит синим пламенем!

Со свету сжить человека способов много. Если кто очень не нравится, иголку ему под подкладку — чтоб занемог, мелочь под порог — слезы лить; молодоженам — соломенную вязанку в подушку, счастья не видать. Можно и к ведьме обратиться, есть такие, что «на смерть» наговор делают, даже и в храм сходить могут свечку поставить «за упокой» на живого человека. Никакая медицина после такого наговора не поможет, сгорит человек.

* * *

— Натуся, кто такая ведьма? — я решилась спросить, когда мы уже вошли в дом.

— А вот пусть Клавдия табе порасскажет, она получше моего мастерица... Клашка! — шумит Натуся. — Поди суды!

— Иду! — кричит Клавдия из комнат.

Я слышу ее шумное дыхание, она торопится на зов старшей сестры, но она не может бегать быстро, как я, или ходить, как Натуся, левая нога у Клавдии больная: она вывернута набок и намного короче правой. Натуся и Евдокия рассказывали: маленькая Клаша когда-то выпала из качки и повредила ножку. Лечить было некому.

«Какие тогда врачи! И, деточка! Тогда поесть бы досыта... Так и осталась Клавдия с больной ножкой. Ты ее жалей!» — потихоньку просила бабушка Дуся.

Клавдия действительно хорошая расказчица: «Где ты ее видала, ведьму-то? Ух, такая она злющая да сильная, что против нее никто устоять не мог. Уж кого невзлюбит, до могилы доведет! Все по домам ходила, высматривала себе жертву. Пришла как-то к Митрофанычу, за стол села и сидит, молчит да на хозяев так-то нехорошо поглядывает. Сам-то и не выдержал, прикрикнул на нее: мол, «делать дома, что ли, нечего, по чужим дворам шастаешь да людей пугаешь!». Ведьма, казалось, только того и ждала. Зыркнула на хозяина и вышла вон. А у Митрофаныча с той поры рука сохнуть стала. По врачам да по больницам затаскали его, а ему только хуже. Жена его потихоньку по бабушкам-знахаркам стала бегать, да только те и сами ведьму боятся. Не всякому под силу чужой наговор снять. А мужик совсем плохой стал, того и гляди, помрет. Тогда врачиха, Любовь Петровна, присоветовала к колдуну одному обратиться. Он на хуторах жил, даже в колхозе кем-то числился.

Пришел колдун к Митрофанычу, в дверях постоял и велел хозяйке три ведра воды принести. Та, конечно, к колонке сбегала, воду принесла, перед колдуном поставила, спросить боится, ждет. Колдун ведро воды поднял, да и плеснул в комнату, до самого окна разлилась вода; он прошел в дом с другим ведром и снова плеснул, уже от окна к двери; вернулся, и последнее ведро в комнату вылил. Приказал хозяйке полы не вытирать, с тем и ушел».

На следующий день больному легче стало, а ведьму мы с Натальей на перекрестке увидели. Бессильна она перед колдуном оказалась, свое зло назад получила, вот и отплясывала.

Если человек поддался, повлекло его по этой дорожке, отказаться будет ой как трудно!

Уйти ведьме просто так невозможно. Себя и всех измучит, но пока не передаст свой «дар», не отпустит он ее на покой, если вообще возможен покой для ведьмы...

Потом я заболела корью. Лежала в большой комнате на диване и боялась смотреть на себя в зеркало. Мне казалось, что эта красная сыпь, покрывшая кожу моего лица и тела, не сойдет никогда, и я на веки вечные останусь некрасивой и не смогу больше гулять с подругами на улице, бегать на реку, и никто не станет меня такую любить. Я горько плакала, укрывшись с головой одеялом.

Но возвращалась Клавдия с работы, приносила кульки, полные бордовыми крупными вишнями, садилась у моего изголовья на стул и принималась утешать меня, рассказывая свои удивительные истории.

— Пошто тужишь? — улыбалась Клавдия, гладя меня по лохматой голове. — Вот мы сейчас тебе косу причешем, и станешь ты красавица-раскрасавица!

— Да! — ревела я. — А прыщики?

— А что прыщики? — удивлялась Клавдия. — Через три дня их — тьфу! Как не бывало!

— Ты откуда знаешь? — сомневалась я.

— Так все ж болеют; сначала эта краснота, потом она сходит, словно и не было ничего, — объясняла Клавдия.

— Да! А вдруг это ведьма наколдовала? — не унималась я.

Клавдия насторожилась:

— Ты разве брала у нее чего?

— Не-е-ет, — испуганно ответила я.

— Тах-то! — успокоилась Клавдия. — Нельзя у ведьмы ничего брать из рук, и из дома ее ничего выносить нельзя.

— Почему?

— Потому, — строго глядя на меня, пояснила Клавдия, — ведьма сабе замену ищет. Уйти ей просто так невозможно, вот и смотрит она, кому бы свое проклятие передать. Только найдя сабе замену, сможет ведьма покой обрести, если вообще возможен для нее покой... Ишшо когда я маленькая была, жил тут у нас один колдун, все никак умереть не мог; мучилси, страсть! Когда отходил он, к яво дому подойти боялись, штоб ненароком не попасть под раздачу, значить. Вся явоная избушка ходуном ходила, так он кричал. Вот ведь — мука какая! И воды подать некому; куды, какой страх! Неделю тах-то промучилси, а потом сквозь трубу дым черный как повалить! И огонь, прям сквозь крышу! Стало, пришел хозяинто за ним... Так и сгорел... Помнишь, Натуся?

— Помню, как не помнить, — соглашается сестра...

Наталья мне двоюродной бабкой приходится. В семье она старшая, грамоты не знала, замуж так и не вышла, а ребеночка родила себе от пришлого мужика. Вдвоем с сестрой Клавдией они и воспитали Шурку.

Дядька мой — красавец, белокурый, голубоглазый, росту в нем под два метра. Везде первый, в школе лучше всех учился, а после окончания школы поступил в Тамбовское летное училище и стал летчиком-инженером. Стал, да ненадолго. Запил. От полетов его отстранили, перевели в диспетчеры. Командование уговаривало лечиться, но он не согласился, обиделся, домой в деревню к матери уехал.

— Это она сама его и испортила, — шептались соседки, — сделала ему, чтобы с ней остался. Вот он и остался, до самой своей смерти, так ни на шаг от нее и не отошел. Смертным боем бил, а Наталья все жива, высохла, в чем душа держится, всех схоронила: брата, сестер и сына...

— Ведьма она, — твердил Шурка. — Уж кому знать, как не мне. Ведьма и есть. Сама мне подливала, чтоб я от дома никуда. По рукам и ногам скрутила. Она и вас всех родственничков похоронит, посмотрите!

Грозил, а сам умер, не дожив до пятидесяти. В местной забегаловке захлебнулся пивом.

Наталья поставила на могиле сына гранитный памятник.

— Шурка летчик был, он гордилси, — приговаривала.

Весь дом у Натальи увешан образами, она исправно посещала церковь, постилась истово...

— Погадай мне, Натусь.

— А и давай, пораскину...

Затертые до бахромы карты аккуратно раскладываются сухими, коричневыми, не женскими руками. Много этим рукам на своем веку поработать пришлось... Вот, туз пиковый лег «на сердце», валет пик «под сердце»; и еще чернота: девятка с дамой.

— Удар мне, что ли? — спрашиваю.

— Да где? — спешно оправдывалась Наталья. — Нет никакого удара. Тута табе любовь с постелей и королей марьяжных, эвона, целая куча. Женихов-то... Известие получишь денежное, — она говорила, а сама посматривала на меня, быстро-быстро. — Аль понимаешь расклад-то? Кто научил? — спрашивала настороженно. И ее птичья лапка с пергаментной кожей будто ненароком смешивала карточный крест.

Да уж, знаю. Родная кровь. Клавдия выучила.

— Я дюже хорошо по картам вижу, если кто потерял чего или украли. Сразу скажу, где искать, — хвасталась Наталья. — А сны знаешь разгадывать? — неожиданно обратилась она ко мне.

«Началось! Предупреждали же! — с опозданием спохватываюсь я. — Сейчас начнет про непутевого Шурку рассказывать, как летала с ним по небу».

— Нет, не понимаю я в снах. И карт в руки не беру, зарок дала.

— И правильно, грех это, — соглашается Наталья. — Я вот жизнь свою всю прогадала и сабе, и Шурке свому, — вздыхает она. — Клавдия сны хорошо разгадывала. Бывало, спрошу чего, она вмиг расскажет.

Клавдия, младшая сестра Натальи, не только разгадывала, она еще и видела вещие сны. Еще смолоду великая сонница была. Иногда, разговорившись, увлекалась и рассказывала:

«Когда нас, молодежь, в комсомол загнали, я все видела во сне поле большое и двое мужчин высоких: один белый, а другой черный; к ним людей длинная вереница движется, и делят они тех людей между собой. Так-то делят, а некоторые посередке остаются. Я тоже к белому было собралась, а он: «Нет, — говорит, — подожди». И осталась я ни с тем, ни с этим.

Во время войны Воронежский авиационный завод эвакуировали. Перед эвакуацией я комсомольский билет и другие документы зарыла в саду, в жестяной коробке, было нам дано такое распоряжение.

Когда вернулась да нашла свою коробку, а там истлело все. И в ту же ночь белый меня к себе поставил... Более-то я никуда не вступала, а документов никто не спросил, война все скрыла».

Как-то умерла соседка Клавдии, а они подружки были. Клавдия в отъезде была, и старушку без нее схоронили. Клавдия как приехала, так к родственникам побежала:

— Рассказывайте, как схоронили, в чем?

— Все, — говорят, — честь по чести: и платье, и платочек, и тапочки...

— Эх, жаль, что я не видела, не проводила, — сокрушалась Клавдия, все боялась, что подружку не так обрядили, что будет она обижаться.

Ночью проснулась Клавдия, вроде позвал ее кто. Подошла к окошку, а там дедушка серенький стоит, в платье, как у попа, борода длинная... Смотрит на Клавдию и спрашивает:

— Ты, раба божия, хотела посмотреть, как твою подругу без тебя обрядили?

Клавдия молчит, только головой кивает — я, мол.

— Ну, смотри.

И прямо с неба, к окну Клавдии гроб опустился, а в гробу бабушка новопреставленная лежит. Как глянула Клавдия и не испугалась. Все убранство у подружки в порядке, все, как надобно.

— Посмотрела? — старичок строго спрашивает.

— Да, — отвечает Клавдия, — спасибо.

— Ну, оставайся с Богом!

И исчезло все. Стоит Клавдия у окошка, глаза кулаками трет, а потом смекнула, что не кто иной к ней являлся, как сам апостол Петр! Упала она перед образами, уж так молилась, так крестилась... Утром, едва забрезжило, к соседям бегом побежала.

— Знаю, — говорит, — в каком виде подружку схоронили. — И рассказывает: так-то и так-то. Соседи только дивятся.

Карты Клавдия тоже знала, но любила приговаривать:

— Карта — что? Картинка! Ты на человека смотри, он тебе сам о себе все расскажет.

Умерла Клавдия как-то странно. Нашли ее в сенях, возле скамейки, как будто сидела она, а потом упала и осталась лежать в той же позе. Поговаривали, что убил ее племянник Шурка, но делу почему-то хода не дали...

Наталья чужую смерть за версту чуяла. Как кому умереть, так она с утра приказывала лампадку у образа зажечь. Бестелесная совсем стала, не слышала ничего, а про лампадку никогда не забывала.

Вот средняя сестра, Евдокия, отдала Богу душу, двести верст друг от друга жили сестры; перед тем, как телеграмму получить, лежачая, слепая и глухая Наталья заставила-таки племянницу лампаду зажечь...

В Подгоренском районе есть довольно странный обычай: когда в доме покойник, иконы из дома выносят. Бабушку Дусю хоронили, тоже Николая-угодника в сарай вынесли... Вынести-то вынесли, а обратно не внесли...

Ночью внук Колюня услышал тяжелые шаги, и вроде вздыхал кто-то. В доме было очень темно, как ни вглядывался Колюня — никого не разглядел, окликнуть же не решился, оторопь взяла. Но утром он обнаружил икону на своем месте. Мы потом так и не узнали, кто ее внес...

— Когда помру, буду за вами приглядывать, хорошо ли вы все исделаете, — предупредила девяностодвухлетняя Натуся перед смертью.

В гробу она лежала с полуприкрытыми веками, словно действительно подсматривала.

АНДРЕЙ РОММ

врач, писатель

В медицинском институте я научился подмечать детали, даже самые маленькие, делать выводы и много писать. Но в историях болезней негде развернуться фантазии, а я с детства был тот еще выдумщик. Реальность казалась мне скучной, потому что тогда я еще не умел в нее толком всматриваться, вот и приходилось дополнять ее своими вымыслами. Писательство затянуло меня с головой, и сейчас я уже с трудом верю в то, что когда-то занимался чем-то другим. Счастье, на мой взгляд, — это гармония. Гармония с окружающим миром и самим собой.

МЕЛОЧЕЙ
НЕ БЫВАЕТ

• • •

«Случайное освещение предметов в комнате, тон утреннего неба, аромат, когда-то любимый вами и навеявший смутные воспоминания, строка забытого стихотворения, которое снова встретилось вам в книге, музыкальная фраза из пьесы, которую вы давно уже не играли, — вот от каких мелочей зависит течение нашей жизни».

Оскар Уайльд

В то знаменательное утро судьбоносного дня солнце светило особенно ярко, птицы выводили свои трели с необычайным старанием, а в воздухе витало предвкушение чуда. Я проснулся и сразу же почувствовал, что сегодня в моей жизни произойдет нечто особенное...

Прошу прощения, я, кажется, немного увлекся. Опередил события часов на десять и сильно преувеличил. Начнем с того, что в то утро, совершенно обычное и ничем не примечательное утро, я не просыпался. Чтобы проснуться, надо сначала заснуть, а я не спал всю ночь. Носился туда-сюда, не зная покоя, время от времени хватал ручку и начинал быстро писать. Обрывал написанное на полуслове и снова куда-то несся... Если вы подумали, что то была Волшебная Ночь Творческих Поисков, в какую рождаются шедевры, то сильно ошиблись. То была самая обычная ночь врачебного дежурства. Я носился из палаты в палату, с этажа на этаж, время от времени бегал на консультации в соседние корпуса, делал записи в историях болезни. Лето в стационарах и поликлиниках считается относительно спокойной порой. Ключевое слово: относительно. С одной стороны, летом люди меньше болеют, с другой — большая часть сотрудников уходит в отпуск тоже летом. Так что если кто-то думает, что летом дежурные врачи только чаи гоняют и играют друг с дружкой в шашки-шахматы, то очень ошибается.

К семи часам утра в моей голове пульсировала одна-единственная мысль: ночь простоял, теперь бы день продержаться. Ночное дежурство не избавляло от необходимости делать дневную работу, но, по негласной традиции, имевшей силу закона, отдежурившие врачи могли уходить домой на два-три часа раньше. Начальство понимающе закрывало на это глаза, а коллеги прикрывали — сегодня я тебя, завтра ты меня. Я предвкушал, как уйду домой в начале второго. Сделаю обход, быстренько покончу с писаниной и уйду. А дома сразу же лягу спать, отключив все звонки, начиная с дверного и заканчивая телефонными. И буду спать... И будут мне сниться приятные сны... И буду я счастлив... До следующего дежурства.

Насчет счастья я немного угадал, но тогда еще не имел представления, как я буду счастлив, насколько и почему. Думал — вот как завалюсь спать... И чтобы никаких звонков, ничьих торопливых шагов в коридоре, и уж тем более чтобы сирены за окном не выли. Терпеть не могу, когда они воют. Хочется, чтобы у всех все было хорошо.

В семь двадцать пять в ординаторскую вошла заведующая отделением Галина Федоровна. Чеканная поступь, пытливый, все подмечающий взгляд, суровая складка на переносице. У Галины Федоровны было доброе сердце, вспыльчивый (очень вспыльчивый — куда там вашему пороху!) характер и царапающая ухо фамилия, которую никто из пациентов не мог запомнить. Да и сотрудники запоминали далеко не с первого раза. Появление начальницы в семь двадцать пять не предвещало ничего приятного. Ранний приход был следствием бессонницы, что непременно сказывалось на настроении Галины Федоровны. Если она ночью спала, то появлялась в отделении без пяти восемь. В хорошем расположении духа. Сейчас же она была не в очень хорошем. Ей так и хотелось к чему-нибудь придраться.

— Листы назначений заполняются кое-как! — сказала она с выражением вселенской скорби на лице, хранившем следы былой красоты. — Врачи корябают, как курица лапой, сестры забывают отмечать. Нагрянет комиссия — достанется нам всем на орехи!

У Галины Федоровны было много общего с легендарной Кассандрой. Подобно дочери последнего троянского царя Приама, Галина Федоровна любила пророчествовать. К ее пророчествам окружающие обычно не прислушивались, о чем потом жалели. И еще, подобно Кассандре, Галина Федоровна была несчастлива в личной жизни, но это совсем другая история, причем не моя. А я собрался рассказать свою.

Дважды убедившись в том, что Галина Федоровна чувствует неприятности заранее, я начал воспринимать ее пророчества со всей серьезностью. Сказала заведующая, что комиссия нагрянет, значит, так оно и будет. Я подгреб поближе к себе картонные папки с историями болезни (ах, эти «антикварные», «античные» папки с тесемочками!) и начал торопливо, но вместе с тем внимательно проверять вклеенные в истории листы назначений. Торопиться внимательно студентов-медиков учат еще на втором курсе.

Историй было много, а я не привык бросать начатое на полпути, поэтому на утреннюю общебольничную конференцию, которую сотрудники оптимистично называли «пятиминуткой», опоздал. То было плохое предзнаменование. На утренней конференции дежурные врачи сдают дежурства. Отчитываются, получают скупую похвалу или щедрые подзатыльники (образно я, образно, телесные наказания отменил в 1863 году император Александр II), и только после того, как заместитель главного врача скажет отдежурившему доктору «спасибо», дежурство считается завершенным. Боже упаси за пять минут до начала конференции ляпнуть нечто вроде: «Ну что ж, дежурство было спокойным». За пять минут случится столько, что расхлебывать станут всем миром до позднего вечера. Пока не отчитался, не смей оценивать дежурство даже про себя. Ну и еще примета — дежурному врачу не стоит опаздывать на конференцию, потому что это предвещает непременную задержку на работе. Врачи суеверны, да.

Своим появлением в аудитории я прервал отчет ответственного дежурного хирурга. Заместитель главного врача Татьяна Сергеевна укоризненно покачала головой, сжала пальцы правой руки в кулак и несильно пристукнула им по столу — ну как так можно! Татьяну Сергеевну в больнице любили, хотя обычно заместителей главного врача по медицинской части в лучшем случае уважают. Но не любят. Трудно любить человека, контролирующего твою работу, делающего замечания и объявляющего выговоры. Но Татьяна Сергеевна была, если можно так выразиться, особым случаем. Если прожитые годы были властны над ее телом, то с духом Татьяны Сергеевны они ничего сделать не смогли. «Я плюю на свой возраст с высоты прожитых лет!» — говорила она. И подтверждала свои слова делом. Носила тинейджерские прически, тинейджерскую одежду, причем цвета выбирала самые что ни на есть кислотные и сочетала их самым невообразимым образом. Приход Татьяны Сергеевны в отделение, пусть даже и с проверкой, был ярким пятном на фоне серых больничных будней. Сказочным мотыльком порхала она по отделению и наслаждалась производимым эффектом. Возраст у Татьяны Сергеевны был таким, что она не видела смысла его скрывать. Кроме того, по контрасту с внешним видом солидная цифра производила не ошеломляющее, а просто разящее наповал действие. Пребывание на стационарном лечении располагает к унынию. Порой начинает казаться, что жизнь уже закончилась, что все хорошее осталось позади, а впереди одна сплошная тоска. И тут появляется Татьяна Сергеевна, наглядный пример неиссякаемого оптимизма и животворящей бодрости. Именно животворящей, это не описка, потому что бодрый энергичный вид Татьяны Сергеевны порой возвращал некоторых пациентов к жизни в прямом смысле этого слова. Посмотришь на энергичную женщину, по возрасту годящуюся тебе в матери (а то и в бабушки), и делаешь правильные выводы. Глядя на Татьяну Сергеевну, неправильных выводов сделать было невозможно.

Опоздавшим полагалось особое внимание, поэтому Татьяна Сергеевна то и дело меня перебивала — переспрашивала, уточняла, возражала, — а перед тем, как сказать свое обычное «спасибо», попросила зайти к ней сразу же после конференции. Пакостная примета начала действовать. Аудиенция у Татьяны Сергеевны обычно растягивалась не меньше чем на полчаса, а то и на весь час, потому что Татьяна Сергеевна была весьма дотошной и очень обстоятельной. Пока все не разжует, да по полочкам не расставит, да толикой воспоминаний не поделится, не отпустит. А в отделении пациенты ждут. Позже обход начнешь, позже домой уйдешь, так-то вот.

Снедаемый не самыми хорошими предчувствиями, я настроился провести в кабинете Татьяны Сергеевны минут сорок — сорок пять, но опрометчиво упомянул в разговоре о своей работе на «Скорой помощи» и тем самым выпустил из кувшина памяти джинна воспоминаний. На заре своей врачебной карьеры Татьяна Сергеевна отъездила три года на машине с красным крестом, и воспоминания об этом периоде были у нее наиболее яркими. На «Скорой» таки есть, что вспомнить.

Часы неумолимо отсчитывали минуту за минутой, джинн воспоминаний парил над разноцветной (это не аллегория, поверьте) головой Татьяны Сергеевны и все никак не хотел залезать обратно в кувшин. Если бы не некое ЧП в неврологическом отделении, аудиенция растянулась бы часа на полтора. Но громом среди ясного неба прозвенел спасательный звонок. Татьяна Сергеевна оборвала речь на полуслове, вскочила и унеслась наводить порядок. Я облегченно вздохнул (час пять минут лучше, чем полтора) и пошел в свое отделение, прикидывая на ходу, как бы мне половчее организовать рабочий процесс, чтобы освободиться пораньше. От усталости меня слегка пошатывало, и спать хотелось безумно. Настолько, что я заснул в лифте, не додумав насчет организации работы. Бывает.

На выходе из лифта на меня вихрем налетела доцент кафедры терапии Ольга Станиславовна. Насчет вихря я не преувеличиваю. Ольга Станиславовна имела обыкновение налетать, а не выходить навстречу. Если она была чем-то взволнована, то не могла спокойно стоять на месте — ходила кругами. Полы вечно расстегнутого халата довершали картину вихря.

— Только ты можешь меня спасти! — заявила Ольга Станиславовна тоном, не допускающим никаких возражений. — На тебя вся надежда!

Сердце мое тревожно сжалось. Я подумал, что напрасно поехал на лифте. Надо было подниматься пешком, по дальней лестнице, которую сотрудники называли «черной». Увы, знал бы, где упасть...

— У меня дело! Неотложное! Личное! — Ольга Станиславовна провела ребром ладони по горлу, показывая, насколько важное у нее дело. — Я должна немедленно убегать, понимаешь?!

Я машинально кивнул.

— Вот! — зеленые ведьминские глаза Ольги Станиславовны радостно вспыхнули. — Я знала, что ты меня поймешь! Я должна немедленно убегать, а у меня группа! Пропедевтика, второй курс! И кроме тебя, мне некому их передать! Пащенко и Киреева на конференции в Мадриде, Лепешин болеет, у Бокучавы лекция, а с Трошиной я вчера поссорилась!

Я хотел напомнить, что я после дежурства, даже рот открыл.

— Не смотри на меня так! — глаза Ольги Станиславовны снова вспыхнули, но теперь уже не радостно, а грозно. — Да, ты не кафедральный сотрудник, но это же второкурсники! С ними просто. Возьми их на обход, дай пропальпировать печень и выслушать сердце с легкими, разбери какой-нибудь интересный случай, раздай истории, пусть пишут тебе дневники! Короче говоря, займи их делом до двенадцати часов, чтобы они никому не мозолили глаза! За мной не пропадет! Они ждут у ординаторской! Журнал я положила на твой стол! Не забудь сделать перекличку!

Я умилился тому, что Ольга Станиславовна сначала положила мне на стол журнал, а потом уже стала договариваться. Пока я умилялся, Ольга Станиславовна вошла в подъехавший лифт.

— Ни одно доброе дело не остается без награды! — ободряюще крикнула она мне, когда двери лифта начали закрываться.

«Не остается», — обреченно подумал я. Это только на словах все просто — возьми на обход, дай пропальпировать печень и выслушать сердце с легкими... На самом деле присутствие дюжины студентов неимоверно затягивает обход. Плюс разбор «интересного случая», плюс все остальное... Я понял, что раньше четырех часов вряд ли уйду домой. Если день начался столь неудачно, жди «добавки».

Во время обхода одна из второкурсниц, девушка исключительной худобы и невероятной прозрачности, упала в оборок. Голодный. У тех, кто перегибает палку с диетами, голодные обмороки случаются часто. На диагностику, снятие кардиограммы, срочный анализ крови на сахар и прочие действия ушло полчаса.

В половине двенадцатого в одну из моих палат поступил новый пациент, который тут же, с порога, поскандалил со старожилами. Пришлось успокаивать. Еще полчаса.

Спустя десять минут после ухода студентов в ординаторской упал карниз, мирно висевший чуть ли не с довоенной поры. Мне, как единственному мужчинс, пришлось брать у старшей сестры молоток с отверткой и водворять карниз на место. Иначе в ординаторской нельзя было бы работать — мешало солнце. День был декабрьский, но солнечный.

В час дня ко мне поступил весьма непонятный пациент, сложность диагностики которого усиливалась молчаливостью. Слова из него буквально приходилось вытягивать клещами. Сомнения заставили меня вызвать на консультацию невропатолога... Пока невропатолог шла, поступил еще один малопонятный пациент, с которым тоже пришлось повозиться. Правила хорошего тона разрешают врачу, отдежурившему ночь, уходить после того, как он сделает обход и осмотрит всех новых пациентов. Перекидывать новичков на коллег не принято. Все люди разные. На одного и десяти минут достаточно, а на другого и двух часов не хватит... Вдобавок ко всему, с устатку я напортачил в историях болезни новых пациентов и спохватился лишь тогда, когда написал последнюю фразу. Пришлось переделывать. По мелочам набралось еще кое-каких дел, в результате в тот день я засиделся в ординаторской допоздна. Ушел последним, в седьмом часу, переборов малодушную и глупую мысль о том, чтобы лечь спать прямо в ординаторской. В ординаторской, даже если ты и не дежуришь, поспать не дадут. Врач, отдыхающий в ординаторской, действует на провидение, как красная тряпка на быка.

Шатаясь, я брел по оживленному, скользкому местами Нахимовскому проспекту (а дело было в декабре), выслушивая от прохожих справедливые, на их взгляд, и совершенно не заслуженные мною критические замечания и советы быть сдержаннее в употреблении спиртных напитков. Сталкиваясь с кем-то, я невнятно бормотал извинения и шел дальше, к метро. Ехать мне предстояло на другой конец Москвы. Я мечтал о том, что мне повезет, что в час пик я найду свободное место, сяду и славно посплю целых тридцать пять минут под убаюкивающий стук колес. В метро этот стук не такой убаюкивающий, как в поездах, но в тогдашнем моем состоянии я и под вой сирены мог бы заснуть.

Когда до спуска в метро было рукой подать, я наступил на особо зловредный (зловещий? злосчастный?), неимоверно скользкий участок тротуара. Одна нога уехала вправо, другая — влево и назад, неведомая сила подбросила меня в воздух, я взмахнул руками, пытаясь сохранить равновесие, но это не помогло. Я шлепнулся на спину, и, к счастью, благополучно, ничего себе не отшиб и не сломал. Но в своем безумном прыжке лосося я сбил с ног проходившую мимо девушку. Она упала и сейчас сидела на тротуаре, прижав к груди правую руку и поддерживая ее левой рукой. Мне ее поза очень не понравилась. Падая, люди инстинктивно выставляют вперед руки, обрушиваются на них всей своей тяжестью и ломают кости. У медиков даже есть такой термин: «перелом лучевой кости в типичном месте».

На улице было темновато, вокруг толклись сердобольные люди, помогавшие нам подняться на ноги, но я успел разглядеть девушку. И не только разглядел, но и заинтересовался ею. Трудно описать то, что я испытал в тот момент. Больше всего для этого подходят слова: «почувствовал к ней расположение». Да, именно так. И не потому что пленился красотой ее глаз или правильностью точеного профиля, а просто *почувствовал*. Красотой глаз или правильностью профиля можно любоваться, а расположение — это совсем иное чувство, когда хочется не только любоваться, но и познакомиться. Впрочем, если бы даже я и не почувствовал расположения к своей «нечаянной жертве», я бы все равно не оставил бы ее без медицинской помощи. Клянусь Гиппократом и его змеями.

Беглый осмотр утвердил меня в подозрении относительно перелома. Ждать «Скорую помощь» на улице в каких-то восьмистах метрах от больницы было глупо. Я попросил у девушки ее шарф, предложив ей взамен свой, длинный, но не широкий. Обмен состоялся, причем снимать и надевать шарфы пришлось мне, поскольку моя жертва не могла шевелить руками — одна рука болела, а другая ее придерживала. Обмен шарфами на третьей минуте знакомства, когда, собственно, знакомство толком не состоялось (своих имен мы друг другу еще не успели назвать), выглядел весьма интимно и в какой-то мере сближал. От широкого шарфа моей жертвы приятно пахло чем-то цветочным, совсем не зимним. Как будто весной повеяло. Я соорудил из шарфа косыночную повязку, усадил девушку в такси, и мы поехали в больницу.

— Повезло мне, что вы оказались врачом, — сказала девушка, пока мы ехали.

— Если бы я вообще возле вас не оказался, вам бы повезло еще больше, — неуклюже пошутил я.

— Сегодня день такой, — вздохнула девушка. — Собрались с подругой в театр, я хотела уйти с работы пораньше, чтобы успеть заскочить домой, но как с утра посыпались разные мелочи...

— Мелочей в жизни не бывает, — назидательно сказал пожилой таксист. — Совсем. Вся наша жизнь складывается из мелочей, как из кирпичиков...

Меня всегда раздражала и продолжает раздражать до сих пор бесцеремонность, с которой некоторые таксисты вмешиваются в разговоры пассажиров, но тогда я был признателен нашему водителю, потому что его вмешательство помогло мне перебороть совершенно неуместный в подобных обстоятельствах приступ смеха. Мне вдруг показалось очень смешным, что моя жертва сегодня, как и я, собиралась уйти с работы пораньше, что на нее тоже посыпались разные мелочи... Разве подобное совпадение, пусть и приведшее не к очень счастливому исходу, не может показаться смешным?

Несколько глубоких вдохов помогли мне взять себя в руки. Такси тем временем доехало до больничных ворот.

— Самотек! — крикнул я охраннику, приоткрыв дверь.

Охранник узнал меня и, не задавая вопросов, поднял шлагбаум.

На рентгеновском снимке мы с дежурным травматологом Александром Александровичем никаких признаков перелома не нашли.

— Знакомая? — спросил Александр Александрович.

Я к тому времени уже знал, как зовут девушку, а она знала, как зовут меня, так что я кивнул — да, знакомая.

— Симпатичная, — похвалил травматолог.

Александр Александрович был, если можно так выразиться, больничной достопримечательностью. Он женился четыре раза и только на своих пациентках. Его комплимент в адрес моей новой знакомой мне не понравился. Я пробурчал что-то насчет того, что все мы симпатичные, когда улыбаемся, — узнав, что перелома нет, девушка обрадовалась и очень мило заулыбалась, — забрал рентгеновский снимок и ушел.

Я предложил моей новой знакомой проводить ее до дому.

— А то вдруг еще кто-нибудь на вас налетит, — зачем-то добавил я и смутился, хотя в обычной жизни мало что могло меня смутить.

Девушка согласилась. Оказалось, что она живет на полпути между больницей и станцией метро. Если идти дворами, то за три минуты дойти можно. Но мы решили, что дворами в темноте идти неприятно, и пошли кружным путем, по широким, местами скользким тротуарам. Не сговариваясь, на выходе с больничной территории свернули не в ту сторону, из-за чего трехминутный путь растянулся надолго. На сколько именно, не скажу, потому что не смотрел на часы. И моя спутница тоже не смотрела. Счастливые, как известно, часов не наблюдают, а нам обоим казалось, что мы счастливы. Усталость и сонливость куда-то исчезли, я чувствовал себя так, будто только что вернулся из отпуска. Моя новая знакомая с каждой минутой нравилась мне все больше и больше. Я успел как следует рассмотреть ее. Красивая, глаза большие... Я люблю, когда у женщин большие выразительные глаза. Умная, с чувством юмора... С такими людьми приятно общаться. Выяснилось, что во многом наши интересы совпадают, но во многом и расходятся, так что нам было о чем поговорить.

Я узнал, на какой спектакль по моей вине не попала сегодня девушка, и пригласил ее сходить на него со мной, сказав, что просто обязан исправить ошибку.

Возле подъезда мы долго стояли и разговаривали обо всем, что приходило на ум. О чем именно, я уже не помню. Замерзли. Меня пригласили на чашку чая. Я принял предложение, и мы вместе пошли до ближайшего магазина, чтобы купить что-нибудь к чаю...

Спустя три месяца мы поженились.

Таксист был прав. Мелочей в жизни не бывает. Любой, самый незначительный на первый взгляд пустяк способен кардинально изменить жизнь. Если бы я не опоздал на утреннюю конференцию, если бы Ольга Станиславовна не «подкинула» мне своих студентов, если бы с пациентами в тот день было все гладко, если бы начальник не заставил мою жену срочно переделывать отчет...

Вся прелесть жизни в этих маленьких кирпичиках, из которых она состоит.

СОДЕРЖАНИЕ

• • •

446

447

СОДЕРЖАНИЕ

Литературно-художественное издание

ПЕРЕМЕНЫ К ЛУЧШЕМУ

СЧАСТЛИВЫЙ СЛУЧАЙ

Ответственный редактор *О. Яковлева*
Литературный редактор *Н. Королева*
Младший редактор *М. Каменных*
Художественный редактор *П. Петров*
Компьютерная верстка *Н. Кириллова*
Корректор *О. Степанова*

ООО «Издательство «Э»
123308, Москва, ул. Зорге, д. 1. Тел. 8 (495) 411-68-86.
Өндіруші: «Э» АҚБ Баспасы, 123308, Мәскеу, Ресей, Зорге көшесі, 1 үй.
Тел. 8 (495) 411-68-86.
Тауар белгісі: «Э»
Қазақстан Республикасында дистрибьютор және өнім бойынша арыз-талаптарды қабылдаушының
өкілі «РДЦ-Алматы» ЖШС, Алматы қ., Домбровский көш., 3«а», литер Б, офис 1.
Тел.: 8 (727) 251-59-89/90/91/92, факс: 8 (727) 251 58 12 вн. 107.
Өнімнің жарамдылық мерзімі шектелмеген.
Сертификация туралы ақпарат сайтта Өндіруші «Э»

Сведения о подтверждении соответствия издания согласно законодательству РФ
о техническом регулировании можно получить на сайте Издательства «Э»

Өндірген мемлекет: Ресей
Сертификация қарастырылмаған

Подписано в печать 09.08.2016. Формат 84х108^1/$_{32}$.
Печать офсетная. Усл. печ. л. 23,52.
Тираж 4000 экз. Заказ 5908.

Отпечатано с готовых файлов заказчика
в АО «Первая Образцовая типография»,
филиал **«УЛЬЯНОВСКИЙ ДОМ ПЕЧАТИ»**
432980, г. Ульяновск, ул. Гончарова, 14

16+

ИНТЕРНЕТ-МАГАЗИН

ISBN 978-5-699-87139-1

В электронном виде книги издательства вы можете
купить на www.litres.ru

ЛитРес:
один клик до книг